KV-426-301

КАПРИЗЫ СУДЬБЫ
КАПРИЗЫ СУДЬБЫ
МОСКВА • ЭКСМО • 2009

Судьба всегда дает шанс!
Не верите?
Читайте романы Олега Роя:

Мир над пропастью
Муж, жена, любовница
Улыбка черного кота
Дом без выхода
Капкан супружеской свободы
Обещание нежности
Нелепая привычка жить
Амальгама счастья
Украденное счастье
Барселонская галерея
Банкротство мнимых ценностей

Олег

РОЙ

Банкротство мнимых ценностей

ЭКСМО
Москва
2009

УДК 82-3
ББК 84(2Рос-Рус)6-4
Р 65

Оформление серии *С. Груздева*

Серия основана в 2007 году

Рой О.

Р 65 Банкротство мнимых ценностей : роман / Олег Рой. — М. : Эксмо, 2009. — 352 с. — (Капризы судьбы).

ISBN 978-5-699-35767-3

Евгений Крутилин к своей кличке «ЛОХНЕСС» относился двояко. С одной стороны, ему было приятно чувствовать себя редким зверем, ласково именуемым «НЕССИ». С другой стороны, первые три буквы школьного прозвища вызывали в нем чувство протеста: «Нет, он не ЛОХ, он о-го-го какой бизнес построил, какую раскрасавицу в жены взял!» Но жизнь — такая капризная штука, что сегодня ты возНЕССя, а завтра ЛОХанулся и приземлился прямо в лужу, став одновременно и банкротом, и рогоносцем. Осознание своего лузерства только у сильных духом людей вызывает сопротивление и желание все исправить. Пусть даже ценой собственной жизни. Но если оно возникло, если ты начал двигаться к намеченной цели, то для тебя всегда найдется ангел-хранитель. Думал ли Женька Крутилин, что удостоится таких ангелов?!

УДК 82-3
ББК 84(2Рос-Рус)6-4

ISBN 978-5-699-35767-3

Сидни Шелдон говорил о технике сочинительства: «Я пытаюсь писать так, чтобы читатель не мог закрыть мои книги...» Подобное можно сказать о писательском кредо Олега Роя. Увлекательнейшие истории, неожиданные сюжетные повороты, яркие образы сильных, незаурядных личностей стали причиной обращения кинематографа к творчеству писателя.

По его романам снимаются фильмы в России, Америке. Характеры персонажей автора раскрыты с удивительной глубиной и психологической точностью. Олег Рой пишет о вечном — о КАПРИЗАХ СУДЬБЫ, которая сегодня может лишить человека всего, что дорого в жизни, а завтра невзначай вернуть радость бытия. Но его герои, оказавшись на распутье, находят шанс, который дает им провидение, и становятся счастливыми. Перелистывая последнюю страницу захватывающего повествования, испытываешь жалость, что книга закончилась.

А. МАРИНИНА

Памяти моего сына Женечки
посвящается

Пролог

Сизый табачный дым, клубившийся над каждым столиком, выглядел в неярком свете бра почти осязаемым. Казалось, стоит протянуть руку — и сможешь почувствовать в ладонях рыхлые облака, сжать их, скомкать, ощутить, какие они липкие... Во всяком случае, именно так представлялось мужчине в стильных очках, сидевшему в углу зала, рядом с елкой, украшенной одинаковыми шарами. В этот рождественский вечер его все раздражало: и елка, мешавшая удобно откинуться на спинку дивана, и полумрак зала «с претензией на интимную обстановку», и огромная плазменная панель напротив, с какими-то очередными рождественскими соплями, и дым... Особенно дым. Три года назад он бросил курить и с тех пор не переносил, когда кто-то смолил рядом. Вплоть до того, что старался избегать тусовок и даже некоторых деловых встреч — потому что рано или поздно у собеседников обязательно появлялись в руках сигареты. Свободно дышать удавалось лишь в собственном офисе, где он установил строгий запрет на курение. Нарушителям грозил штраф, а во время приема на работу новых сотрудников отсутствие вредной привычки выступало одним из критериев отбора. Впрочем, сейчас все уже оказалось в прошлом. Офиса у него больше не было, и компании, торговавшей компьютерами и когда-то считавшейся одной из лучших в Москве, тоже не было. Кризис, будь он неладен!..

Сегодня желание закурить сделалось почти нестерпимым. Он отодвигал навязчивую мысль, прогонял ее, но она, как назойливая муха, возвращалась вновь и вновь, рисуя в воображении заманчивую картину. Ведь это так легко! Протянуть руку, вынуть из лежащей на столе пачки сигарету, почувствовать губами привычную упругость и, щелкнув зажигалкой, впустить в легкие до боли знакомый ароматный дым. Раньше он был уверен, что курение помогает ему думать — именно в такие минуты его посещали наиболее удачные идеи, приходило разрешение мучивших проблем. Может быть, и сейчас... Однако умом он понимал, что подобные надежды напрасны. Да, можно позволить себе поддаться соблазну. И сначала появится приятное, еле заметное головокружение и чувство расслабленности, потом стянет виски, возникнет головная боль и сухость во рту... Но дело даже не в этом. А в том, что в нынешней ситуации никакие сигареты не помогут.

Двое приятелей, сидевшие за его столом, абсолютно не замечали нервозного состояния соседа, беспечно болтая между собой. Случайные знакомые из фитнес-клуба Well-being, с которыми он после тренировки увязался в бар, чтобы хоть на несколько часов отвлечься от тягостных мыслей, но здесь, в дорогом ирландском пабе, еще острее почувствовал одиночество и безвыходность своего положения.

Бокал перед ним почти опустел, и он сделал едва заметный жест, подзывая вышколенную официантку в очень короткой клетчатой юбке и кокетливых чулочках. Ножки у девушки были что надо, но сейчас такие вещи его не интересовали.

— Еще сто пятьдесят, пожалуйста.

Официантка услужливо кивнула головой и метнулась к барной стойке, а он опустошил свой бокал одним глотком. Выпито было уже немало, но это не принесло ни радости, ни душевного равновесия, ни успокоительного опьянения. Неприятные мысли и воспоминания все равно просачивались сквозь пелену алкоголя, не давая забыться или хотя бы расслабиться.

Соседи по столу, оживленно жестикулируя, продолжали свою беседу, и ему даже не нужно было прислушиваться, чтобы понять, о чем они говорят. Тема в их кругах сегодня одна — мировой экономический кризис. Кто-то пробует докопаться до причин, кто-то пытается делать прогнозы, но большинство в красках расписывают знакомым, малознакомым и вовсе незнакомым собеседникам, насколько богатыми они были или вот-вот могли бы стать, если б не события этой осени. Вот и сейчас один из его новоявленных приятелей жаловался на то, как накрылся потрясающий кинопроект, в который он вложился, — «всем боевикам боевик, Голливуд отдыхает, Шварценеггер с Ван Даммом лопнули бы от зависти!», а другой выдавал в ответ историю о своей «телочке», которой он клятвенно пообещал, что сделает из нее известную

певицу, — и тут такой облом! И оба на полном серьезе считали, что «значительно пострадали из-за кризиса».

Слушать это было невыносимо. Как вообще можно ставить на одну доску несостоявшуюся киношку и банкротство целой компании? Все, во что он много лет вкладывал столько сил, труда, денег, — все рухнуло в какой-то месяц. Дело всей жизни. Бизнес. И нет ничего. Совсем ничего. Он полный банкрот, полный... Интересно, как бы отреагировали его спутники, если б он рассказал им о *своих* проблемах? Изобразили бы сочувствие? Стали бы утешать сказками о других разорившихся? Или шарахнулись бы от него, как от заразного больного?

«Впрочем, какое мне до них дело? — пронеслось в голове. — Все равно в конце января мой абонемент в клуб закончится, а новый я, естественно, покупать не буду. Перестану ходить на тренировки, они забудут обо мне, а я о них».

Официантка поставила на столик новую порцию коньяка. Он торопливо взял пузатый бокал, сделал большой глоток и скривился — вкус дорогого напитка показался неприятным, даже мерзким.

— Жека, а ты чего грузной такой? — наконец обратил на него внимание неудавшийся продюсер. Вообще-то к кино он никакого отношения не имел, в фильм вложился так, забавы ради. Женя знал, что у этого парня крупный строительный бизнес, но вот имя его никак не мог запомнить. То ли Саша, то ли Серега...

— Какие-то проблемы? — продолжал допытываться тот. — Не дрейфь, прорвемся!

— Да в порядке все, — бывший бизнесмен, а ныне банкрот Евгений Крутилин по прозвищу Лохнесс очнулся от мрачных раздумий и соорудил некое подобие улыбки. — С женой вчера поругался, сегодня надо мириться. Вот не выходит из головы.

— А, ха-ха, старик, — понимающе кивнул второй сосед, Виталик, любитель юных певиц. — Ну, это дело поправимое. Купи ей цацку какую-нибудь подороже — и весь базар. Уж я-то знаю! Когда моя кулема узнала про Дашку... Или это еще не Дашка, а Настасья была?.. Нет, все-таки Дашка... Так вот, такой визг подняла — мама не горюй! Развод, раздел имущества, с детьми видеться не дам, и все такое прочее... Ну я, не будь дураком, колечко ей подогнал, с брюликами покрупнее, — враз заткнулась!

— Хорошая идея, — Лохнесс кивнул и допил остатки коньяка. Он и сам не знал, зачем пошел сюда, вместо того чтобы ехать домой. Но с чужими людьми он чувствовал себя относительно спокойно, хотя и понимал, что это ненадолго. Очень скоро ему придется опять погрузиться в реальную жизнь. И еще он оттягивал разговор с женой, хотел его и боялся одновременно.

Жена... Марина... Такая мягкая, ласковая, вчера впервые за всю их совместную жизнь выпустила коготки и больно царапнула. Что это — случайность? А вдруг теперь, когда он разорился, так будет всегда? Если и дома все обрушится, тогда хоть в петлю...

Он подумал об этом отстраненно, но потом вернулся к этой мысли и повторил ее про себя еще раз, точно пробуя на вкус. И действительно, если он лишится и своего дела, и семьи, то для чего ему жить?

* * *

Марина сама не знала, отчего вдруг решила остаться дома. Не то чтоб некуда было поехать, наоборот, звали и в клуб, и за город с ночевкой. Но она не приняла ни одного из приглашений. Возможно, потому, что не хотелось тратиться на подарки. И раньше-то, до банкротства мужа, Марина была скуповата, больше любила получать, чем дарить. Ну а теперь, когда последние деньги таяли на глазах с ужасающей скоростью, покупка рождественских сувениров выглядела непозволительной роскошью. Нет уж, хватит с них и тех милых пустячков, которые она преподнесла всем друзьям и нужным людям на Новый год!

Так что ни в какие гости и тусовки Марина не поехала, но по магазинам, впрочем, прошвырнулась — праздник же, почти везде рождественские скидки. Купила джинсы, пару кофточек, юбку-миди, сапожки, сумочку и так, по мелочи: шампунь, пену для ванны с ароматом шоколада, крем для тела с афродизиаками. Конечно, где-то в глубине сознания свербела неприятная мыслишка, что тысячи, которые она тратит, — последние и хорошо бы быть поэкономнее... Но Маринка гнала все сомнения прочь, решив для себя, что станет переживать неприятности по мере их поступления. Вот закончатся средства — тогда и начнем плакать и во всем себе отказывать. А сейчас, пока на кредитке еще что-то есть, можно устроить себе маленький праздник.

Домой она вернулась уже в сумерках, перемерила все обновки и, вполне довольная приобретениями, отправилась в ванную, опробовать новую пену.

В тот самый момент, когда запиликал телефон, Марина как раз повесила мокрое банное полотенце на сушилку и потянулась к тюбику с кремом.

— Привет, что делаешь? — прозвучал в трубке знакомый голос, от которого по распаренному обнаженному телу тотчас побежали приятные мурашки.

— А ничего. Дома сижу...

— Собираешься куда-нибудь вечером?

— Да нет, вряд ли. Лениво что-то. Ванну вот приняла с шоколадной пеной, перышки чищу...

— Вот как? А твой где?

— Понятия не имею.

— С шоколадной, говоришь? Ну что ж, это здорово...

И прежде чем Маринка успела сказать еще что-то, в трубке раздались короткие гудки. Жена банкрота Евгения Крутилина вернулась к своим приятным занятиям, но сердце долго еще продолжало биться, словно растревоженная птица...

* * *

Радио в автомобиле было включено на полную мощь, веселый голос диджея в который раз за день поздравлял слушателей с Православным Рождеством. Ехали медленно, еле-еле двигаясь в потоке — в праздничный вечер улицы Москвы оказались забиты почти под завязку. Макса это раздражало, он вел машину нервно, то слишком резко дергал с места, то пытался перестроиться в соседний ряд, где ему казалось посвободнее, то, ничуть не стесняясь присутствия хозяйки, матерился, проклиная на чем свет стоит других водителей, гаишников и чиновни-

ков, которые думают только о том, чтоб набить свой карман, а не о том, чтобы хоть как-то решить проблему с движением в столице. Зато Карина пребывала в отличном настроении и только посмеивалась над личным водителем и по совместительству охранником. Она ехала на свидание, не назначенное заранее, а задуманное как сюрприз, праздничный подарок, — и чувствовала себя совершенно замечательно. Подпевая лившейся из колонок модной песенке, она придирчиво осматривала свой свеженький маникюр и не находила в нем ни единого изъяна. Определенно, она не прогадала! Эта новенькая маникюрша, которую Карина перед Новым годом переманила в свой салон от конкурентов, стоила обещанных ей денег.

Наконец утомительное путешествие по запруженному машинами центру закончилось. Автомобиль свернул в тихий двор недавно отреставрированного дома на Солянке, гуднул клаксоном перед шлагбаумом, подрулил к высоким резным дверям подъезда. Макс сглотнул и поинтересовался:

— Я вам сегодня еще нужен?

— Сегодня — нет, — покачала головой Карина. — Я потом себе такси вызову. А ты поезжай домой, отдохни как следует. Праздник отметь. Но не забывай о завтрашнем поручении, — она хотела произнести это легко и беззаботно, но не получилось, голос все-таки дрогнул. — Ну, пока!

И, подхватив пакет с логотипом известной фирмы, специализирующейся на роскошном женском белье, Карина застучала каблучками. Нажала кнопку переговорно-

го устройства, дождалась ответа, кокетливо прощебетала: «А это я! Не ждали?» — и исчезла за тяжелой дверью.

Макс тут же рванул с места. Скорее отогнать хозяйскую машину и домой. Боже, какое же это чудесное слово — домой! Ничего на свете не может быть лучше, чем возвращаться туда, где тебя любят и ждут, где тепло и горит свет. Ух, и напразднуются они сегодня! А завтрашнее поручение он исполнит, обязательно исполнит. А потом... Тьфу-тьфу-тьфу, не сглазить! Он запрещал себе даже думать о «потом», чтобы ненароком не рассердить судьбу, быть может, впервые в жизни улыбнувшуюся ему.

— Домо-ой, — запел он в полный голос. — До-мо-о-о-ой!

* * *

Рождество Степе всегда нравилось даже больше, чем Новый год. Это пошло еще с детства, с тех сказок и романтических историй, которые читала ему вслух сестренка Вика. Она очень рано выучилась читать, года в четыре, и с тех пор не расставалась с книгами. А вот он, Степа, это занятие не слишком любил, ему было лень складывать буквы в слоги, а слоги в слова. Куда лучше это делает за тебя любимая сестренка. А Вику он действительно любил, да что там — обожал, боготворил просто. Маленьким бегал за ней всюду, как хвостик, подражал всем ее словам, движениям, поступкам, смеша и умиляя взрослых.

С годами неприязнь к чтению прошла, а любовь к сестре осталась. Теперь, когда не стало родителей, Степа, хоть и был моложе, чувствовал себя ответственным за Вику, заботился о ней, баловал. На Рождество, например, подарит новый мобильник, а на Новый год преподнес перчатки, французские духи и шикарный трехтомник Толкиена на английском языке. Толкиену сестренка обрадовалась больше всего, сказала, что давно мечтала прочитать в подлиннике.

По-хорошему, Степану надо было сегодня быть на работе, в праздничные и предпраздничные дни там всегда особое оживление. Но он специально взял выходной, чтобы встретить Рождество дома.

Сейчас они с Викой готовили праздничный ужин. Степа делал салат — ее любимый, с кукурузой и крабами, сестренка резала колбасу и красиво укладывала ее на тарелке. Пристроила последний кусочек, полюбовалась результатом, подняла голову, улыбнулась ему, хотела что-то сказать, но тут в храме, неподалеку от их дома, зазвонили в колокола.

Они оба, не сговариваясь, выглянули в окно, залюбовались пышным белым снегом, зимними деревьями, ярко подсвеченной церковью.

— Какая же красота! — проговорила Вика. — Как в сказке. С Рождеством тебя, братик!

— И тебя! — Степа обнял ее. Он чувствовал себя почти счастливым. Разве можно было думать о чем-то плохом в такой чудесный вечер? Даже если это плохое было очень плохим. Совсем плохим...

■ ЧАСТЬ ПЕРВАЯ

Женя не помнил, кто первым назвал его Лохнессом и откуда взялось это прозвище. Твердо знал лишь одно — появилось оно в то время, когда слово «лох» еще не было так распространено и, соответственно, изначально в кличке не было ничего обидного. Скорей всего, дело было в мифическом шотландском чудовище. Когда Женька Крутилин учился в средней школе, все увлекались байкой про Несси, спорили до хрипоты, а подчас и до драки, может или не может так быть. Женя тогда буквально болел этой историей, зачитывался статьями в журналах, приносил в класс фотографии, вырезанные из «Науки и жизни», и даже создал собственную теорию, неоспоримо, как ему тогда казалось, доказывающую существование Несси. Неудивительно, что прилепилась кликуха... Хотя, может, Несси тут и ни при чем была. Просто Крутилин всегда ходил лохматым, с торчащими во все стороны вихрами. Эта непокорность его волос сохранилась и по сей день, только теперь он знал об этом и старался не допускать неряшливости, стригся часто и коротко.

Словом, лохматость прошла, а кличка осталась. Лохнессом Женьку звали и друзья в универе, и приятели на работе. И даже обе жены. Марина, нынешняя, — ласково, в шутку. А бывшая, Карина, когда сердилась и хотела побольнее уколоть, обозвав лохом...

«Домой, надо ехать домой. Помириться с Мариной, вместе встретить Рождество. Накроем стол, выпьем вина, включим телевизор и будем смотреть трансляцию праздничной службы. Я постараюсь забыть ее слова, она ведь говорила в порыве гнева... Зализать раны в своей берлоге, а там... Утро вечера мудренее», — эти мысли пульсировали в его голове, а он все не мог заставить себя встать с мягкого дивана в полутемном пабе. Наконец решился. Достал бумажник, положил купюру на столешницу и, не попрощавшись, игнорируя удивленные взгляды фитнес-приятелей, вышел на улицу.

Стоял морозный вечер с ясным звездным небом. Днем шел снег, и за какие-то три часа, которые Лохнесс провел в пабе, все вокруг изменилось как по волшебству. Деревья, кусты, крыши, карнизы, провода, ограды, искусственные елки на площадях — все словно родилось во второй раз и зажило новой радостной жизнью. Казалось, множество маленьких пушистых ангелочков спустились с небес на землю и весело рассыпались по ней, чтобы устроить людям настоящий праздник. Такие сказочные картины в городе редкость.

Издалека, со стороны Новодевичьего монастыря, донесся колокольный звон. Православные готовились к встрече Рождества.

Слегка пошатываясь, Женя вышел на Пироговку и неуверенно поднял руку. Он давно сам не ловил машину вот так, полупьяным. Да и вообще никак не ловил, всегда ездил на собственном джипе с водителем. Но перед ка-

никулами водителя пришлось рассчитать, а джип сегодня остался на стоянке — Лохнесс заранее чувствовал, что может вечером напиться.

Рядом тормознула грязная убитая «шестерка», Женя сердито отмахнулся — проезжай, мол, я еще не настолько низко пал, чтоб ездить на *таких* машинах. «Жигуленок» обиженно упилил прочь, а Лохнессу вдруг стало... не то чтобы стыдно, но как-то неловко. Кто он теперь такой, чтобы презирать людей, честным трудом зарабатывающих копейки? Еще неизвестно, что будет с ним самим через несколько месяцев...

Следом за «шестеркой» подрулила другая машина — «Волга», настоящее такси, даже с шашечками.

— Куда поедем, командир?

— На Солянку, — облегченно выдохнул Лохнесс и сел на заднее сиденье.

Внутри было тепло, тихо наигрывал оркестр Эдди Рознера.

Таксист, очевидно, любитель поболтать с клиентами, вопросительно полуобернулся, но, взглянув на пассажира, ничего не сказал.

Женя любил джаз. Дома у него собралась целая коллекция дисков: Олег Лундстрем, Генри Миллер, Карел Влах, Яков Скоморовский, его любимый Александр Цфасман... Слушая музыку, он прикрыл глаза и как-то сразу обмяк, на душе потеплело. Мелодия, связанная со счастливыми мгновениями жизни, перенесла его на год назад. В прошлом году они с Мариной встречали Рождество в Альпах. Именно в этот день, в далеком теперь Зельдене, они, вернувшись под вечер с крутых горнолыжных спусков, ужинали в уютном ресторане «Эдельвейс» и танцевали как раз под эту композицию. А потом провели такую незабываемую ночь!.. Какие слова он шептал ей тогда, какие ласки дарила она ему... И как же все изменилось за какой-то год! В карманах пусто, Маринка, его мягкая и пушистая Маринка, вчера вечером бросала ему в лицо какие-то дикие слова, называла его неудачником, лохом, проклинала тот день, когда они встретились... Женя вздохнул. От большого количества коньяка думалось тяжело, мысли путались, клонило в сон. Он и не заметил, что такси подъехало к его дому.

— Сюда? — уточнил водитель и, получив утвердительный ответ, завернул во двор.

Лохнесс поднял голову и посмотрел на окна своей квартиры. Везде темно, только в спальне мягкий, приглушенный полусвет.

«Дома», — почему-то с облегчением подумал он. После вчерашнего она могла отмочить что угодно — уехать к маме, пойти с подругами в клуб, но она все-таки дома. Это хороший знак.

Перед входом в квартиру Женя ощупал карман куртки. Рядом с ключами обнаружилась бархатная коробочка, в которой были сережки с бриллиантами — подарок Маринке на Рождество, куплен еще с утра.

На звук открывшейся двери Марина не вышла. Наверное, дуется еще... Двигаясь не слишком уверенно, Лохнесс снял куртку, повесил на вешалку, переобулся. В квартире по-прежнему было тихо.

«Может, спит?» — мелькнуло в затуманенной алкоголем голове.

На цыпочках Женя двинулся к спальне. Сделав пару шагов, явственно почувствовал, как ударил в ноздри легкий сладковатый запах. Слишком хорошо знакомый запах — дурманящий, пьянящий, несущий с собой порок и разрушение... С недавних пор Евгений уже не мог спутать его ни с каким другим ароматом.

«Опять Маринка травку курила! — подумалось с досадой. — А ведь обещала...»

Он секунду помедлил, не зная, что делать дальше. Ворваться в комнату, разбудить, наорать на нее за то, что снова взялась за старое? Или дождаться, пока проснется сама, и потом отчитать? А как быть с подарком? Так хотелось сделать приятное...

У самой спальни запах «дури» ощущался сильнее. Двойные двери из настоящего черного дерева были закрыты. Женя уже собирался их приоткрыть, когда услышал изнутри приглушенный голос Марины, а затем — низкий, с хрипотцой, женский смех.

«С кем это она? — удивился Лохнесс. — Что-то новенькое. Обычно она курила траву одна».

Он снова прислушался. Голос Марины, мягкий и вкрадчивый, перемежался чьим-то отрывистым хихиканьем. Это хихиканье было знакомо Лохнессу, он его неоднократно где-то слышал. Но где? То, что подсовывала ему память, было слишком неправдоподобно. Тут смех резко оборвался, и незнакомка страстно зашептала что-то. Женю бросило в жар.

— Бред какой-то, — проговорил он себе под нос и дернул дверь.

К его удивлению, та оказалась заперта.

«Кого же там нелегкая принесла? — возмутился про себя Лохнесс. — Вот дуры! Заперлись и думают, что все шито-крыто. Как будто я запаха не учую!»

Он уже собрался отойти от дверей, когда из спальни раздались звуки, заставившие его замереть на месте. Сначала прозвучал слабый отрывистый стон, затем второй, громче и протяжнее, потом еще и еще... Стонала Марина, в этом у Жени не было сомнений. Как и в причине подобных стонов — кому, как не ее мужу, было знать, как ведет себя жена в постели? В первый момент он вообще ничего не понял. Там, за запертыми дверями, Марина занимается сексом? Но как же так, ведь второй голос был женский?.. Получается, его жена предается любовным утехам... с женщиной?

Доносившиеся из-за двери томные вздохи и стоны то затихали, то с новой силой обрушивались на ошарашенного Лохнесса. В первый момент, когда пришла догадка, он сначала даже не рассердился, а удивился, будучи просто не в состоянии понять — *как так*? Марина, его Марина — лесбиянка? Ну, пусть не лесбиянка, пусть, как это там называется, бисексуалка, что ли? Да, точно, би. Но все равно верилось в это с трудом. Она же раньше никогда...

Он постоял еще некоторое время, туго соображая, что ему делать: взломать дверь, чтобы увидеть, с кем это Маринка так нагло развлекается, или плюнуть на все. И тут его жена громко и явственно произнесла:

— Карина...

Лохнесса как током ударило. Этого не может быть!

— Карина... Кариночка... — словно в насмешку над ним, повторили за дверью. — Еще...

Он заскрипел зубами и на нетвердых ногах отошел от спальни. Стало ясно как день, что происходит внутри спальни. Там, на огромной испанской кровати, купленной за бешеные деньги полгода назад, когда о кризисе еще не было и помину, его нынешняя жена занималась сексом с его бывшей женой. Лохнесса чуть не стошнило, и он поплелся в ванную.

Из большого настенного зеркала на него смотрел стеклянными глазами осунувшийся, помятый и, похоже, совсем потерявшийся человек. Коротко постриженные русые волосы взлохмачены, очки не скрывают темных кругов под глазами, галстук съехал набок.

— Кто это? — Лохнесс оглянулся вокруг, как будто надеясь увидеть еще кого-то рядом с собой. — Это я?.. Какой кошмар! Сколько же я выпил? — и застонал — то ли от того, что увидел в зеркале, то ли от нового предательства. Он плеснул на лицо холодной воды. — Никому нельзя верить. Маринка... и ты тоже, но зачем — так?! Да еще с Кариной, этой стервой...

Уткнувшись в большое махровое полотенце, висевшее на сушилке и еще сохранявшее нежный аромат шоколада, он просидел несколько минут. Затем резко поднялся, прошел в прихожую, наспех обулся, кое-как оделся, путаясь в рукавах пальто, вынул из кармана ключи, отсоединил те, что от квартиры, и бросил их на тумбочку. Громко хлопнув входной дверью, Евгений вылетел из подъезда и, переведя дыхание, с наслаждением вдохнул морозный воздух. На душе у него было пакостно, как никогда, он чувствовал себя опустошенным, и эта пустота разрывала его на части. Сердце бешено колотилось, а в голове, точно дробь дятла, мелькали вопрос за вопросом: «Что же это? Что? Почему она со мной так? Чего я недодал Марине, что она стала трахаться с бабами? Да еще с этой курвой?.. А может, она и раньше была такой? Может, она меня просто использовала все это время?.. И была со мной просто из-за денег? За что мне все это? И что же делать? Что делать?..»

Сейчас желание было одно — бежать. Подальше от этого дома, от этой гадости, этого предательства.

Казалось, что от бед и несправедливостей, которые подняли целую бурю в его душе, во всем мире, в природе должно было что-то измениться. Но когда он огляделся, все было тихо. Москва жила обычной вечерней жизнью: светились окна, шумели автомобили, где-то разговаривали и смеялись люди. На небе появился месяц, красивый и яркий, точно из мультфильма.

«Никому до меня нет дела, — горько улыбнулся Лохнесс. — Все против меня, все!»

Покачиваясь из стороны в сторону, он подошел к своему джипу. Тот был заставлен автомобилями соседей и, казалось, говорил ему: «Извини, дружище, но, может, оно и к лучшему? Куда тебе ехать в таком состоянии?..»

Лохнесс открыл дверцу, забрался на сиденье, включил зажигание. Машина с ходу завелась. Он сел поудобней, включил печку. Стекла были покрыты снегом, и на миг ему показалось, что он в норе.

— Да, — сказал Женя в пустоту салона, — она была права. Я неудачник, и у меня больше ничего нет. Остался

только джип! — Он положил руки на руль, прошелся по его выпуклостям пальцами. Снять автомобиль с тормоза и вырулить на дорогу не позволяли остатки здравого смысла. Не то чтобы он боялся лишиться жизни в аварии — да черт с ней, с такой жизнью! Но от его неосмотрительности могли пострадать другие — а этого Евгений не хотел. Так и остался сидеть в машине, предаваясь невеселым мыслям.

Вдруг вспомнилось, как в середине осени он вернулся домой пораньше и обнаружил, что лифт не работает. Пришлось подниматься пешком. Забавы ради он, как в школьные годы, перешагивал через две ступеньки и на третьем этаже неожиданно столкнулся лоб в лоб с охранником Карины. Похожий на киллера, коротко стриженный Максим в черной куртке-косухе смерил Женю холодным колючим взглядом и, не вынимая рук из карманов, проскользнул мимо, еле кивнув. А ведь они хорошо знали друг друга. Тогда Евгений удивился, но не придал этому большого значения, мало ли к кому мог приходить Макс, приторговывающий наркотиками. Теперь-то ему было ясно как божий день, зачем и к кому тогда заходил этот бугай. Значит, они обе, Маринка и Каринка, полтора года назад познакомившись на его дне рождения, все-таки спелись, нашли себе общее занятие: сначала травка, потом постель.

Коварная память подсунула тотчас и другую сцену. Незадолго до Нового года жена в очередной раз пришла поздно, возбужденная, вся какая-то необычная.

— Ты опять курила травку? — устало спросил он ее. Сил ругаться и скандалить уже не было.

А она в ответ загадочно, как Мона Лиза, улыбнулась, глядя куда-то вдаль, сквозь него, передернула плечами и, уже не таясь, сказала:

— Поддерживаю необходимый уровень эмоционального комфорта.

— Кучеряво изъясняешься, — хмыкнул в ответ Евгений. — И каков же он, необходимый уровень?

— У каждого свой, — Маринка сверкнула глазами. — Не сидеть же мне дома, проливая слезы над твоими проблемами. Так и свихнуться недолго.

— Разве мои проблемы — не твои проблемы?

Марина удивленно подняла брови, как бы говоря: ты это о чем? И подытожила разговор:

— Поэтому, дорогой мой, чем больше проблем, тем и уровень комфорта должен быть выше.

«Значит, я не вошел в ее уровень этого самого комфорта, — мысленно заключил Крутилин. — А ведь я любил ее, угадывал любое ее желание, ни в чем ей не отказывал: хочешь такое платье — пожалуйста, хочешь путешествие — получи, устаешь — не работай, хочешь любви — я могу ночь не спать... Ведь мы были счастливы, я помню ее счастливые глаза, такое нельзя разыграть. И вот сегодня, именно сегодня, когда и грех-то о ком-то плохо думать, узнаешь, что твоя любимая с другой женщиной... Какая мерзость!»

Он поднес к глазам руку с часами. Старая, купленная еще в начале девяностых фальшивая «Монтана» светилась в полутьме зеленоватыми палочками. «Сколько лет, а часы все никак не сломаются, не хотят, видимо, уступать свое. На важные деловые встречи, где «встречают

по одежке», он, конечно, надевал другие часы — золотую «бочку» от «Патек-Филипп», но в неформальной обстановке хранил верность старой доброй псевдо-«Монтане». Приятели время от времени поддевали его, но он отшучивался: эти часы, мол, прошли с ним огонь и воду, и негоже отказываться от старого друга, который столько лет служит верой и правдой... Почти минуту Лохнесс тупо смотрел на циферблат, пытаясь понять, который же теперь час. Ему показалось, что стрелки не двигаются, время остановилось. «Черт, и часы меня предали. Даже часы!..» От этой мысли, пронзившей насквозь, стало не по себе. Он замер на какое-то время, а потом снова резко поднес часы к глазам. Минутная стрелка передвинулась, и Женя ясно увидел, что сейчас четверть десятого.

Внезапно он почувствовал, что не может больше сидеть на месте. Выскочил из джипа, резко захлопнув дверцу, со злости пнул колесо соседской «Тойоты», припаркованной слишком близко, и побежал прочь от дома, в котором его жены, обкурившись травкой, предавались любви. Он шел не разбирая дороги, не подымая глаз. Его шаг был стремительным, как будто он куда-то опаздывал. Иногда он срывался почти на бег, мчался, не замечая, что разговаривает сам с собой:

— Что происходит? Почему все так плохо? И почему все против меня?

Мимо пронеслась подержанная «девятка» с тонированными стеклами, и Крутилина обдало, как холодной водой, звучащей из динамиков песней: «...А потом обними, а потом обмани...»

— Обмани, обними... Этого добра у нас навалом, — пнув ногой ком снега, продолжал Женя разговор сам с собой.

Где-то громко залаяла собака.

— Маринка! — Крутилин на миг остановился. — Неужели я — я! — обделял тебя своим вниманием? Ну чего — чего! — тебе не хватало?

Проходящая мимо парочка на всякий случай обошла Лохнесса стороной. А он, не замечая никого вокруг, продолжал:

— А может, как раз оттого, что всего было выше крыши, и захотелось тебе чего-нибудь эдакого. А я-то, дурак, радовался, что нашел свою половинку — милая, ласковая, заботливая... А эта милая и ласковая любила-то не меня, а мои деньги... И Каринку.

Тут он заметил, что стоит на одном месте, и, словно опомнившись, заспешил вперед.

— И сколько же это у вас длилось, интересно? Хотя какая разница, это теперь не имеет никакого значения. — Он снова остановился и, подняв голову наверх, громко закричал-завыл: — Это не имеет никакого значения!

И снова громко залаяла собака.

Евгений и не заметил, как вышел к Яузскому бульвару. Оказавшись на засыпанной снегом аллее, Лохнесс еще раз подивился разительному несходству между его состоянием и окружающей красотой. Казалось, ничего на свете не может быть прекраснее этих одетых в иней деревьев, точно сошедших с рождественской открытки. Смахнув со скамейки целый сугроб, Крутилин плюхнулся

на нее и, не чувствуя холода, принялся наблюдать, как неподалеку кучка подростков запускает петарды.

Шипя и свистя, в ясное небо взлетела ракета и распалась разноцветными огнями. За ней последовала другая, затем еще одна. Мальчишки радостно кричали, петарды взрывались, сирены автосигнализаций дополняли ночную радость ребят. Окна близлежащих домов светились, люди праздновали Рождество.

— Люди живут нормальной жизнью, сидят за праздничным столом, поздравляют друг друга, дарят подарки, кто-то на службе в церкви... — Лохнесс тяжело вздохнул: — А я как бездомная собака...

Мороз пощипывал его за щеки, пробирался все дальше, за расстегнутый воротник пальто. Крутилин медленно выдохнул и задумчиво посмотрел на пар, идущий у него изо рта. Затем зачерпнул пригоршню снега и растер им лицо.

«Что дальше?.. Спрятаться бы, как в детстве, в мамины ладони, забыться».

И зачем люди взрослеют?..

Глаза его затуманились, на него вдруг нахлынули воспоминания. Но не о Маринке, не о Карине, черт бы ее подрал, а о далеком детстве, тех летних каникулах в деревне на Урале, перевернувших его жизнь...

* * *

Жене тогда было двенадцать. Он как раз закончил пятый класс, и мама решила на лето поехать с ним на Урал, где в деревеньке под Пермью жила ее дальняя родственница.

До того каждые летние, а часто и зимние каникулы Женя проводил в пионерском лагере «Вымпел» в Подмосковье, недалеко от Звенигорода. Там все было привычно: лес, речка, друзья-мальчишки и симпатичные девочки, знакомые вожатые и отличные повара. Но в ту весну в лагере сгорело два корпуса из-за каких-то неполадок в проводке, и восстановить их не успели. Пришлось родителям решать проблему летнего отдыха кто как мог. Галина Евгеньевна Крутилина собрала все причитавшиеся ей за несколько лет отгулы и махнула с сыном в гости.

То лето Лохнесс запомнил на всю жизнь, с ним закончилось его детство. И, наверное, никогда больше он не испытывал такого пронзительного и всеобъемлющего счастья и такого беспредельного горя, как тогда.

Началось путешествие интересно. Сначала добрались до Перми самолетом, и поскольку Женька летел первый раз в жизни, то был в полном восторге. Потом доплыли, вернее, как говорят матросы, *дошли* по Каме на «Ракете» от речного вокзала до Сташкова, что тоже показалось очень здорово. Но вот место, где им предстояло жить, Лохнессу совсем не понравилось.

Старый дом, весь покосившийся и пропахший какими-то тяжелыми деревенскими запахами, с низким потолком, маленькими окошками, выцветшими обоями и крашеными половицами, произвел на мальчика угнетающее впечатление. Ему показалось, что везде грязно и неуютно. Хозяйка, Анна Николавна, ему тоже не приглянулась. Была она высокой, слишком широкой в бедрах и

какой-то неопрятной. Разговаривала громко, быстро и невнятно, «проглатывая» гласные, а еще — грубовато, не церемонясь с собеседниками и не стесняясь вставлять в свою речь крепкие словечки. К тому же от нее пахло навозом, сыростью и еще чем-то кислым и очень противным.

Пока мама разговаривала с теткой, или кем она там была, Женька осмотрел избу, прошелся по комнатам, деловито подергал двери, изучил огород, заглянул в сарай, в хлев, в курятник. Их родственница жила одна и в одиночку волокла на себе все хозяйство — держала корову, коз, свинью с поросятами и кур.

«И в этом колхозе мне торчать целых два месяца, — мрачно подумал Лохнесс. — Чем я тут, интересно, буду заниматься? Даже телевизора нет...»

Будь его воля, он ни за что не остался бы здесь.

Им отвели небольшую, впрочем, довольно чистую комнатку. В ней помещались колченогий стол да две железные кровати. Такие Женя раньше видел разве что в кино: высокие спинки из полых трубок, с шариками наверху, лоскутные одеяла, и на каждом — гора подушек под кружевной накидкой. Основа у кроватей была пружинная, и качаться на них оказалось очень прикольно, но поднялся такой неимоверный скрип, что Женьке тут же попало от хозяйки. Мама смутилась и, не желая начинать отпуск с конфликта, потащила сына гулять, забыв на время о нераспакованных сумках и чемоданах.

Деревня Сташково раскинулась по обоим берегам Камы. Сторона, где поселился Лохнесс с матерью, была,

видно, более старой, с многочисленными бревенчатыми домами. Другая часть, что за рекой, через мост, выглядела поновее, там попадались и кирпичные постройки, среди них магазин, школа и современное здание сельсовета.

Женька с Галиной Евгеньевной перешли через мост, прогулялись по «новой» части, заглянули в магазин, дошли до кладбища и вернулись на «свою» сторону, но не к дому Анны Николавны, а прошли через всю деревню, по берегу, и вышли на огромное поле, за которым виднелась вдали темная полоса леса.

— Гляди, сыночек, какая красота! — восхищалась мама. — Какое разнотравье, сколько цветов! А воздух какой, чувствуешь, как тут дышится? Не то что в Москве! Как же здесь здорово, правда?

И Лохнесс, еще каких-то пару часов назад весьма недовольный новым местом отдыха, сейчас был полностью с ней согласен. Что и говорить, красиво. И в чем-то даже лучше, чем в лагере. Во всяком случае, широченная Кама ни в какое сравнение не идет с Москвой-рекой под Звенигородом. И опять же никаких вожатых, которые вечно не дают ни покупаться вдоволь, ни по лесу погулять...

Довольная мама нежно потрепала его по затылку:

— А ты говорил, тебе не понравится. Настоящая дикая уральская природа! Мы еще за грибами пойдем, за ягодами в лес. Скучать тут не будешь.

Вечером Лохнесс попробовал было разузнать у хозяйки насчет леса, но она решительно оборвала его, объяснив, что местные леса не годятся для развлекательных прогулок.

— Вам, городским, и соваться туда неча! — проговорила она в своей обычной, быстрой и невнятной, манере. — Враз заблудитесь. Гнус опять же тама, клещ цефалитный, а другой раз так и вовсе волки. В том году мужики ажно двух убили.

Маму такой поворот событий огорчил, а Женьку — и не очень, ему и так хватило впечатлений. В тот вечер, только добравшись до подушки, он моментально забылся блаженным сном, спал крепко и на следующее утро проснулся рано и удивительно легко, чего с ним в городе никогда не случалось — всегда приходилось будить по полчаса.

Лохнесс сел на кровати, которая тотчас заскрипела, но мама даже не пошевелилась. Светало, делать совершенно нечего, и Женька решил отправиться на разведку.

Тихонько одевшись, он осторожно выбрался из дома. Роса моментально замочила ноги в сандалиях, но Женька только улыбнулся, сладко потянулся и, на всякий случай стараясь не попасться на глаза хозяйке, пошел в сторону поля, за которым начинался лес. «Деревенские вроде рано встают», — подумал он, но на улице никого не встретил.

Лохнесс еще вчера решил предпринять это. Лес притягивал его. «Конечно же, там нет никаких волков, — уговаривал он сам себя. — Эта противная Николавна просто хотела нас напугать». Но тем не менее ему было слегка не по себе. Мысль о том, что в лесу все-таки могут быть волки или какие-нибудь другие дикие животные, кабаны там или даже медведи, приятно щекотала нервы.

Женька чувствовал себя отважным исследователем или храбрым охотником, вроде Зверобоя.

Идти пришлось гораздо дальше, чем он думал. Поле казалось бесконечным — идешь, идешь, а лес все не приближается. Когда мальчик наконец подошел к опушке, солнце начало припекать. Впрочем, тепло утра вскоре осталось за спиной, как только он вступил в густую прохладу елового леса. Первое время он стоял, крутя головой во все стороны, потом тихонько пошел вперед. Двигался почти бесшумно, только легкий хруст высохших иголок раздавался под ногами.

Женька был уверен, что с каждым шагом лес начнет густеть и мрачнеть, но получилось прямо наоборот. Впереди становилось все светлее, и вскоре Лохнесс вышел на большую поляну, залитую солнцем. Он, очарованный, уставился себе под ноги. Столько земляники он еще никогда в жизни не видел. Ягоды, такие крупные, яркие и блестящие, что казались ненастоящими, виднелись повсюду, покрывая поляну сплошным ковром. Вот это да!

Присев на корточки, Женя стал лихорадочно рвать ягоды и тут же отправлял их в рот, с наслаждением впиваясь зубами в сочную кисло-сладкую мякоть. Он так увлекся, что чуть не вскрикнул, когда откуда-то сбоку вдруг раздалось:

— Не ешь эти ягоды, отравишься!

В первую секунду Лохнесс онемел. Не столько от испуга, сколько от изумления. Попав в лес, а потом на эту волшебную поляну, Женя вошел в какое-то удивительное, доселе неведомое состояние единения с природой, и

присутствие здесь какого-то другого, постороннего человека ощущалось им как грубое нарушение гармонии.

Он даже не сразу понял, что голос был женский, точнее, девчачий. Повернувшись в ту сторону, увидел стоявшую в нескольких метрах от него высокую девочку примерно его возраста. Сначала она глядела на него серьезно, даже с тревогой, но потом не выдержала и прыснула:

— Ну, шучу, шучу. А ты испугался?

Он промолчал.

— Тебя как звать-то? — спросила девочка.

Женя решил, что она похожа на Красную Шапочку из фильма, который ему тогда очень нравился. Может, потому, что на девочке тоже была шапка, только не красная, а голубая, закрывавшая волосы и уши. И вся она, эта девочка, была какая-то сказочная и, как счел тогда Лохнесс, очень красивая. Тоненькая, как тростинка, в узких брючках, заправленных в сапоги, и клетчатой рубашке с длинными рукавами.

— Жека, — он выбрал наиболее мужественный вариант своего имени.

— А я Таня Серпилина. Ты откуда взялся?

— Из Москвы приехал. А ты тоже в Сташкове живешь?

— О! — Таня поглядела на него с уважением. — Ну, надо же, и как тебя сюда угораздило добраться? Тут километров шесть от деревни будет... А я вообще-то живу в Перми, мы с родителями только на лето к бабушке приезжаем.

Помолчали. Вроде говорить уже было не о чем, но расходиться не хотелось.

— А ягоды ты все-таки не ешь больше, — сказала вдруг девочка.

— Это почему еще? — возмутился Женя.

— Плохо может стать с непривычки.

— Много ты понимаешь!..

— Дело твое, — бросила она и пошла прочь.

Оставаться одному уже почему-то не хотелось, сладкое одиночество было нарушено, и Женя, сорвав еще несколько ягод, встал, потоптался на месте и вдруг бросился догонять девочку. Таня ушла недалеко, увидев его, ничего не сказала. Так и зашагали вместе по утреннему лесу.

— Вы надолго приехали? — спросила она через несколько минут.

— До конца лета, — с готовностью ответил Лохнесс, — а живем в доме у Анны Николавны, Шаниной, кажется.

— Шанькиной, — поправила Таня.

— Похоже, ты тут все знаешь?

— А то! И всех, и все. Я тебе тут многое могу показать — и лес, и реку, и озеро. Хочешь?

Женя радостно кивнул головой и подумал, что жизнь в Сташкове, возможно, будет не так уж плоха, как ему показалось сначала.

— У меня тут есть друг, — сказала Таня на следующий день, — он местный, Ваней зовут. Пошли, познакомлю.

Они отправились узкими улочками, пока не дошли до покосившегося домика почти на самом краю деревни. Таня толкнула обветшалую калитку, дети пересекли огород, занимавший почти весь участок, и поднялись на крыльцо. Не стучась, девочка потянула на себя дверь и подтолкнула Женю вперед:

— Ну чего встал? Заходи.

Обстановка внутри была еще проще, чем у Анны Николавны. За грубо сколоченным, видно самодельным, столом сидел мальчик лет тринадцати и разбирал старый приемник.

— Привет, Вань, — небрежно бросила Таня и с разбегу плюхнулась на продавленный диван, — это Женя из Москвы. Ну, помнишь, я тебе вчера говорила.

Выяснилось, что Ваня жил с отцом, матери у него не было. Жене было любопытно, что с ней случилось, однако спрашивать об этом самого Ивана он постеснялся. Проще было поинтересоваться у Тани, но та лишь пожала плечами и ответила что-то неопределенное, мол, вроде бы давно в город уехала и тут не появляется. Отец Вани работал кузнецом на полевом стане и не то чтобы был горьким пьяницей, но регулярно, раз в месяц или в два, уходил в запой на несколько дней. В такие дни Ваня старался поменьше бывать дома, хотя отец сына любил и, даже когда был пьян, старался не трогать. Но видеть отца в запое Ване все равно было тяжело: тот, как рассказывала Женьке Таня, крушил мебель, стучал кулаками по стене, что-то зло бормотал, на кого-то ругался и плакал. Видимо, так прорывались наружу желчь и боль, накопленные за годы одинокого житья.

Как это часто случается в детстве, за каких-то несколько дней новые друзья стали для Лохнесса чуть не родными. Каждое утро он начинал с того, что, проснувшись как можно раньше, наскоро завтракал и спешил прочь из дома.

— Ну куда ты так торопишься, хоть поешь нормально, — уговаривала мама, но Женьке было не до нее. Он почти бегом бежал на соседнюю улицу, где в добротном доме с верандой и свежевыкрашенной зеленой крышей жила Таня. Потом они вместе заходили за Ваней, и уже втроем отправлялись куда-нибудь гулять, по деревне, в лес или в поле. Валялись на траве, дурачились, играли в карты или просто болтали, словом, проводили время, как самые обычные дети, не знающие ни печали, ни проблем.

Особенно, конечно, любили ходить на берег Камы. Насчет реки Женя с самого начала получил строгие указания матери, что купаться без взрослых нельзя, и пообещал слушаться. Но разве можно было устоять?

На всякий случай они уходили за пару километров от деревни, туда, где река была особенно широкой. Это место называли чертовой заводью, потому что дно было илистое, вязкое. Среди местных даже ходили слухи, что какую-то девушку затянуло в ил. А Таня была уверена, что в истории с девушкой река ни при чем — та сама утопилась здесь от несчастной любви, и якобы в лунные ночи ее призрак выходит из воды и бродит по берегу. Мальчишки смеялись, но с удовольствием поддерживали этот разговор, делавший купание в чертовой заводи еще более привлекательным.

Женька плавал не слишком хорошо и потому всегда старался держаться поближе к берегу, так, чтобы всегда чувствовать ногами дно. Зато для Тани и особенно Вани никаких преград не существовало, они могли провести в реке чуть не час и нисколько не устать. В хорошую погоду друзья целыми днями пропадали на берегу Камы — купались, загорали, рассматривали проплывавшие мимо суда, а пассажирским теплоходам кричали, размахивая руками, и радовались, когда кто-то с борта махал им в ответ.

Домой Лохнесс возвращался только в сумерках, предусмотрительно оставив мокрые плавки у Ивана. Галина Евгеньевна была не слишком довольна тем, что почти не видит сына.

— Ты бы почитал что-нибудь хоть из школьной программы... Для чего мы с тобой полный чемодан книг привезли? А то ты ведь так вовсе читать разучишься, — ворчала она, накладывая полную тарелку вареной картошки с квашеной капустой.

А он пропускал ее слова мимо ушей. До книг ли, когда все дни под завязку заполнены событиями, играми, приключениями и новыми, непривычными отношениями? Не до конца, лишь краем сознания Лохнесс вдруг иногда осознавал, что, кажется, влюбился, но он тут же отмахивался от этой мысли. Думать об этом не хотелось еще и потому, что ощущал он себя в центре настоящего любовного треугольника. Судя по всему, Ваня тоже питал к Тане давнюю симпатию, и она до недавних пор отвечала ему взаимностью — пока не переключила свое внимание на Женю. Ваня, впрочем, стоит отдать ему должное, не опускался до ревности или обиды на своего соперника. Лишь спустя годы, анализируя события того лета, Евгений пришел к выводу, что первая детская полувлюбленность осознавалась всеми ими скорее как теплая дружба и желание быть все время вместе, чем как проявление какого-то собственнического инстинкта.

Никогда больше ему не удалось добиться такого единения и почувствовать такое родство душ с другим человеком. Хотя они и конкурировали с Ваней за девичье сердце, а юная кокетка никому не давала определенного предпочтения. Но, как ни странно, именно такое положение дел оказалось Жеке на пользу. Он вдруг понял внезапно, что стал старше, что теперь может и должен сам оценивать свои поступки и отвечать за них. Что, как выяснилось, не так-то просто. Выбирать между дружбой и любовью — с этой задачей подчас не справляются и взрослые.

К Ване у Лохнесса было особое отношение. Несмотря на то что Таня незримо стояла между ними, новый друг вызывал какие-то непривычно трепетные эмоции. Словами Женя вряд ли бы смог объяснить, в чем было дело. Просто они смеялись над одними и теми же шутками, которые остальным могли показаться несмешными, радовались и печалились одному и тому же, и если кто предлагал что-либо, то другой, чуть поразмыслив, приходил к выводу, что ничего лучше и придумать нельзя. В общем, они идеально понимали друг друга с полуслова. Хотя не обходилось иногда и без споров и ссор, но даже размолвки были какими-то ненастоящими, оба они понимали, что нужны друг другу.

Тот день тоже начался как обычно. Женя поднялся около восьми, схватил оставшееся еще с вечера вареное яйцо и, наспех проглотив его, попытался улизнуть из дома. Однако мама отловила его на улице, вернула домой и заставила съесть немудреный сельский завтрак из яичницы и стакана молока с хлебом. Но это оказалось еще не все. Заявив, что у нее к сыну серьезный разговор, Галина Евгеньевна завела долгую речь о взрослении, обязанностях взрослого человека перед собой и близкими, ответственности, планах на будущее и прочих нудных вещах. Лохнесс сидел как на иголках, почти не слушал, только кивал и думал о ребятах, которые давно его ждут. Едва мама замолчала, он тут же поклялся: «Хорошо, мамочка, я обязательно все так и буду делать!» — и пулей вылетел за порог.

Утро выдалось пасмурным, моросил мелкий дождь, но это не смущало Таню, сидевшую на скамейке у ворот своего дома. Увидев Женю, девочка скроила недовольную гримаску.

— Чего так долго?

— Да мамка завернула. Сперва заставила завтракать, а потом стала нотации читать...

— Ну все сегодня не слава богу... И Ваньки не будет. Он утром забежал ко мне, сказал, что его отец на весь день напряг — крышу чинить. Говорит, там вот такая дырища, — она показала руками. — Похоже, весь день проваландается... Скучно будет без Ваньки... — протянула Таня, и сердце Лохнесса сжалось от ревности.

— Ну, конечно, пропадем без него, — съязвил он.

— А ты не ехидничай! — Таня пребольно пихнула его кулаком в бок. — Раз такой умный, то придумай, чем нам заняться.

Женя вдруг осознал, что впервые за все дни каникул останется с Таней наедине, вот так, чтобы никто им не мешал и все ее внимание было сконцентрировано на нем. Что-то внутри зазвенело от радости.

— Пошли погуляем? — предложил он. — Просто по деревне пройдем.

— Просто по деревне? А что там делать? Ну, дойдем до конца, до колхозных полей, а дальше? — Таня скептически скривила губу.

Женька подумал, что это очень милая гримаса, почаще бы она так делала, сразу становится очень смешной и трогательной, но вслух этого, разумеется, не сказал.

— А давай на ту сторону сходим. На кладбище.

Танины глаза загорелись, и Лохнесс понял, что попал в точку. Сам он немного боялся идти в такое мрачное место, даже днем, но теперь отступать уже было поздно. Увидев просиявшее Танино лицо, он понял, что отправится на кладбище, даже если все мертвецы разом повылезут из могил и набросятся на него.

— Ну, давай... — как бы неохотно согласилась девочка.

Дорога заняла с полчаса, не больше, — через мост, до края деревни, а оттуда до опушки небольшого леса. Кладбище было обнесено чугунной оградой, ребята обошли его и вошли через открытые ворота.

Дождик перестал, было тепло, но, оказавшись на кладбище, Лохнесс и Таня поежились. Там ощущалась прохлада, словно температура стала на несколько градусов

ниже, чем за воротами. И еще было непривычно тихо, казалось, даже лес рядом стоял мертвый и недвижимый. Ни птиц, ни людей, только могильные камни да кресты.

Женьке вдруг нестерпимо захотелось уйти, но Таня, напротив, как будто оживилась, схватила его за руку и потащила вглубь.

«Сейчас-то что? Это ночью страшно», — уговаривал себя Лохнесс, но это не особенно помогало. Он никогда не сталкивался со смертью, если не считать книг и кино, и, признаться, несколько побаивался всего, с нею связанного.

— Где, интересно, сторож? Если увидит, может погнать, но тут, по-моему, никого нет... — пробормотала Таня. — Тут сторож злой, обычно ругается. Но сегодня его что-то не видно, — пояснила она Жене.

— А вы часто сюда ходите? — спросил Женя, неприятно удивившись.

— Да нет, от ребят слышала, — задумчиво протянула она. — А ты молодец, не побоялся сюда пойти!

Они шли мимо длинных рядов могил в глубь кладбища. Некоторые могилы выглядели ухоженными — чистые памятники с датами жизни и фотографиями умерших, на участке посажены цветы, ограда покрашена. Но большинство казались совсем запущенными — кресты покосились, надписи стерлись, венки и букеты выцвели, участки заросли бурьяном. Видно было, что никто не ухаживает за могилой. А может, и нет уже никаких родственников? А может, просто живут далеко, недосуг им сюда приезжать, обновлять краску и приносить цветы по праздникам...

На ходу ребята читали имена, обращали внимание на даты, иногда останавливались, если что-то цепляло глаз. Вот тут похоронены супруги Шанькины, похоже, родители Анны Николавны, Женькиной хозяйки. У этого человека, умершего ровно десять лет назад, такая же фамилия, как у Таниной классной руководительницы. А эта красивая девушка с большими глазами и русой косой умерла всего в восемнадцать лет! Может, это именно она утопилась в чертовой заводи?

— А что это? — Женя указал пальцем на некое подобие скульптуры — глыбу, из которой вырастала невнятная женская фигура.

— Это наша местная знаменитость, в этих местах родилась, артистка Курыгина. Играла в Пермском театре. Тут она в образе, играет кого-то, леди Макбет, вот, — прочитала Таня на табличке. — Мне про нее рассказывали, а своими глазами впервые вижу, — добавила она восхищенно.

Так, потихоньку гуляя, они сами не заметили, как забрели, видимо, в самую старую и непосещаемую часть кладбища. Тут почти все могилы были заброшены, даже дорожки заросли травой. Женин страх давно прошел, и мальчик чувствовал себя гораздо увереннее. Какое-то смутное возбуждение охватывало его, в районе солнечного сплетения будто шевелились солнечные зайчики. Таня присела на пенек и предложила:

— Давай отдохнем. А то я уже устала. Подумать только, какая тьма-тьмущая людей умерла...

Женя устроился на земле рядом с ней, ее голова была совсем близко, локоны чуть завивавшихся волос дотра-

гивались до его лица. Ему вдруг подумалось, что еще немного — и он тоже умрет, только от счастья.

А Таня, казалось, ничего не замечала и была погружена в свои мысли.

— Ты знаешь, я иногда думаю... А что будет после смерти? Как это так: я есть, есть, а потом меня бац — и нет! Не верится...

— Ничего не будет, — проговорил Женя не без важности — недаром в их троице он считался самым эрудированным, еще бы, ведь он даже «Науку и жизнь» читает! — Это как будто заснешь — и никогда не проснешься. И сны тебе сниться не будут.

— Не, я так не хочу... — замотала головой Таня, и ее волосы приятно защекотали его лицо. — Мне больше нравится думать, что *там* будет какая-то другая жизнь. Например, рай и ад. Или, я еще слышала, говорят, через некоторое время после смерти можно опять родиться. Вроде как это будешь и ты — и одновременно совсем другой, новый человек.

— Глупости все это, — возразил Лохнесс. — Просто люди боятся смерти, вот и придумывают сказки.

Таня ничего не ответила. Сорвала растущую рядом высокую травинку и задумчиво стала по очереди обрывать с нее длинные листы.

Женя некоторое время молчал, потом вдруг, поддавшись какому-то необъяснимому порыву, за который, как он чувствовал, позже ему было бы стыдно, потянулся к Тане и быстро чмокнул ее, опешившую, в губы. Что бы там ни было потом, сейчас ему просто нестерпимо захотелось это сделать.

Девочка быстро вскочила, прижала руку к губам, как будто ее ударили, и моментально залилась краской.

— Ты что это? Сдурел, что ли? — тихо прошептала она, точно у нее сел голос. Но во взгляде, кроме испуга и удивления, было и еще что-то, что-то вроде восхищения и удовольствия. Так, по крайней мере, показалось Жене.

Он тоже вскочил и виновато посмотрел на нее, Таня чуть не плакала.

— Ты прости меня, пожалуйста, мне очень захотелось это сделать, — удрученно проговорил он.

— Я была так рада, когда ты приехал!.. Нам вместе было так весело, а ты... Что ты наделал? — продолжала бормотать Таня.

— Извини, — сказал Женя растерянно. Он не думал, что Таня воспримет это как трагедию. Наивный Лохнесс был далек от мысли, что она, маленькая женщина, сейчас немного кокетничает и нарочно разыгрывает из себя оскорбленность. — А... Разве тебе было неприятно? Разве тебе не понравилось? А я думал, что девчонки...

Это было его ошибкой.

— Дурак! Идиот! Как ты мог? — крикнула она, не дослушав. Вскочила с места и побежала вперед сломя голову, не разбирая дороги.

Он со всех ног бросился за ней, надеясь исправить непоправимое, вернуть события назад, в то время, когда все было хорошо.

Они бежали быстро, задыхаясь, ветки хлестали их по лицу. С этой стороны кладбища ограды не было, густой лес уже почти наступал на могилы, на пути то и дело возникали кочки и коряги. Неожиданно нога Тани зацепи-

лась за корень, девочка полетела на землю. Женя, бежавший за ней, не успел среагировать, наткнулся на ее ногу и тоже растянулся, упав прямо на нее. Таня попыталась отползти, а когда это не удалось, стала гневно отпихивать его кулачком.

— Пусти! Уйди!.. Дурак...

— Может, ты мне нравишься, — бормотал Женя, автоматически отражая ее атаки.

Она затихла и продолжала драться молча, стараясь пихнуть его побольнее. Он, как мог, защищался. Наконец она устала и, раскрасневшаяся и растрепанная, привалилась спиной к росшему рядом дереву. Лохнесс сел около нее и тоже попытался отдышаться.

— Мало ли кто кому нравится, — выдохнула вдруг Таня. — Это не значит, что надо *так*! Может, мне тоже...

И замолчала. А у Женьки снова перехватило дыхание, уже не от драки, а от ее слов. Что она хотела этим сказать? Очень хотелось спросить, но он ни за что бы не решился. Это оказалось намного страшнее, чем поцеловать ее.

Так они сидели довольно долго, пока Таня не буркнула наконец:

— Пошли отсюда...

Прошло около месяца. К первым дням августа ребята уже успели несколько раз поссориться и помириться, исходить все окрестности вдоль и поперек и уже начинали скучать. Лохнесс снова стал потихоньку вспоминать старых друзей из лагеря под Звенигородом, хотя и не мог сказать, что его туда тянуло. В Сташкове все еще нравилось, хотя после их с Таней похода на кладбище Ванька

стал как-то прохладнее относиться к Жене, и тот подозревал, что Таня не без гордости проболталась ему о поцелуе. Сама она, впрочем, вслух об этом не вспоминала и вела себя так, как будто ничего не произошло. «Набивает себе цену и передо мной, и перед ним», — думал Лохнесс. Случая поговорить с Ваней по душам все не представлялось, но Женя решил, что в первый же удобный момент непременно сделает это. Между друзьями не должно быть недоразумений.

Однажды около полудня они втроем лежали в тени высокой ивы на расстеленном старом покрывале, ели собранную утром чернику и вяло перекидывались в карты в «верю — не верю». Это была любимая игра Вани и Тани, а вот Женя часто в нее проигрывал, потому что никак не мог научиться обманывать партнера, глядя ему глаза в глаза.

Правда, в тот день Тане тоже не везло, она проиграла уже три раза подряд и теперь, надув губы, капризничала:

— Мальчики, давайте во что-нибудь другое...

— Продула, Серпилина, так сиди молчи, — хохотнул Ваня.

На некоторое время воцарилось молчание. Таня демонстративно рассматривала что-то в траве. Потом Ваня сказал, задумчиво глядя в карты:

— Меня вчера Кирюха чуть не поймал.

Кириллу, лидеру стайки местных мальчишек повзрослее, уже исполнилось шестнадцать. Хотя Ваня тоже был местным, с Кириллом они издавна враждовали. Ваня не считался слабаком, несмотря на худобу, в нем чувствовалась сила. «Я жилистый», — говорил он про себя, но

серьезно противостоять Кириллу он, конечно, не мог. А потому без крайней необходимости старался по вечерам не показываться за рекой, в той части деревни, которая считалась Кирюхиной.

— Как это? — спросила Таня.

— Отец велел Павлу, дядьке моему, остатки шифера отнести. Не мог же я бате сказать, что не пойду на ту сторону? Стыдно, он скажет: а ты что, трус? А времени, как назло, уже десятый час. Ну, туда-то я дошел нормально, а на обратном пути — бац! Кирюха с Семеном вдалеке показались. Увидели меня, стали орать, иди, мол, сюда, мы тебе покажем. К счастью, я уже у моста был... Как припустился со всех ног! Хорошо еще, что шифер у дядьки оставил, с ним бы мне ни в жисть не удрать. А так ничего, не догнали...

Таня только вздохнула. Лохнесс неуверенно предложил:

— Может, собрать тут ребят и проучить их?

Приятель поглядел на него с усмешкой:

— Кого ж тут соберешь? Против Кирюхи никто не пойдет — побоятся. А нам с тобой вдвоем с его кодлой не справиться.

— Но неужели ничего нельзя сделать?

— Можно было бы — давно бы сделал, — отмахнулся Ваня. — Ладно, айда, что ли, купаться? На чертову заводь?

Это уральское «айда» потом будет годами возникать в памяти Жени в самое неподходящее время...

А тогда друзья скатали покрывало и вскоре уже были на берегу. Река считалась негласным местом нейтралитета, драки и конфликты тут обычно не затевались, и сейчас, увидев компанию Кирилла, расположившуюся недалеко от чертовой заводи, Ваня только чуть скривил губы.

Ребята осторожно обошли их и, быстро раздевшись и кинув вещи на траву, побежали в воду. Плавали, плескались в свое удовольствие, а устав, выбрались на берег и устроились сушиться все на том же многострадальном покрывале.

С купанием они поспели вовремя — погода начала портиться. Посвежело, небо стало затягивать облаками. Но уходить компания не торопилась. Дождя, может, и не будет. А пока так хорошо сидеть втроем на берегу, поглядывая на реку. Даже сидевшие неподалеку Кирюха со своей бандой не были помехой.

И тут, видно, сам черт выбрался из своей заводи и дернул Лохнесса за язык:

— Интересно, а можно ли переплыть Каму?

— Чего ж нельзя, можно, — отвечал Ваня. — Мужики частенько переплывают, кто из озорства, кто по пьяни, кто как. Кирюха вроде бы переплывал... Но я сам не видел, врать не буду.

Женя поглядел на противоположный берег и невольно поежился: высокий и почти отвесный, даже уцепиться не за что, не говоря о том, чтобы вылезти.

— А... А как же они?..

— А вот так. Доплывут, рукой коснутся — и назад.

— Это получается — дважды подряд Каму переплывают?

— Получается так, — Ваня картинно сплюнул, и Женька в который уж раз за лето позавидовал другу — у

него, сколько ни тренировался, никак не получалось плевать столь эффектно.

— Да ну, — покривился Женя, — мне кажется, что это глупо, так рисковать... Тем более течение тут сильное.

— Это да, — признал Ваня. — Однако плавают.

— Нам это точно не под силу.

Ваня покосился на Таню, которая со скучающим видом чистила палочкой ногти и не принимала участия в разговоре.

— Говори за себя, — сказал он, как показалось Жене, презрительно.

Лохнессу стало неприятно. Да, он был худым, болезненным и слабым и плавал не слишком хорошо. Но тыкать его в это носом, да еще при Тане, — это было со стороны друга некрасиво.

— Я уверен, никому из нас не удалось бы переплыть Каму туда и обратно, — нехотя повторил Женя, особо напирая на слово «никому» и уже понимая, что разговор идет куда-то не туда.

— То есть тебе слабо? — вызывающе продолжал Ваня. В его голосе появились неприятные звенящие нотки.

— Я думаю, это и тебе слабо.

— Подожди, ты на мой вопрос ответь. То есть ты сдрейфил? — не унимался Ваня. — Тебе слабо?

— Я не дурак и на слабо не ловлюсь, — Лохнесс только сейчас понял, в чем дело. Похоже, Ваньку все это время мучило их негласное соперничество за Таню, в котором до сих пор лидировал Женька. Еще бы — городской, да еще москвич, начитанный, знающий столько интересного... А сейчас представился случай сравнять счет, и он такой возможности ни за что не упустит, покажет себя в том, в чем он силен.

— Ты, может, боишься? — продолжал Ваня. — Спорим, что можно переплыть? А тебе слабо!

Таня не поднимала головы.

— Воображаешь! — Женя наконец разозлился. — Я вот не могу переплыть — и так и говорю, ничего из себя не строю.

В душе вдруг шевельнулась нехорошая идея. А что, если проучить Ваню? Слишком он уж задается! От старших ребят бегает и не стесняется в этом признаться, а тут почему-то ставит себя выше Жени. Можно подумать — он сам сумеет переплыть Каму! Да нереально это! Слишком далеко. А болтать языком — много ума не надо...

— Думаешь, я выпендриваюсь? — приятель точно прочел его мысли. — А спорим — переплыву?

Ваня, всегда такой доброжелательный, с мягкой усмешкой и ироничным взглядом прозрачных серых глаз, теперь сидел напротив Жени, нахохлившись, точно разозлившийся молодой петушок, и в глазах его была злоба и готовность принять вызов.

— На что спорим? — задумчиво спросил Женя. Сколько раз потом он так отчаянно корил себя за этот идиотский спор и за свою так некстати взыгравшую гордость... Но вернуть уже ничего было нельзя.

— Ну, если я переплыву, то ты неделю не будешь с нами ходить.

Женя взглянул на Таню, она в замешательстве отвела взгляд. И он понял, что обратного хода нет.

— Идет. Только захочу ли я с вами общаться потом — это еще вопрос.

— Ну, это твое дело, — процедил Ваня сквозь зубы.

Когда Ванька поднялся, Таня поняла, что они не шутят, и запоздало испугалась. Схватила Ивана за руку и закричала:

— Не надо, это опасно, ты что, идиот? Прекратите!

Ваня, казалось, заколебался, но тут в их разговор встрял еще один человек.

Боковым зрением Женя заметил, что за ними с интересом наблюдает Кирюха. С того места, где сидела его компания, их разговор был слышен, по крайней мере, та его часть, которая проходила на повышенных тонах.

— Я всегда говорил, что ты, Ванек, ссыкло, — громко сказал Кирилл и пренебрежительно сплюнул между ног. Бывшие с ним ребята заржали. Подколки и оскорбительные комментарии посыпались наперебой.

И Ваня, не глядя на них, двинулся к воде.

— Не обращай внимания! — взмолилась ему вслед Таня. Видно было, что она не на шутку испугалась. Женя тоже чувствовал себя крайне неуютно. Он понимал, что дело принимает серьезный оборот, и осознавал — друга необходимо остановить. Но в то же время ему, как выражалась мама, шлея попала под хвост. Хотелось убедиться, что Ваня действительно сделает то, о чем говорил. И он молчал, не двигаясь с места.

А Ваня уже по колено зашел в Каму. Таня бежала за ним и упрашивала:

— Не надо, Вань, ну пожалуйста! А вдруг ногу сведет?

— С чего это вдруг? — отвечал тот, не поворачиваясь. — Никогда вроде не сводило.

— Да что это вы вообще придумали? Два дурака!..

— С того, что некоторые маменькины сынки всего боятся. Пусть знают, — Ваня старался говорить спокойно и равнодушно. И вроде бы негромко, но так, чтобы Лохнесс все слышал.

Когда он был уже по пояс в воде, Таня пустила в ход последний козырь:

— Ванечка, ну не делай этого, очень прошу! Ну, ради меня!

Бедная Таня! Как многие, она была уверена в своей исключительности и наивно полагала, что уж ради нее любой будет готов на все... Однако Ваня просто-напросто проигнорировал ее слова. Он повернулся к берегу и произнес громко, так, чтобы донеслось до Кирюхи с компанией:

— Доплыву дотуда, дотронусь до кручи, и назад. — И добавил, обращаясь к Женьке: — Помни, ты обещал с нами не общаться. Неделю не вздумай припираться, а то будешь брехлом.

Сделал еще несколько шагов, сложил ладони лодочкой, прыгнул вперед и поплыл саженками. Кирюха и его кодла издевательски захлопали.

— Не доплывет! Да где ему! Сдохнет скоро да назад приползет! — зазвучало с той стороны.

Таня, обняв себя за плечи и склонив голову, вернулась на берег. Демонстративно села на самый краешек покрывала, отвернулась и стала глядеть на реку, следя за движением Вани.

Лохнесс чувствовал себя преотвратно. Нет, в тот момент он еще не догадывался, *что* может случиться, и просто размышлял над тем, что проиграл и оказался в глупой ситуации. Теперь ему придется быть одному, скорее всего, если никто не придет мириться до конца каникул... Он смотрел то на водную гладь, по которой быстро удалялась, становясь все меньше и меньше, голова Вани, почему-то казавшаяся черной, хотя волосы у него были русыми. Затем перевел взгляд на небо, на сгустившиеся тучи.

— Скоро ливанет, — проговорил Женя.

Таня не ответила. Он заметил, что ее голые руки и ноги покрылись «гусиной кожей».

— Холодно ведь, — продолжил он. — Оделась бы...

Никакой реакции.

Ветер усилился, на макушку упала тяжелая капля, потом вторая, и еще... Начался дождь, но никто не обратил на него внимания.

Неожиданно для Лохнесса Кирюха поднялся, подошел поближе, остановился в некотором отдалении от Тани и Жени и присел на землю, вглядываясь в воду. Друзья последовали за ним.

— Кама — это ничего, — сказал он, вроде как ни к кому не обращаясь. — Мне батя рассказывал, они и Волгу переплывали, когда он в армии был, под Самарой...

— Доплыл! — закричала Таня. — Глядите!

В ее призыве не было нужды — все и так, не отрываясь, следили за перемещениями маленького пловца. И видели, как Ваня достиг противоположного берега, обернулся назад, сделав что-то вроде приветственного

движения рукой, дотронулся до куста, росшего на берегу, передохнул немного и двинулся назад.

Прямо над головами сверкнула молния, почти тут же грохнул мощный раскат грома. Сразу же полил сильный дождь, забарабанил по водной глади, мешая видеть то, что происходит в реке. Все ребята уже вымокли до нитки, но никто и не подумал уходить.

Ваня был уже посередине реки, на полпути обратно, когда что-то случилось, Женя так и не понял, что именно, было слишком далеко. Голова Вани вдруг как-то странно дернулась и исчезла под водой, но тут же появилась вновь, рука бессильно выкинулась вверх. Ваня стал тонуть.

На берегу не сразу осознали, что происходит. Первой опомнилась Таня, протяжно закричала, и от ее крика почему-то у всех кровь застыла в жилах. Кирилл и его друзья переглядывались, но через пару секунд замешательство прошло, и они, не раздеваясь, бросились в воду, Кирюха первый, остальные за ним. Женя как зачарованный наблюдал, как медленно, невыносимо медленно плыли ребята, хотя старались изо всех сил, как голова Вани то возникала над водой, то вновь исчезала. А еще этот проклятый дождь...

Лохнесс точно впал в ступор, из которого его вывел резкий толчок Тани. Он пролепетал:

— Что делать?

— Что делать? — передразнила она. — Делай что угодно, только не стоять столбом, идиот! Это из-за нас он полез в воду, из-за тебя, это ты во всем виноват!

«Ты во всем виноват». Дорого бы Женя отдал за то, чтобы никогда этого не слышать...

— Бежим в деревню! — кричала тем временем девочка. — Надо позвать на помощь, пока не поздно!

И он бросился за ней. Бежать во время грозы оказалось тяжело, дорогу развезло, сандалии увязали в грязи, страшно громыхал гром, и молнии, казалось, норовили ударить прямо в мчащиеся по тропинке вдоль берега маленькие фигурки. Вскоре Женя выдохся, дыхание перехватило, невыносимо закололо в боку. Таня убежала далеко вперед, а он, поскользнувшись, упал на грязную мокрую траву и заплакал от отчаяния и бессилия...

Что было дальше, Лохнесс не помнил. Он точно впал в тяжелый сон и очнулся только на следующий день, в собственной кровати. Привычной утренней бодрости не ощущалось, наоборот, он с трудом вынырнул из ватного сна и в первый момент не смог понять, где находится. То, что произошло вчера, показалось сном, и первой мыслью было как можно скорее пойти завтракать, чтобы потом найти Таню и Ваню и рассказать им, какой странный сон ему приснился... Женя огляделся, мамина кровать была застелена. Солнце стояло уже высоко, заливало ровным светом всю комнату.

«Уже поздно», — подумал Лохнесс, и тут сознание его начало потихоньку проясняться. Ваню спасли? Или?.. Нет, такого не может быть! Конечно, Ваню спасли.

Он все не мог решить, что ему делать, то ли встать, то ли оставаться в постели. Как он вообще здесь очутился? Последнее, что он помнил, — это берег реки...

Все-таки поднявшись, Женька на цыпочках подошел к двери. Из комнаты хозяйки доносились голоса.

— ...лучше будет уехать, — говорила мама. Судя по голосу, она только что перестала плакать.

— А чего уезжать, уплочено ж уже, — отвечала хозяйка таким тоном, что стало ясно: если они и уедут, денег она не отдаст.

— Думаю, ребенку будет тяжело тут... Все постоянно будет напоминать о трагедии.

Трагедии! Женя так и замер.

— Да ребячья-то память короткая. Погорюет и перестанет, — вяло возражала Анна Николавна. — Оно, конечно, жаль парнишку. Понесла ж его нелегкая... И Витьку жаль, отца его, сопьется теперь вконец. Если только баба какая не подберет. А оно, может, и сладится... Такто он ничего мужик, не злой, рукастый. Опять же без багажа остался...

— А что мать Вани, она умерла?

— Верка-то? Да жива вроде. Только она уже, почитай, лет восемь как в город подалась.

— В Пермь?

— А кто ж ее знает? С тех пор ни слуху ни духу.

Женщины за дверью замолчали, мальчик переступил с ноги на ногу и уже собирался пойти к ним, как хозяйка вдруг проговорила со злорадством в голосе:

— В деревне говорят — это твой пацан Ваньку подначивал Каму переплыть.

— Да вы что? Как это — подначивал? — мамины слова прозвучали сдавленно, точно у нее перехватило горло.

— Да вроде как говорил, что Ваня слабак и ему не переплыть ни в жизни. А тот как будто не хотел плыть, да заершился...

— Да быть такого не может! Не верю! — разгорячилась мама. — Вот проснется, я у него спрошу... Но я и так знаю, что это неправда... Чтобы мой Женька!..

— Я-то чего, я тебе верю... — фальшиво посочувствовала хозяйка. — Да люди говорят, а на чужой роток, всяко, не накинешь платок... Лишь бы до милиции разговоры не дошли...

«До милиции!» Женя так и замер на месте. Весь ужас происшедшего вдруг навалился на него, как тяжелая могильная плита. Вдруг стало трудно дышать, он, согнувшись, еле добрел до кровати и повалился на нее.

Ваня мертв. Его друг утонул в этой проклятой Каме... Но это еще полбеды. Беда в том, что теперь все, включая Таню, будут смотреть на него, Лохнесса, как на виновника Ваниной смерти. Да, он ни при чем, да, никто не знал, что так получится, но разве же это оправдание? И разве это оправдание для него самого? Вспомнились глаза Тани, смотревшие на него так, что он сам предпочел бы умереть в тот момент. И мальчик взвыл от боли, заметался по постели, но тут же, испугавшись, что его услышат, заставил себя замолчать.

Ему вдруг очень сильно захотелось исчезнуть, скрыться куда-нибудь, только чтобы никогда больше не показываться на глаза ни одной живой душе, не видеть обращенных на него взглядов. Как это сделать, он совершенно не представлял. Но делать что-то было надо.

Женька торопливо оделся и направился было к выходу, но внезапно услышал чьи-то шаги под окном и стук во входную дверь. «За мной пришли! — почему-то подумал он. — Из милиции! Меня арестуют за то, что я виноват в смерти Вани!»

Времени на раздумья не было. В сени нельзя, а сюда вот-вот выйдут хозяйка с мамой. Оставалось окно в задней комнате. Он тенью метнулся туда, толкнул тяжелую дверь, молясь про себя, чтобы она была открыта. Дверь поддалась. В комнате оказалось темно, пахло затхлостью и пылью, единственное окно, ведущее на задний двор, завешено грубыми занавесками. Он схватился за раму, судорожно ее дергая и пытаясь открыть. Окном, видимо, давно не пользовались, краска присохла и не хотела поддаваться. Наконец раздался треск, створка приоткрылась, и в комнату ворвался свежий воздух. Женя вскочил на подоконник, спрыгнул в огород и бросился на улицу. Он бежал к реке, а мимо шли люди, которые, как ему казалось, все пристально смотрели на него, потому что знали, что это он убил своего друга. Это было совсем уж невыносимо!

Наконец Лохнесс очутился там, куда стремился. Вдали показался дебаркадер, недавно выкрашенный бирюзовой краской, — место, которое в деревне именовали пристанью. Сколько раз они бывали тут втроем!..

«Только бы никого не встретить из знакомых», — подумал он.

У кассы толкался народ, сновали туда-сюда старики с огромными, чем-то резко пахнувшими рюкзаками, бабки

с набитыми сумками, молодые парни, семьи с детьми. Очевидно, скоро должна была подойти «Ракета».

Он остановился в стороне, шумно переводя дыхание.

«И что тут стою, все равно билет не на что купить», — пронеслось в голове. Куда и зачем ехать, он даже не думал. Главное — подальше от Сташкова. А для этого нужно попасть внутрь «Ракеты». Женька выпотрошил карманы, но нашлись только одна копейка и смятый фантик.

Минут через десять и впрямь показалась «Ракета», пришвартовалась у причала. Народ стал кучковаться поближе к трапу, рябой мужичок в кургузой куртке проверял билеты. Лохнесс, у которого уже созрел план, вертелся неподалеку. И после того, когда последний пассажир вошел на борт, а мужичок с рыжим матросом убрали трап и направились к швартовам, Женя напрягся, как сжатая пружина, и прыгнул... Но до палубы не долетел, лишь коснулся борта и соскользнул вниз, в неожиданно холодную воду.

У причала оказалось очень глубоко, и от испуга мальчик тут же пошел бы ко дну, если бы за ним не прыгнул все тот же рябой мужичок. Матерясь на чем свет стоит, он пребольно ухватил Женькины отросшие за лето вихры и вытащил на берег.

Потом была суматоха. Когда поняли, что угрозы его жизни нет, Женьке влетело со всех сторон, не только ругали, но и подзатыльников отвесили. Прибежали мама и Анна Николавна, кричали, плакали — но все это было как в тумане. В памяти остались только слова, которые произнес с ухмылкой рыжий матрос: «Кому на роду писано быть повешенным, тот не утонет».

На завтра чемоданы были уже собраны, уезжали на самой первой «Ракете», в шесть тридцать.

Женя и сам не знал, хочет ли он увидеть Таню, или духу ему не хватит посмотреть ей в глаза. Но когда оставалось полчаса до отъезда и мама в спешке запаковывала деревенские гостинцы, на которые вдруг расщедрилась хозяйка, какие-то сушеные грибы и банки с вареньем, Женя, выйдя на улицу, увидел у калитки Таню. Девочка подошла к нему и спокойно проговорила:

— На похороны, значит, не придешь.

— Ну вот, не получится, значит, — прошептал он, ком подкатил к горлу. — Мама настаивает, чтобы мы непременно сегодня уехали.

— Я слышала, тебя вчера на пристани выловили, — по ее лицу пробежала тень, но так быстро, что Женя даже не понял, как Таня относится к его поступку.

Так они стояли и молчали, не зная, что еще сказать друг другу.

— Как ты? — спросил он наконец, не зная, насколько это будет уместно.

— Да нормально вроде, — она пожала плечами.

— А похороны когда?

— Завтра.

Они еще помолчали некоторое время, потом она неожиданно заговорила, очень быстро, путаясь в словах:

— Когда его достали, он уже мертвый был. Кирюха говорит, не хватался даже, а это плохой знак... Но они, конечно, пытались, это, как его, искусственное дыхание...

А «Скорая» только через час приехала. И милиция... Нас всех допрашивали, и меня тоже.

— А я? — тихо спросил он и тут же испугался, что Таня неправильно поймет вопрос, но она ответила именно то, что было нужно:

— А тебя потом хватились, стали искать, еле нашли на берегу. Ты как без сознания был. Хотели даже в больницу вести, но доктор посмотрела, укол сделала и сказала, что не надо, лучше дома...

И вдруг, без всякого перехода:

— Знаешь, что в этом во всем самое жуткое? Глаза его отца. Никогда в жизни ничего страшнее не видела... И плохо, что он не пьет сейчас, все боятся, что руки на себя наложит...

— Ты мне оставишь свой адрес? — спросил Женя.

— Зачем? — Она пожала плечами, но, не дав ответить, тут же достала из кармана листок и всучила Жене. Ясно — заранее заготовила. А потом, не прощаясь, повернулась и вышла со двора. И он подумал, глядя ей в спину, что вряд ли они когда-нибудь напишут друг другу хоть пару строк.

Вышло, впрочем, иначе. Уже в сентябре Женя, сам не зная почему, написал Тане длинное письмо. О школе, о друзьях, о секции борьбы, в которую записался, о фильме, который видел в кинотеатре. Но ни слова о Ване.

Таня не ответила. Он разозлился, написал еще и еще, но ответа так и не получил. И тогда Лохнесс решил, что больше писать не будет, но, когда вырастет, обязательно найдет Таню, приедет к ней и, глядя в глаза, спросит, почему же она не отвечала на его письма. Разумеется, ничего подобного не произошло.

А в то утро они с мамой взяли свои чемоданы и отправились на пристань, чтобы уехать и никогда больше не возвращаться в эту деревню.

Когда они садились в «Ракету», то встретились с соседкой Тани, высокой старухой в ярко-зеленом платке. Она внимательно посмотрела на Женю, пожевала губами и отвернулась.

«Она тоже, конечно, все знает. Она, может, хотела бы плюнуть мне в лицо, но стесняется мамы», — почему-то решил он. Воздуха вдруг стало не хватать, и он не пошел в салон, а бросился на корму, схватился за поручень и стоял там до самого отплытия. К его удивлению, мама за ним не пошла.

Наконец судно отчалило. Лохнесс не двинулся с места, все стоял и смотрел вниз на бурлящие водные дорожки, оставляемые водометами на глади реки. В голове не было никаких мыслей.

Вдруг кто-то тронул его за плечо. Он вздрогнул и нехотя обернулся. Рядом стояла мама. На лице ее отразилась многодневная усталость, она как будто постарела лет на пять, сеточка морщин поселилась рядом с еще молодыми глазами. Она слабо улыбнулась, взяла Женю за плечо и обняла.

— Нам обоим лучше забыть. И жить дальше, — сказала она.

— Я не смогу, — хмуро ответил Женя, вырываясь из объятий.

— Сможешь. Время пройдет, и сможешь. Ты ведь ни в чем не виноват, запомни это, что бы ни твердил хоть весь остальной мир. Я знаю. Ты любил его.

Лохнесс ничего не ответил. Она нагнулась к нему и прошептала:

— Он научил тебя ценить жизнь еще сильнее. Запомни это навсегда. И проживи ее так, чтобы не было стыдно, проживи за двоих, если сможешь.

Он поднял заплаканное лицо и ответил:

— Я постараюсь.

После этого мама отвезла его на дачу к подруге, и через некоторое время воспоминания о том, что случилось в Сташкове... нет, не исчезли, но поблекли, стали менее болезненными и яркими.

А осенью он пошел в школу и окунулся в новые проблемы.

* * *

Потом, взрослея, он часто думал: а вот этого Ванька никогда не увидит, а вот здесь никогда не побывает. При этом ему всегда становилось грустно. И еще огромное потрясение Женя испытал, когда прочитал «Жизнь Клима Самгина». Его поразило, как похожа пережитая им драма на описанную Горьким сцену гибели Бориса. «Да был ли мальчик-то, может, мальчика-то и не было?..»[1]

Сейчас, ночью, сидя на заваленной снегом скамейке, он, еще молодой, но абсолютно сломленный человек,

---

[1] Горький М. Жизнь Клима Самгина. — М., 1987. С. 111 (ч. 1.).

понял вдруг, что мальчик не только был, но и оказался счастливее его. Ваня навсегда остался в беззаботном детстве, где дружба до гроба, радость на всех, веселье до колик. Эта мысль поразила до глубины души.

«Зачем жить? — думал Крутилин. — Чтобы зарабатывать, тратить, разочаровываться в друзьях, в любимых? А потом умереть? И зачем все это и кому это надо? Как невыносимо на душе... И с этим теперь жить?..» Мысли становились тяжелыми. Надо было что-то делать, и решение созрело.

Он поднялся и тяжелой неровной походкой направился к дороге. «Только бы повезло, только бы повезло», — приговаривал он про себя.

Машин на бульваре в это время было уже не слишком много, сбавлять ход при виде голосующего Лохнесса они не спешили. А те водители, которые все же останавливались, услышав, куда ехать, отрицательно качали головами и жали на газ. Даже «гости столицы» с Кавказа или Средней Азии, обычно готовые везти куда угодно, лишь бы хорошо заплатили и показали дорогу.

Когда рядом тормознул старый «Додж» с кузовом «универсал», Евгений уже успел порядком замерзнуть. Водитель, бородатый мужчина лет пятидесяти с зажатой в зубах сигарой, сначала просто удивился:

— Куда?! Ночь на улице, какое за город!

Но Крутилин вцепился в него мертвой хваткой:

— Я тебе заплачу. Много. Очень много, — он стал вытаскивать из бумажника деньги.

Водитель посмотрел на него, на деньги, снова на него.

— Ладно, черт с тобой, садись.

— Мы туда за час доедем, я ручаюсь, — Крутилин не верил своей удаче. — Я тебя не обижу. Бумажник весь твой.

— За час не доедем, а за полтора доберемся, — пробасил бородатый. — Я те места знаю. Только, чур, деньги вперед. Бумажник, так и быть, себе оставь, а деньги я возьму.

Крутилин вынул все имеющиеся купюры:

— Держи.

Бородатый дал по газам.

Теплое нутро автомобиля обволокло Лохнесса, и он, привалившись виском к двери, мерно покачивался ей в такт.

— Музыку включить? — спросил бородатый.

Евгений не ответил.

* * *

В начале августа 1995 года Лохнесс с двумя приятелями махнул отдыхать в Крым. Ему было двадцать четыре года, он уже владел своим бизнесом, заработал первые в жизни «солидные» деньги и жаждал развлечений и приключений.

В тот день они поднялись на одну из красивейших крымских гор — Ай-Петри. Полюбовались открывавшимися сверху видами и, объевшись тяжелой восточной еды в ресторане на вершине, довольные и усталые, решили, что пора идти обратно. Шагали весело, спускаться по петляющей дороге, с поворотами на сто восемьдесят

градусов, прозванными в народе «тещины языки», было куда проще, чем взбираться.

Они дошли до знаменитой Серебряной беседки и остановились, чтобы сфотографироваться на ее фоне. Внезапно послышался шум мотора, и из-за поворота показалась машина. Она остановилась недалеко от ребят, прямо напротив крутого обрыва. Из автомобиля опрометью выскочила девушка в белом платье и скрылась за соседними кустами. Очевидно, ей стало плохо за время путешествия, резкие изгибы дороги и перепады давления часто играли такие злые шутки с непривычными туристами.

Сам не зная почему, Женя обратил внимание на машину. За рулем зеленых «Жигулей», крепко в него вцепившись, сидела еще одна девушка, бледная, с каким-то отстраненным и пустым взглядом. Взгляд этот Лохнессу не понравился. «Наркоманка, что ли?» — подумал он и поспешил отвернуться.

В это время из-за кустов показалась первая девушка, и парни наперебой принялись заигрывать с ней: она оказалась очень симпатичной и к тому же здорово была смущена произошедшей с ней неприятностью.

Женя не отставал от приятелей и уже забыл про вторую девушку, сидевшую в машине, когда услышал звук, из-за которого весь покрылся мурашками. Это был шорох шин по гравию. Он медленно обернулся и увидел, как автомобиль, набирая ход, приблизился к краю обрыва... Бампер мелькнул в воздухе, и через мгновение где-то внизу раздался жуткий грохот и скрежет, а следом за ним — звук взрыва. Ребята ошеломленно застыли на

месте, потом бросились к краю пропасти и увидели полыхавшую огнем груду железа.

Это происшествие всколыхнуло обычно беззаботных курортников и породило много слухов, еще долго будораживших Южный берег Крыма. Говорили, что тормоза были неисправными, что у водительницы случился сердечный приступ, даже высказывалось предположение, что она просто заснула за рулем.

Но, пожалуй, только Женя знал, что это не так. Еще долго он вспоминал пустой взгляд той девушки. Теперь он был уверен, что девушка не наркоманка, она находилась в полном сознании, когда машина начала скатываться с горы. Она нарочно так сидела и ничего не предпринимала, не нажимала на тормоз, не звала на помощь, просто позволила событиям произойти так, как они произошли. Получается, они с друзьями были невольными свидетелями настоящего самоубийства. Ее подруга тогда плакала, билась в истерике и утверждала, что не знает, почему так произошло, что ничего не предвещало беды, но Женя ей не поверил, он ведь видел те отчаявшиеся глаза. Такие глаза бывают на перепутье. На полпути между жизнью и смертью.

* * *

Сейчас, в снежную рождественскую ночь, Лохнесс вспомнил ту девушку в Крыму и понял, что принял единственно правильное решение в своей жизни, которое по-настоящему что-то изменит. Сколько он пытался до этого? Сколько играл с фортуной, боролся, падал, снова

вставал, но пришел момент, когда надо признать: у него не получилось. Признать и сделать выводы.

Жить ему больше незачем. То, что было дорого, он потерял в одночасье. Мамы уже нет, стыдно ни перед кем не будет. Кто у него еще остался из близких? Никого. Со своим отцом он незнаком вообще, тот горевать не станет, даже если и узнает. Что уж тут говорить... А про жен, теперь уже бывших, и думать не хочется.

Получается, никто не будет плакать по Лохнессу. Может, и не вспомнят, что он, такой, вообще жил на свете. «А был ли мальчик-то?»

По идее, уйти можно разными способами. Повеситься, отравиться, выброситься из окна, застрелиться (жаль, не из чего), прыгнуть с моста в реку... Ну, пусть не в реку, сейчас зима, но на автостраду или на железную дорогу. Однако все варианты один за другим Женя отмел. Что-то очень мучительно, слишком неэстетично, а бросаясь, например, под поезд, ты волей-неволей делаешь причиной своей гибели постороннего ни в чем не повинного человека. Смерть все же — дело интимное. Поэтому он и ехал сейчас на дачу, туда, где было его последнее пристанище, не оскверненное ничьим предательством и связанное лишь со светлой памятью мамы. Она купила участок, хотя и влезла в жуткие долги, на следующий год после лета в Сташкове, ездила туда при любой возможности, а выйдя на пенсию, и вовсе проводила там время с апреля до поздней осени.

С тех пор, как она заболела, дом так и стоял законсервированным. Лохнесс с женами предпочитал ездить в

отпуск за границу, а если и отдыхал в России, то исключительно где-нибудь на элитных турбазах.

Теперь он радовался, что после маминой смерти не продал дом. Там есть газ, печка. Можно разжечь печку и не открывать заслонку, тогда он к утру обязательно угорит. И никто и не подумает на самоубийство, по крайней мере, доказательств не будет. Пьяный человек, поссорился с женой, поехал на дачу и забыл отодвинуть заслонку. Случается.

В конце концов, он сделает, как та девушка в автомобиле, — просто зажжет огонь и не будет ничего предпринимать. Он вдруг понял, что всегда подсознательно восхищался ее силой духа. А сейчас с легкостью может сам поступить так же.

«Легко быть сильным, когда нечего больше терять», — горько подумал он.

Итак, решено, он покончит с собой. И все будут счастливы. Карина получит Марину. Марина получит квартиру, джип, и хотя их, может, и отберут за долги, но Карина не даст ей умереть с голоду, поделится.

Вика. Вот Вика, пожалуй, расстроится... Но хватит уже о других думать, он все время о них думал, сначала о Карине, потом о Марине, и ничем хорошим это не закончилось. А Вика... Может, расстроится она лишь потому, что потеряет работу. Надо искать новую, а в условиях кризиса это непросто. Сколько таких, как она, помощников руководителя на улице оказалось? Но ничего, она справится... Она умница... Вика...

— Эй, камрад, просыпайся!

Женька открыл глаза. Как это он ухитрился заснуть?

— Что, уже приехали?

— Приехали, — пророкотал бородатый, — мать его так! Почти на тот свет.

— Уже?.. — не понял Женька.

— Не знаю, как насчет «уже», но дальше дороги нет.

Крутилин поднял голову и посмотрел через переднее стекло. Свет фар упирался в преграду — поперек дороги лежало большое дерево.

— О господи, где это мы?

— Как где? Да на пути к твоей деревушке. Я, как положено, сразу за постом ГИБДД свернул с шоссе на проселочную дорогу — а тут на тебе здрасьте! Чуть шею себе не сломали. Хорошо, что я скорость здесь сбавил, — бородатый был уже без сигары.

Лохнесс попытался разобраться, где они находятся, но из машины ничего не было видно. Тогда он вышел и огляделся. С одной стороны дороги глухой стеной стоял лес, и было слышно, как гудит в верхушках ветер и деревья, отвечая ему, скрипят и постанывают.

По другой стороне, немного поодаль, тянулось кладбище. В ярком свете месяца легко угадывались кресты, а почти у самой дороги чернела какая-то страшная, непонятной формы, громада. Только через некоторое время Евгений наконец понял, что это такое — руины старой разрушенной церкви.

Не думая ни о чем, повинуясь невесть откуда взявшемуся необъяснимому импульсу, он двинулся в ту сторону,

не обращая внимания на доносящееся сзади: «Эй, камрад, ты куда?» Идти оказалось совсем недалеко.

Даже в таком полуразрушенном состоянии церковь выглядела величественно и поражала своими размерами. Вблизи благодаря лунному свету и блестящему полотну снега можно было рассмотреть все детали, вплоть до надписей и граффити, которыми были расписаны и уцелевшие куски стен. Жалкие останки церковной ограды напоминали, что здесь когда-то был богатый приход, а значит, много деревень вокруг. Два-три завитка пропавшего навсегда узора решетки торчали из разрушенных столбов ограды. Сверху, покачиваясь на железной арматуре, сиротливо свисали намертво слипшиеся огрызки кирпичной кладки. А на куполе, вернее, на том, что от него осталось, каким-то чудом держался ангел. Ангел с одним крылом. Очевидно, когда-то он держал в руках крест, венчавший церковь. Где теперь тот крест?.. Так и парил облезлый ангел, прижимая к груди два сжатых кулачка...

Лохнесс остановился, сраженный тем странным ощущением, которое вдруг захватило его целиком. Это открывшееся ему в рождественскую ночь видение он воспринял как знак свыше.

«Я сам как вот эта церковь... — пробормотал он. — Я еще жив — но я уже умер...»

И тут же почувствовал, что ошибается. Несмотря на заброшенное состояние, в храме не было и намека на умирание. Наоборот — весь его гордый и все еще полный достоинства вид словно призывал к жизни, заставлял продолжать существование и бороться, несмотря ни на что.

Женя почувствовал, как перехватило горло и слезы подступили к глазам. Что это? Он ехал, нет, он бежал, чтобы на маминой даче подвести черту. Он рвался к смерти как к избавлению от всех проблем, как к возвращению к покою. И вдруг само место покоя — церковь и кладбище — остановило этот бег. Струна, натянутая до предела, лопнула. Полный банкрот — как в бизнесе, так и в личной жизни — Евгений Крутилин сел в сугроб и завыл.

— Эй, камрад, ты че, че?.. — подбежал к нему бородатый.

Женька рыдал, закрыв лицо руками.

— Ну правда, чего ты? — Бородатый опустился рядом с ним на корточки, неловко обнял за плечи, пытаясь заглянуть в лицо. — Случилось что, да?.. Тебе очень надо было?.. Там чего — на даче-то? Мать, что ли, ждет?

— Нет матери... — мотнул головой Лохнесс. — Умерла. Там больше никого нет.

— Ну а раз никого, чего туда торопиться-то? — резонно заметил бородатый. — Видишь, нам дорогу самим не очистить, здесь трактор нужен. Так что, может, обратно поедем?..

Бородатый говорил с ним участливо и осторожно, как с ребенком или больным.

— Извини, старик, — Женя поднялся. — Давай обратно... В Москву.

— Правильно, в Москву... обратно. — Бородатый засеменил к машине, то и дело оглядываясь, идет ли за ним Евгений. Усадив наконец своего непутевого пассажира, и сам сел за руль, включил зажигание, дал задний ход, развернулся и пулей рванул в сторону города.

— Ты только это... — попросил Лохнесс.

Водитель с тревогой обернулся — что еще?

— Скажи, как это место называется... Знаешь?

— А чего ж не знать? Рождественское это. Тут до дачи твоей километров пятнадцать, не больше, если по прямой, через лес...

Обратно ехали под неумолчный говор бородатого. Он перечислил всех своих родных — теток, дядек, шуринов и племянников, проживающих в этих краях, поведал Крутилину краткую историю своей жизни, рассказал, как он солит грибы да как надо правильно закидывать удочку. Словом, всячески пытался отвлечь своего ночного пассажира от грустных дум.

— У тебя сколько детей? — спросил бородатый.

— Детей... — Крутилин понемногу приходил в себя. — Нет у меня детей.

— А у меня двое. Девчонки, — бородатый заулыбался. — Хочу еще одного. Но чтоб парень. Я своей так и сказал.

— А она?

— А что она? Хихикает. Ты, говорит, брак гонишь, а мне отдуваться... — Бородатый громко засмеялся. — А ты давай, парень, детей заводи. Они по-другому заставляют на жизнь смотреть.

— Это как по-другому?

— А так. Ты начинаешь не для себя жить, а для них. Смысл в жизни появляется.

Когда они въехали в Москву, был первый час ночи.

* * *

У Автозаводского моста Крутилин вышел. Здесь, в одном из безликих старых домов, жила Вика. Вика... Слабый тонкий стебелек с огромными серыми глазами.

«Ви-ка», — он тихо произнес, как бы пробуя на язык это новое для него и такое знакомое имя.

Вика работала у него секретаршей, точнее, как это сейчас называется, помощником руководителя. Без всякого фривольного подтекста. Крутилин в этом не нуждался, он был счастлив с Мариной. А вот Вика... Вика любила своего шефа. Нет, она никогда не намекала на свои чувства, не пыталась кокетничать и не переходила границ. Она страдала молча, и лишь глаза выдавали ее. Крутилин делал вид, что ничего не понимает. Он давно решил, что лучше не вселять в девочку несбыточных надежд, не разрушать ее жизнь. Повздыхает и перестанет, найдет себе другого. А на него рассчитывать нечего, для него до последнего дня вообще никого не существовало, кроме Марины...

В храме неподалеку звенели колокола, шла праздничная служба. Лохнесс остановился и прислушался. Перед глазами встала та, порушенная, с однокрылым ангелом, церковь. «Стоит там сейчас одинокая, — подумал Женя, — такая же одинокая, как и я, с такой же изранен-

ной, как у меня, душой. А ведь могла бы, как эта, городская, собрать прихожан сегодня на службу. И звон колокольный как бы далеко был там слышен. Там наверняка долгое эхо...»

Лохнесс не был верующим человеком. Ученый-математик, он все обосновывал с точки зрения материи и цифр. Но тут он ухватился за этот колокольный звон, как за спасательную соломинку, и сами собой его губы зашептали: «Господи, спаси и помоги! Спаси и помоги мне, непутевому и не знающему тебя, наставь меня на путь истинный, если еще это можно...»

С этими словами Лохнесс, скользя и шатаясь, решительно направился к дому, где жила Вика. Он никогда не был у нее, но несколько раз подвозил и знал, что она живет с братом в крохотной двушке. Девушка показывала ему свои окна: третий этаж, прямо над подъездом. Евгений шел, прибавляя шаг; хотелось поскорей развеять зарождающиеся сомнения: нужен ли он еще этой девочке. Это могло бы показаться смешным — он, считавший себя таким сильным и уверенным, повидавший на своем веку всякого, сумевший с нуля поднять и раскрутить солидный бизнес, цеплялся за совершенно, казалось бы, слабое существо, вся сила которого была заключена в ее влюбленных глазах. В последний месяц, когда всем стало ясно, что он разорен, в ее взгляде появилось новое выражение — сострадание.

— Вика, вы смотрите на меня, как на больного, — смеялся он. — Выше нос, еще не все потеряно.

— А я знаю, я верю, что все будет хорошо, все еще будет хорошо, — как заклинание, повторяла она.

Эх, дурак, куда он смотрел раньше? Зачем кидался на красоток, которым, кроме денег, ничего-то, как выяснилось, от него и не нужно было. Что у него теперь осталось от любви? Боль, обида, разочарование. И еще — отвращение, как тяжелый осадок, поднявшийся со дна и заполнивший всю душу.

— Так мне и надо, — бубнил он себе под нос, — был я ученым-очкариком, им бы и оставался, нет же, занесло меня...

Весь обратный путь он думал о Вике, думал с теплом, нежностью, надеждой и, пожалуй, даже любовью.

— Она меня любит, она меня поддержит, я соберусь и встану еще на ноги, — как заклинание, шептал Евгений.

Он попытался вспомнить, вспомнить все до мелочей, каждый день, который он провел рядом с ней, которой, оказывается, был так важен. А он ничего не замечал, не знал, дурак.

Он вспоминал ее мягкую улыбку, полушутливое извиняющееся выражение лица, когда она заходила к нему в кабинет, влюбленность, которую она так неумело прятала.

Лица его жен как-то померкли и потускнели перед этим новым ярким воспоминанием, как будто только сейчас в его жизни смыло всю фальшь и осталось только важное. Он так боялся расплескать это чувство и поэтому побежал, побежал что есть мочи вперед...

В кармане запиликал мобильный, впервые за этот неправдоподобно долгий вечер. Впрочем, к молчанию телефона Женя уже привык. Это раньше, пока дела шли хорошо, сотовый разрывался чуть не каждую минуту. Но

с тех пор, как Крутилин разорился и лишился фирмы, ему звонили все реже и реже.

— Лохнесс, привет, с Рождеством тебя! — прокричала трубка нетрезвым голосом старого приятеля Саньки. — Всего тебе, как говорится, самого-самого...

— И тебе того же, — буркнул в ответ Евгений. — Уж у меня всего этого самого-самого навалом. Я тебе перезвоню позже.

Говорить ни с кем не хотелось. Хотелось скорее увидеть Вику, нагрянуть вот так, среди ночи, без звонка, а дальше — что будет, то будет... Он поискал глазами нужный подъезд и поспешил к нему. Потянул за ручку, и дверь неожиданно поддалась.

ЧАСТЬ ВТОРАЯ

После лета на Урале внешне в жизни Лохнесса все продолжалось как прежде: он спокойно ходил в школу и как будто даже не вспоминал о смерти Вани. Но со временем мама заметила, что с сыном что-то не так. Он больше не ходил в гости к друзьям, не пропадал с ребятами во дворе и все свободное время стал проводить дома. Много читал, но выбирал теперь не приключения и фантастику, а сборники задач по математике и физике. Мама с недоумением обнаружила у него на письменном столе учебники для старших классов, с седьмого по десятый (Женька был в шестом), то там, то здесь заложенные листками, исписанными цифрами и формулами.

За две четверти Женя Крутилин стал лучшим в классе учеником по всем техническим предметам. Его начали посылать на районные и городские олимпиады, откуда он возвращался с призовыми местами. Но параллельно с успехами в учебе он становился замкнутым и нелюдимым, одноклассники его раздражали, он часто огрызался и хамил в ответ. Слова «ботаник» тогда еще не было в ходу, таких ребят обычно звали «очкариками». И Женька не видел в этом ничего плохого. Ему стало казаться нормальным и естественным смотреть на мир сквозь мате-

матические формулы и цифры — ведь в цифрах такая простота и такая гармония!

Изгоем в классе, как иногда случается с отличниками, Женька не стал. Возможно, потому, что умел постоять за себя, за каждое нанесенное ему оскорбление готов был тут же дать сдачи. Так что вскоре одноклассники от него отстали.

Задолго до окончания школы Лохнесс уже знал, что будет поступать в МГУ, только с факультетом некоторое время не мог определиться, все колебался между мехматом и физфаком, но в итоге выбрал ВМК — вычислительную математику и кибернетику, специальность программиста, на тот момент уже становящуюся востребованной и очень перспективной.

Школу он закончил без медали, но и без троек. Даже по некоторым гуманитарным дисциплинам в аттестате стояли пятерки, в частности, по литературе, на которую, вместе с русским языком, Женька приналег в старших классах, зная, как важно для поступления в МГУ хорошо написать сочинение. И он действительно написал его на «хорошо», во всех смыслах этого слова, получил четверку за «Социальную проблематику в «Преступлении и наказании» и, к великой радости и гордости мамы, стал студентом Московского университета.

Во время учебы стало ясно, что страна переживает встряску и жизнь уже никогда не будет прежней. Новое время перевернуло все вверх дном, и Лохнесс в полной мере осознал это.

Денег стало катастрофически не хватать. Гиперинфляция, чуть не ежедневное повышение цен, продукто-

вые карточки... Мама, привыкшая тянуть сына одна на скромную зарплату учительницы, брала дополнительные ставки, выбивалась из сил, но все равно они жили очень бедно.

Нужно было самому искать работу, но Лохнесс еще не был уверен в себе и не решился предлагать свою кандидатуру на должность программиста. Он купил газету с бесплатными объявлениями и внимательно изучил их. В основном нужны были люди либо с большим опытом — бухгалтеры, экономисты, юристы; либо согласные на грубую физическую работу, например грузчики. Женя уже задумался над последним вариантом, когда его внимание привлекло объявление в красивой рамке: «Крупной европейской торговой компании требуются энергичные, целеустремленные сотрудники. Возраст и опыт работы не важен. Ваш заработок зависит только от вас!» Он тут же позвонил по указанному номеру, и приятный мужской голос пригласил его на собеседование.

На следующий день крайне заинтригованный Женя без пяти восемь утра стоял напротив невысокого здания в центре Москвы, на одной из тихих улочек, примыкавших к Тверской.

Несмотря на ранний час, в дом постоянно заходили и выходили люди. Женя послушно дождался восьми и, немного робея, толкнул массивную дверь и отправился на поиски «офиса номер три». Он оказался в небольшом помещении, видимо недавно отремонтированном — еще пахло краской. Кроме него, тут теснилось еще десятка два нервно озирающихся человек самого разного облика и возраста, от чуть ли не школьников до пенсионеров.

Соискатели чувствовали себя неловко, их то и дело просили посторониться энергичные парни и женщины, выходившие из смежной комнаты, все почему-то с большими сумками в руках. Женя успел уже заскучать, как тут из другой двери показалась высокая черноволосая девушка и громким резким голосом скомандовала:

— Кто пришел на работу устраиваться, заполняйте анкеты.

Она раздала всем листки бумаги с напечатанными вопросами и ушла. Соискатели, пристроившись кто где, энергично заработали ручками. Анкета Лохнесса очень удивила. Вопросы в ней не касались ни образования, ни профессиональных знаний и умений потенциальных работников, а звучали примерно так: «Считаете ли вы себя амбициозным человеком?», «Какую сумму (в долларах США) вы мечтаете зарабатывать в месяц?» и «Сможете ли вы рассмешить человека, который плачет?». Минут через десять девушка вернулась и, собрав анкеты, велела следовать за ней.

Лохнесс очутился в новой комнате, гораздо большей, чем предыдущая. В одном из углов было расставлено множество стульев, на них пригласили разместиться вошедших. В центре стоял стол, прямо на котором сидел широко улыбающийся человек с горящими глазами и в потрепанном синем пиджаке.

— Добрый день, дорогие мои! Садитесь, — он приветствовал их так радушно, точно видел перед собой самых дорогих друзей. — Вы ведь пришли наниматься на работу, правильно? Знайте, что вы сделали лучший выбор! Главное — понять, что все в ваших руках! Только от

вас зависит, будете вы решать или обстоятельства. Стоит вам захотеть — и вы будете королями! Вот, — он вынул из пачки одну из анкет, — Ольга Тулупова мечтает зарабатывать пятьсот долларов в месяц. Вы думаете, милая Оленька, что это предел? Да ничуть! У нас вы будете зарабатывать семьсот, восемьсот, да что там — тысячу долларов в месяц! Заведете счет в банке, купите себе иномарку, будете каждый год ездить отдыхать за границу.

Вот есть у нас молодой сотрудник, Коля Чащин. Пришел всего месяц назад. Тоже вот так сидел передо мной, ушами хлопал. Но есть один момент — он захотел стать богатым! Он сломал свою рабскую психологию и сейчас делает по сто бонусов в день. Знаете, как он работает? Когда он заходит в какой-нибудь офис — а в офисах, как известно, трудятся в основном женщины, — он первым делом делает какой-нибудь из них комплимент. Ничего не продает, а только говорит приятные слова, заметьте. И она уже расслабилась, она уже настроена на контакт. И потом между делом он ей говорит: а вы знаете, какой хороший крем для рук такой-то? Вы пробовали? И она уже заинтересовалась, ей уже хочется этот крем. А если одна купила, то всем надо купить. Вы ведь поймите специфику женских коллективов, там основные моменты, которые склеивают людей, — это зависть и слухи. Как это, одна купила, значит, вещь хорошая, а у меня нет? И пошла цепная реакция. И весь этаж купит эти сковородки, вы себе это представляете? Вот что значит грамотно работать с продвижением...

Он замолчал на миг, чтобы перевести дыхание, и этой паузой воспользовался сидевший в первом ряду мужчина лет сорока, по виду — типичный работяга.

— Так я не понял, — поинтересовался он, — вы чем торгуете-то, кремом или сковородками?

— Мы занимаемся дистрибьюцией товаров народного потребления, — строго поправил человек в потрепанном пиджаке. — Мы не торгуем, мы реализовываем товар. Ассортимент у нас очень широк, более сотни наименований. Это вам потом Леночка расскажет. Другие вопросы есть?

— Я что-то плохо поняла про бонусы, — призналась бойкая кудрявая девушка, соседка Жени. — Расскажите подробнее, что это такое.

— Ну как же вы русского языка не понимаете! — развел руками человек в пиджаке. — Бонус — это премия за товар, проданный сверх нормы. Чем больше прибыль — тем выше бонус. Теперь, надеюсь, ясно?

Он строго посмотрел на девушку, точно призывая ее устыдиться собственной недалекости, но та не смутилась:

— Нет, все равно неясно. Назовите, пожалуйста, точные цифры. На какую сумму нужно продать товаров в день по этой вашей «норме»? И сколько конкретно будем зарабатывать на этих продажах мы?

Мужчина в потрепанном пиджаке закашлялся, потом посмотрел на часы.

— Извините, мне некогда больше с вами беседовать. Время — деньги, сами понимаете, мы тут бизнесом занимаемся, а не чай пьем. Идите к Елене, она распределит

вас по инструкторам. Сегодня у вас первый день, будете ходить с инструкторами, смотреть, как они работают. А завтра сюда придете в это же время, внесете деньги и получите товар. Так что, дорогие мои, вперед, к успехам и свершениям! — Он быстро поднялся со стола, давая понять, что лекция окончена.

После «вступительного слова» некоторые соискатели, включая работягу и симпатичную кудрявую девушку, ушли. Но большая часть — и среди них Лохнесс — остались. Ему не слишком понравилось то, что он увидел и услышал, но решил, что выбора нет — деньги очень нужны.

Женю дали в напарники к полноватой женщине лет тридцати с простым деревенским лицом.

— Меня Света зовут, — нехотя сообщила она. — Пойдем на раздачу, там уже вон какая очередь...

В соседнем помещении и впрямь толпился народ с пустыми сумками. Один угол комнаты был чуть не до потолка завален картонными коробками. Две неприветливые женщины раздавали их содержимое, помечая что-то в похожих на ведомости листах, и принимали от каждого деньги.

— А за что это сотрудники платят? — удивился Лохнесс.

— Залог, — пояснили ему. — А то исчезнешь ты с товаром — и ищи ветра в поле.

Наконец подошла и их очередь.

— Сюда лучше пораньше приходить, — инструктировала Света, ловко забрасывая в свою необъятную сумку разноцветные упаковки. — Только не получается у меня.

Пока всех завтраком накормлю, пока мужика на работу провожу, пока маленького в детский сад да старшую в школу...

Затарившись, они покинули здание и направились в сторону метро.

— Давай помогу? — предложил Женя, наблюдая за тем, с каким усилием Света тащит тяжелую сумку.

— Не, не надо, — быстро ответила та, похоже, даже с некоторым испугом. Лохнесс догадался — она боится, что он может украсть товар, за который Света внесла залог.

— Ты не мог бы побыстрее идти? — недовольно спросила она. — Еле тащишься... А мне сегодня надо не меньше тридцати точек обойти, я вчера норму не сделала. А тут еще постоянно дают учеников, с ними же вдвойне медленней...

— Я же не напрашивался к тебе, — сказал он, пожав плечами и прибавив шагу.

Света ничего не ответила. Так, молча, дошагали до метро, спустились, доехали до «Павелецкой». Только у вокзала наставница сменила гнев на милость и опять заговорила с ним.

— Видишь точки? — кивнула она на торговые палатки, облепившие площадь. — Обрабатываем по очереди, желательно ничего не пропустить. — С этими словами она достала из сумки россыпь каких-то тюбиков с блестящими этикетками и, просунувшись в окошко первой палатки, скороговоркой затараторила:

— Добрый день, я представитель фирмы «Европейская торговая компания», сегодня мы можем вам предложить, — тут она сделала напряженное глотательное движение, как будто проглотила муху, и, быстро отодвинувшись из окошка, с досадой сказала Жене: — Тамарка, стерва, тут уже побывала. Надо искать другое место. Вообще-то это моя территория, — пояснила она Жене, — но бывает, что конкуренты отбивают жирные куски, как сегодня. Надо Артуру пожаловаться.

Он догадался, что Артур — это тот самый активный человек, который читал им лекцию.

— А что ей будет?

— Ну не знаю, — пожала плечами Света, — бонусы снимут, наверное. Вообще-то я никогда этого не делала, так что не знаю.

— А что тебе сказала продавщица? — полюбопытствовал Лохнесс, пока они шли к другой палатке.

— Да послала... Ну, иногда такое случается. К этому надо привыкнуть. Не обращать внимания. Вам Артур про парня, который по сто бонусов делает, рассказывал? Есть такое дело. Конечно, к парням женщины лучше относятся, так что вам легче. Опять же, если тетка немолодая, то ей просто поболтать со смазливым парнем приятно. — Света критически оглядела своего ученика с ног до головы и, похоже, осталась недовольна увиденным, поскольку добавила утешительно: — В общем, ты не переживай. Насобачишься.

Так они обошли еще с десяток «точек», но «реализовали» только один дезодорант, и то не продавщице из палатки, а спешившему к вокзалу дядьке с чемоданом, видно, приезжему, забывшему впопыхах купить подарок кому-то из родни.

Света присела отдохнуть на лавочку, и Женя, пользуясь случаем, заглянул в ее сумку. Там он увидел крема каких-то неизвестных фирм, следочки против потливости ног, тальк, духи, крышки, вешалки, воск для обуви и еще много всякой всячины. Лохнесс поправил очки и сказал:

— Слушай, ты не обижайся... Но я, пожалуй, домой пойду.

— Да как знаешь, — женщина пожала плечами. — Эта работа на любителя, многие уходят... Правда, Артур говорит, что сдаются только слабаки и неудачники, — проговорила она без особой уверенности в голосе и добавила: — А я себе скоро сапоги куплю на заработанные деньги, еще немного подкопить осталось.

Больше Женька никогда не возвращался в офис к Артуру и впредь избегал всяческих контактов с подобными «фирмами». Однако деньги были нужны, и он решил подойти к проблеме аналитически.

Многие его знакомые прозябали в бедности, оставаясь на старых местах работы, где недоплачивали, а то и вовсе переставали платить зарплату. Эти люди экономили на всем, жаловались на судьбу, но палец о палец не ударили, чтобы что-то изменить.

Но были и другие. Они искали себе дополнительный заработок, устраивались в коммерческие структуры или начинали собственное дело. Кто-то не справлялся, но некоторые — например, отец его сокурсника Сереги Бугрова, основавший совместное предприятие, — поднимались и быстро богатели. После наблюдения за ними у

Жени появилась уверенность, что тот, кто хочет, и вправду может управлять судьбой. Он понял, что такая возможность выпадет немногим, и ему, по сути, крупно повезло, именно сейчас и именно в этой стране у него есть шанс.

Так он пришел к мысли о собственном бизнесе. В своих способностях он не сомневался. С самого рождения он удивлял всех некоторой особенной жизненной смекалкой и ловкостью, которую по советским временам склонны были записывать скорее в недостаток. Избытка денег в их семье никогда не было, матери всегда приходилось ограничивать сына в карманных расходах, и уже в детстве он придумывал самые невероятные способы, чтобы обходить это ограничение.

Если не хватало денег на аттракционы, он обязательно находил дыру в ограде и проходил сам и проводил друзей. А когда в десять лет Женя захотел конструктор, который продавался в «Детском мире», то, к глубокому удивлению мамы, он не стал клянчить у нее денег на дорогую игрушку, а принес копилку, подаренную ему несколько лет назад, разбил ее и достал требуемую сумму.

— Откуда у тебя столько денег? — поразилась мама.

— Я накопил, — важно ответил он, — за три года.

Но чтобы начать собственный бизнес, нужны были деньги — стартовый капитал — и опыт.

Тогда он устроился продавцом в палатку. Начал с обычной у дома, торговал там по ночам, продавая пиво и сигареты случайным прохожим и браткам. Пару раз у него обнаруживали недостачи, ему приходилось покрывать разницу из своего кармана, но он упорно продолжал ра-

ботать. Никакого настоящего бизнеса тут не было, но он понял, как происходит закупка товара и какой товар более ходовой.

Через несколько месяцев, перейдя на пятый курс и заняв деньги у отца Сережки Бугрова, Лохнесс открыл собственную палатку. Днем там торговала мамина подруга Альбина, ночью — он сам.

Вести свой бизнес, пусть даже на таком уровне, оказалось непросто. Ассортимент требовалось все время менять, каждый месяц появлялись новые марки товаров, и это не могло не отражаться на запросах покупателей. Пиво, сигареты, чипсы, шоколадки, жевательная резинка — основной ходовой товар Женя изучал с азартом, с каким натуралист изучает редкий вид бабочек. Он ходил смотреть, как устроена торговля в других ларьках, записывал цены, примечал, как расставлен товар, перенимал чужой опыт и делал собственные открытия. Например, поставил на видные места самое яркое и привлекающее внимание — сладости, и этот прием тут же оправдался. Проходя мимо, дети просили родителей купить им леденцы, девушки «раскручивали» своих кавалеров на шоколадки. А когда настали теплые дни, Лохнесс одним из первых ухитрился повесить над окошком объявление: «Всегда в продаже холодные вода и пиво».

К лету, когда пришла пора защиты диплома, маленький бизнес уже приносил пусть не баснословный, но стабильный и постоянно растущий доход. Женя полностью расплатился с долгами, открыл еще две палатки и нанял в них продавцов. Когда учеба была закончена и появилось свободное время, он поступил на бухгалтерские курсы и там познакомился с парнем, страстно увлеченным компьютерными играми. Это знакомство и определило всю дальнейшую судьбу Лохнесса.

Раньше, в университете, он видел в компьютерах лишь рабочий инструмент. Конечно, его сокурсники баловались «игрушками» и как пользователи, и как авторы, но Женя почему-то считал, что это развлечение лишь для узкого круга специалистов. И вдруг осознал, что персональный компьютер может быть не только принадлежностью офиса, но и необходимой вещью в каждом доме, как это уже давно стало на Западе. С его помощью люди смогут и работать, и интересно отдыхать, даже не выходя из квартиры.

Новое увлечение неожиданно захватило Крутилина полностью. Он купил домой компьютер, изучил все доступные игры, завел знакомства среди единомышленников. А когда почувствовал, что вырастает из «палаточного» бизнеса, как из детской одежды, не думал ни секунды, чем он хочет заниматься дальше. Конечно, торговать компьютерной техникой! Он смело ринулся в бой, создал свою фирму — тогда это было еще не слишком сложно, и дело пошло. Лохнесс продал свои палатки, отправился по совету знающих людей за границу и закупил там партию компьютеров. Опоздай он на полгода или год, возможно, все было бы иначе, но тогда он попал в первую волну. Компьютеры разошлись молниеносно, он тут же купил следующую партию, и пошло-поехало...

Конечно, Лохнессу пришлось столкнуться с трудностями. Почти до всего приходилось доходить самому, ведь все было впервые. Всю схему, от поиска поставщика

до заключения сделки с покупателем, приходилось осваивать практически с нуля. Сейчас даже и вспомнить страшно! Телефонные переговоры, аэропорты, ожидания рейса, долгие часы между небом и землей, пересадки, получение груза, таможенное оформление... А здесь, в России, снова круговерть — оформление документов, налоги, постоянная угроза столкновения с криминалом... Сколько он тогда совершил ошибок, сколько шишек набил! Но чудом остался на плаву. Дела фирмы хоть и медленно, но двигались вперед. Компьютерная фирма Крутилина набирала обороты, расширялась в штате.

Через пару лет Лохнесс обзавелся небольшим офисом на окраине Москвы, складом и несколькими магазинами. Однако число конкурентов росло с каждым днем в геометрической прогрессии, и возникла необходимость разработать новую стратегию бизнеса. Крутилин понял, что, помимо продажи самой техники, клиентов нужно привлечь чем-то еще, — и его фирма стала предлагать не только бесплатную доставку компьютера до дома, но техническую помощь. Это оказалось очень кстати, поскольку многие покупатели вообще не знали, с какой стороны подойти к своему приобретению. И были в восторге от того, что сотрудники фирмы не только сами устанавливали программное обеспечение, но и обучали азам пользования ПК — для этой цели Крутилин нанял целую команду студентов.

Еще через пару лет Евгений уже продавал компьютеры, специально сконфигурированные для разных нужд: игр, работы, учебы. Головной офис переехал на Новый Арбат. Качественное обслуживание сделало свое дело, привлекая все больше и больше новых клиентов. Женя раскрутился настолько, что даже кризис 1998 года оказался для него не страшен, лишь возникло небольшое затишье на несколько месяцев, а дальше дела пошли не хуже прежнего.

Таким образом, к двадцати восьми годам Евгений Крутилин сделался владельцем успешной компании, пусть и не входящей в число самых крупных фирм страны, но известной и пользовавшейся хорошей репутацией.

Его студенческий друг Игорь Гинзбург, после первого курса укативший к родственникам в Нью-Йорк и оставшийся там навсегда, звал Лохнесса перебираться в Штаты, расписывая, насколько востребованы в США программисты и какие хорошие деньги им платят. Но Лохнесс только посмеивался: что ему за интерес вкалывать за океаном «на дядю», когда есть возможность зарабатывать здесь, на родине, и быть при этом самому себе хозяином?

Когда эйфория от первых больших прибылей миновала, он понял, что деньги сами по себе для него не конечная цель. Целью оказалось само дело, которым он занимался.

Словом, в работе все складывалось удачно. А в личной жизни — пока не очень. К удивлению приятелей, большинство из которых не торопились с женитьбой, Женю давно уже тянуло к домашнему очагу. Часто он рисовал в своем воображении уютный загородный дом, ласковую жену, ожидающую его с работы, весело носящихся по саду детей, вкусный ужин, вечерние посиделки перед горящим камином. И собаку, ему обязательно хо-

телось большую собаку, лабрадора или ретривера. Но пока все это оставалось лишь мечтами. Какая собака, если он целые дни проводит в офисе? Да и девушки, которую захотелось бы назвать женой, он пока не встретил. Хотя недостатка в кандидатках не было. Миновав подростковый возраст и избавившись от юношеской худобы и угловатости, Лохнесс превратился в стройного интересного мужчину. Имидж успешного бизнесмена навел на бывшего ботана и зубрилу заметный лоск, а правильно подобранные очки известной фирмы очень украсили лицо. Женщины ценили это и часто намекали на свою симпатию, с той или иной степенью тонкости, но Женя вовсе не стремился становиться донжуаном и совсем не спешил ответить взаимностью всем подряд. Секс как спорт никогда не интересовал его.

Свою последнюю подружку он встретил в одном из ночных клубов, куда его затащил приятель. В ту ночь девушек в клубе было, как всегда, много, глаза разбегались, но Женя сразу обратил внимание на красивую блондинку с правильными чертами лица и роскошными формами, одетую в джинсы со стразами и черную майку, на которой сверкало название престижной фирмы. Он ухмыльнулся, отвел взгляд, но через пару минут поймал себя на том, что опять смотрит в ее сторону. Она сидела за стойкой бара одна, пила минеральную воду и курила, глядя пустым взглядом в пространство.

Приятель Андрей толкнул его под бок и прошептал:

— Это Нати, я ее знаю, между прочим. Нравится? Могу познакомить.

То, что случилось дальше, было похоже на сон. Они пили шампанское, смеялись, танцевали. Ближе к утру, как само собой разумеющееся, Нати жарко шепнула ему на ухо: «Поедем к тебе или ко мне?» Такими и были их отношения — легкими и без взаимных обязательств. Нати вела странный для Лохнесса образ жизни. Ее отец владел несколькими магазинами одежды, и девушка говорила всем, что «готовится к вступлению в бизнес». Но на практике, как подозревал Женя, это означало, что она живет на деньги родителей и в магазинах появляется лишь тогда, когда надо обновить гардероб или пополнить баланс на кредитке. Все остальное время Нати проводила в модных клубах, ресторанах, фитнес-центрах и прочих тусовочных местах.

Ему нравилось, что Нати не ставила целью женить его на себе или как-то упрочить их отношения. Ему очень нравилось заниматься с ней сексом. И на этом, собственно, список ее достоинств заканчивался. Говорить с Нати было особенно не о чем, проводить время вне постели — просто неинтересно. И в качестве жены он никак ее себе не представлял.

Впрочем, отношения с Нати могли затянуться надолго лишь потому, что Евгению было элементарно некогда искать ей замену. Но в одно солнечное апрельское утро на его жизненном пути возникла Карина.

Осенью бывшая сокурсница и многолетняя помощница Жени неожиданно для всех вышла замуж и теперь собиралась в декрет. Ей-то хорошо, а Лохнесс вынужден был тратить время на поиск новой секретарши, что его сильно раздражало. Конечно, собственно поиском зани-

мался отдел кадров, но ведь и ему нужно было отрываться от работы, чтоб побеседовать с теми, кого они отобрали. А отрываться от работы он не любил.

Девушек было много, все вроде неплохие, с интересной внешностью, хорошим образованием, нужными знаниями и умениями, опытом работы в солидных компаниях. Но ему всего этого было мало. Хотелось видеть рядом с собой не просто секретаршу, а настоящего помощника, почти друга, которым была для него Машка.

Однако Карине без труда удалось выделиться из целого потока фей в строгих офисных костюмах. Чем? Да всем, начиная с внешности. Яркая, стройная, с отличной — даже лучше, чем у Нати! — фигурой, с выразительными карими глазами, смолянистыми волосами и белой кожей, она заворожила и очаровала его с ходу. Увидев ее, Лохнесс тотчас почувствовал, как что-то схватило его в районе солнечного сплетения, закрутило и уже не отпускало.

Соискательница, представившаяся Кариной Мамедовой, держалась уверенно, на вопросы отвечала бойко. Даже на те, что другую поставили бы в неловкое положение. Когда Евгений поинтересовался, хорошо ли она знакома с программой Excel, выдала, не задумываясь:

— Нет, но я быстро научусь.

Он автоматически кивнул и подумал:

«Какие у нее потрясающие волосы. Нати и не снилось. Надо будет забрать у нее мои вещи. Сегодня же!»

Все собеседование прошло для Жени как во сне. Только когда Машка напомнила по офисной АТС, что через пять минут у него совещание с начальниками отделов, очнулся и наконец сказал:

— Хорошо, Карина, на сегодня достаточно. Менеджер по персоналу свяжется с вами.

В ответ девушка сверкнула глазами. Ее лицо выражало разочарование и досаду. «Догадалась, что я ее не беру», — подумал Лохнесс.

— Карина, — начал было он, но соискательница вдруг перебила его:

— Так бы и говорили, зачем время тянуть? Боитесь сами в лицо сказать, что меня не приняли?

— Почему вы так решили? — растерялся Крутилин.

— Такую фразу обычно всем говорят, кого не взяли, чтобы вежливо отделаться.

— Вы зря так думаете, — попытался было возразить Лохнесс, но она уже схватила свою сумочку и выбежала из комнаты, не дослушав его.

«Она прелестна, даже когда сердится. А на работу ее, конечно, не возьму, — решил он. — Перехватят еще мои орлы такой цветочек...»

В этот момент Карина еще ничего не знала, а Женя Крутилин уже решил, что она будет его подругой. К своим целям он шел по-разному, привык оценивать ситуацию объективно, проявлял где надо твердость, где надо гибкость, но тут он не мог почему-то и представить, что события повернутся иначе.

Вечером он позвал к себе начальницу отдела персонала, грузную женщину лет сорока, с хищным цепким взглядом, казавшуюся обычно всем более хитрой, чем было на самом деле. Но такая репутация вполне устраивала ее, и она старательно поддерживала свой имидж.

— Сегодня у меня была на собеседовании девушка, Карина Мамедова...

— Ну и как она вам? — осторожно осведомилась кадровичка. — Не подойдет? Я так почему-то и думала, слишком наглая.

— Мне нужны ее координаты, — не дослушал Лох-несс. — Нужно уточнить еще пару вопросов. Хотя мне тоже кажется, что она не подойдет...

В первый момент кадровичка чуть удивилась. Она уже привыкла, что директор не вмешивается в процесс подбора сотрудников и, как правило, без разговоров берет на работу тех, кого отбирает она. Однако дама быстро смекнула, что тут иная ситуация, и на лице ее появилась загадочная улыбка.

— Ее анкета у меня внизу, сейчас я вам принесу!

Он увидел ее понимающий взгляд и немного смутился.

Что говорить Карине, он не знал. Боялся, что она может не так понять его, решить, что у него грязные намерения. Но делать было нечего, иного способа поговорить с Кариной не представлялось. Нужно было использовать единственный шанс.

Ничего так и не придумав и промаявшись два часа, Женя наконец набрал заветный номер. «Руки дрожат», — отметил он с удивлением и радостью. Раздались гудки, потом кто-то поднял трубку, и нежный девичий голос произнес:

— Алло?

— Добрый день. Карина?

— Да, это я.

— Меня зовут Евгений Крутилин. Я руководитель той фирмы, где вы сегодня были на собеседовании.

Девушка не удивилась:

— Я почему-то так и подумала, что это вы звоните. Предчувствие было... Но на работу меня не взяли, да? — утвердительно сказала она.

— В общем, да... Вы оказались правы, мы не сможем вас взять. Но совсем не по той причине, которую вы, наверное, предположили...

«Это ужасно, она черт знает что подумает, что я несу?»

— Ну, я не удивлена, — усмехнулась Карина. — Привыкла уже. А почему вы меня не берете, позвольте узнать? Чем я вам не подхожу?

— Знаете, Карина, я хотел бы это с вами обсудить, — нашелся Лохнесс. — Поэтому у меня есть к вам предложение, только не поймите меня превратно. Ничего плохого я не хочу, хочу пригласить в кафе. Там я постараюсь объяснить, почему я не могу взять вас на работу.

«Сейчас откажет», — подумал Кутилин. Он впервые так волновался, когда приглашал женщину на свидание. Сердце ухнуло вниз.

— Это по телефону нельзя сказать? — рассмеялась Карина.

— Да, точно, нельзя, — Женя смахнул каплю пота со лба.

— Ну, тогда я согласна, — чуть помедлив, произнесла девушка, — очень уж вы меня заинтриговали. А то работодатели обычно не сообщают причин отказа, кодекс у них, что ли, какой есть...

На следующий же день он подъехал на своей машине к ее подъезду. Она уже стояла внизу и ждала его. Одета Карина была скромно, но стильно и аккуратно: бежевый свитер, темная широкая юбка, легкая косметика на лице и тонкий аромат духов. Сев в машину, она тут же спросила его:

— Куда мы поедем? Если честно, то я вообще не очень понимаю...

— Ничего не говорите, — перебил Крутилин. — Я вам все объясню непременно, но чуть позже.

Он привез ее в тихое, уютное кафе на Патриарших, где они оказались единственными посетителями. Официант метнулся к гостям, Лохнесс что-то шепнул ему на ухо, тот кивнул и исчез. Карина лениво перелистывала меню и рассматривала интерьер в классическом стиле, стараясь не встречаться взглядом со своим спутником.

— Много собеседований завалили? — начал разговор Крутилин.

Карина чуть вздрогнула, потом улыбнулась и сказала:

— Порядочно.

— Я вам расскажу, почему вас не берут. Скорее всего, женщинам вы кажетесь потенциальной соперницей, неважно за что, за внимание мужчин, например. Даже если вы не собирались заниматься устройством личной жизни на работе. Это происходит подсознательно. А мужчины опять-таки воспринимали вас скорее не как профессионала, а как привлекательную девушку. По их мнению, вы слишком красивы, чтобы оказаться хорошим работником.

— И что же мне делать? — она все-таки посмотрела на него.

— Ну... Может быть, как-то иначе подавать себя, по-другому держаться... Но, скорее всего, это не понадобится.

— Это почему же? — настороженно спросила Карина.

Евгений нарочно перевел разговор на другую тему:

— Надеюсь, вы ничего не имеете против сухого вина? Я заказал божоле и шопский салат. Думаю, потом мы определимся с другим.

Подошел официант, раскупорил бутылку, отложил пробку на тарелку, налил чуть-чуть вина Крутилину и после утвердительного кивка головы разлил вино по бокалам.

— Попробуйте, Карина, вино хорошее, правда. Не знаю, что у вас там было в других фирмах, скажу за себя. Вы слишком привлекательны, чтобы я мог позволить вам работать у меня.

Карина приподняла красивые брови.

— Да, это правда. Уверен, что, стоит вам появиться, найдется какой-нибудь энергичный молодой кекс. Достанетесь вы мне или нет, это еще вопрос, а смотреть на счастливого соперника было бы для меня невыносимо.

— Ну вы и нахал, — только и смогла ответить девушка. Но не вскочила и не сбежала, а, к неописуемой радости Жени, продолжала его слушать. Но тот держал паузу, и заговорить пришлось Карине.

— Видимо, не у всех работодателей такие причины, раз мне не звонили оттуда, — кокетливо заметила она

после продолжительного молчания. И добавила: — А почему вы решили, что у меня нет молодого человека?

— Я на это надеялся, — Лохнесс вновь пригубил вино.

Почти сразу после того вечера они начали встречаться, Женин азарт и горячность Карина принимала чуть снисходительно, но ухаживаний не отвергала, охотно соглашалась на свидания, и со временем он уверился, что у избранницы просто такой характер. После некоторых размышлений Лохнесс, привыкший с детства все скрупулезно анализировать, пришел к выводу, что это даже неплохо — спокойная и уравновешенная жена. От Карины за версту веяло холодностью, но ее сдержанность только завораживала и разжигала Крутилина. Возлюбленная казалась ему этакой Снежной королевой, чье сердце нужно было растопить. Или Спящей красавицей, которая обязательно проснется от поцелуя.

Поцелуи Карина допускала, хотя и отвечала на них не слишком охотно. Но дальше начиналась территория табу. «Я еще не готова к этому!» — говорила она всякий раз, когда он пытался перейти установленную ею границу. Влюбленный Женя не роптал, даже, наоборот, восхищался ее стойкостью.

Очень скоро он сделал ей предложение. В тот день они сидели в заказанном кабинете в ресторане на Тверской, и после еды он просто протянул ей коробочку.

Карина немного помедлила и открыла ее. Там блестело обручальное кольцо.

— Женя, что это значит? — она подняла на него прекрасные глаза.

— Я хочу, чтобы ты стала моей женой, — не без замирания произнес Крутилин.

Она как-то странно на него посмотрела и вздохнула.

— Ну что ты скажешь? — не выдержал наконец Крутилин.

— Ну, конечно, я согласна. — Она счастливо засмеялась и, обхватив его за шею, крепко поцеловала. Впервые она сделала это сама. И тем не менее у него возникло ощущение, что он так ее и не понял. Что творилось у нее в душе, искренне ли она обрадовалась предложению или нет, для него так и осталось загадкой.

Знакомство с семьей невесты оказалось для Жени нелегким испытанием. Отца Карины на тот момент уже не было на свете, мать, когда-то очень красивая, но рано постаревшая женщина, строго придерживалась восточных традиций — ни во что не вмешивалась, двигалась бесшумно, как тень, и почти все время молчала. Всем в доме заправляли братья, Карен и Гуссейн, и их Крутилин с первого взгляда счел единственным недостатком своей будущей жены.

Старший, Карен, толстяк с маслеными глазками, держался высокомерно, бесцеремонно разглядывал жениха сестры и задавал множество вопросов, часто бестактных. Второй, Гуссейн, огромный мрачный детина под два метра ростом, только смотрел недружелюбно и молчал.

— Я что, не понравился твоим братьям? — спросил у невесты Женя, когда тягостный для всех визит закончился.

— Нет, что ты! Просто у нас так принято. Отец умер, Карен остался старшим мужчиной в семье. Братья обо мне с самого детства заботились, опекали, должны же

они знать, кому передают, — объяснила Карина извиняющимся тоном.

— А чем они занимаются, твои братья?

— У них бизнес, — неохотно ответила Карина.

— Какой именно?

— Не знаю. В восточных семьях мужчины не посвящают женщин в свои дела, они сами всем заправляют.

— Надеюсь, им не придет в голову вмешиваться в нашу жизнь после свадьбы, — недовольно заметил Крутилин.

— Нет, что ты! — заверила невеста как-то слишком поспешно.

Ее первая встреча с будущей свекровью получилась более неудачной. Галина Евгеньевна встретила их как дорогих гостей, накрыла стол от души — тут были и копченая осетрина, и сациви, и ее «фирменные» пирожки с картошкой, и три салата, и плов с бараниной...

— Ну, мама! — ахнул Женя. — Прям на целый полк наготовила... Ну, зачем же ты так? Небось всю ночь у плиты простояла.

— Не говори ерунды, — отмахнулась мать. — Ничего особенного я не делала, обычные блюда. Карина, идите мойте руки и давайте сразу за стол.

Едва уселись, Женя извлек бутылку дорогого шампанского.

— Давайте сразу и отметим! Мам, неси фужеры.

— Уже несу, — быстро просмотрев бокалы на свет, она поставила их на стол. — Отметим наше знакомство, я так понимаю?

— И ваше знакомство тоже! — счастливо засмеялся Лохнесс. — Но не только. Еще и нашу с Кариной помолвку! Дело в том, что мы решили пожениться. Точнее, я сделал Кариночке предложение, и она осчастливила меня согласием.

— Вот как? — изумилась Галина Евгеньевна, для которой эта новость оказалась сюрпризом. — Ну что же, поздравляю... Только это так неожиданно, так быстро. Сколько ж вы знакомы?

— Полтора месяца. Но, мам, это не имеет никакого значения, — отмахнулся Женя, разливая вино, — главное, что мы любим друг друга. Держи свой фужер.

Женщина машинально приняла из его рук бокал.

— А может, все-таки не стоит так спешить? Хорошо бы повстречаться, узнать друг друга получше...

— Да у нас уже все решено, мама! — сиял сын. — Вчера заявление подали, одиннадцатого июля свадьба. Давайте выпьем за это!

Галина Евгеньевна вымученно улыбнулась, помолчала и проговорила:

— Ну что же, это ваш выбор.

Когда все поставили фужеры на стол, она обратилась к будущей невестке:

— Карина, ну что же ты сидишь, кушай. Давай я тебе вот этого салатика положу, с черносливом. А ты за женихом поухаживай.

Девушка удивленно взглянула на нее — похоже, ей никогда не приходило в голову, что она может за кем-то ухаживать, всегда было наоборот. Но она послушалась

совета и положила на тарелку жениха крупный кусок осетрины.

— Мамочка, ты даже не представляешь, как я счастлив! — Лохнесс вновь потянулся к бутылке, чтобы разлить остатки шампанского.

— А ты, Карина? — поинтересовалась будущая свекровь.

— Я очень рада, что именно Женя составит мое счастье, — ответила та.

Разговор за столом не клеился. Крутилин то и дело пытался оживить атмосферу шутками, но это у него не очень-то получалось.

— А как вы хотите справить свадьбу? — спросила наконец Галина Евгеньевна.

— В загородном клубе, — тут же ответил сын.

— А как же?.. — Галина Евгеньевна даже задохнулась от удивления и растерянно развела руками. — А я думала... Да ладно, неважно. Ваша свадьба, что хотите, то и делайте.

— Мы уже присмотрели несколько вариантов, — продолжал Евгений. — С бассейном, сауной, боулингом, пейнтболом, верховой ездой и всем таким прочим. Правда, Карина?

— Я думаю все-таки остановиться на SuperStyle, — откликнулась девушка. — Он, конечно, дороже остальных, но зато самый стильный. И программу надо будет соответственную подобрать. Диджея, стриптиз мужской и женский, группу какую-нибудь известную пригласить...

У Галины Евгеньевны вдруг покатились слезы.

— Мама, ты что? Что с тобой? — испугался Женя.

— Нет-нет, ничего! — она поспешно вытерла глаза. — Просто вы такие молодые и красивые, что я очень растрогалась...

Однако Лохнесс не поверил.

— Скажи то, что ты хотела, — стал настаивать он.

— Не буду я ничего говорить, — Галина Евгеньевна вдруг заупрямилась. — Это мои старушечьи бзики, вы не должны даже знать о них, тем более спрашивать.

— Мама, — Женя чуть повысил голос, — говори немедленно! Твой сын женится, в конце концов!

Он строго взглянул на Карину, и та поддержала, впрочем, без особого энтузиазма:

— Скажите, нам очень интересно.

— Ну, я просто думала, — неуверенно начала Галина Евгеньевна, — что у вас будет традиционная свадьба, в ресторане. Что мы Альбину позовем, тетю Шуру, Просветовых, Михал Иваныча с супругой... А у вас будет боулинг, сауна и стриптиз... — Она не удержалась и снова расплакалась.

— Мама, ну что ты, в самом деле! — Лохнесс вскочил со стула, налил ей стакан воды из чайника и присел перед ней на корточках, держа ее руки в своих. — Мы обязательно это как-нибудь уладим. Мы ведь еще ничего не решили!

Тут у него зазвонил мобильный телефон, и он, бросив взгляд на экран аппарата, недовольно сморщился и вышел из комнаты со словами:

— Извините, нужно ответить. Важный звонок.

Галина Евгеньевна осталась наедине с Кариной. Та усиленно рассматривала скатерть, потом вдруг спросила:

— Я вам не понравилась?

— Да что ты, деточка... — начала было Галина Евгеньевна, но потом, мельком взглянув на Карину, сказала изменившимся голосом: — Пожалуй, ты права. Ты вроде не дура, так что врать не буду. Да, ты мне не понравилась. Но я не буду вам мешать, время все рассудит.

— Из-за боулинга и стриптиза? — рот Карины скривился.

— Да бог с ним, со стриптизом! Просто я вижу, что ты не любишь Женю.

Карина вскинула брови:

— Не все проявляют эмоции, если вы об этом. Вам нравятся такие, которые кричат на всех углах про свои чувства? А вы знаете, что они как раз и бывают самыми неискренними?

— Какими бывают люди, я, милая, в курсе, тридцать лет в школе проработала, — отвечала женщина. — Дело не в эмоциях. Просто ты даже не знаешь, что он не ест рыбу. Вообще не ест.

— При чем тут рыба? Да, мы еще мало знакомы, не успели изучить вкусов друг друга...

— Ты на меня не злись, Карина, — тихо попросила Галина Евгеньевна. — Я очень хочу, чтобы у вас все было хорошо. Но не удивлюсь, если не будет. Уж прости...

Этого разговора Женя не слышал. Но на обратном пути от мамы произошла их первая с Кариной ссора. Был чудесный майский вечер, они решили немного пройтись пешком, шли, держась за руки, и вдруг он предложил:

— А давай сделаем так, как хочет моя мать?

— В смысле? — она даже не сразу поняла, о чем он говорит.

— Сыграем свадьбу в ресторане, позовем всю родню...

— А твои партнеры по бизнесу? Как они это воспримут? — удивилась невеста.

— Да мне плевать! Мама мне важнее всех моих партнеров.

— Ну-у, не знаю... — протянула девушка. — Даже если снять хороший ресторан... Все равно она пригласит своих подружек со двора и из поликлиники. Ты хоть отдаешь себе отчет, в чем они придут, как будут себя вести? Представь, что за столом рядом окажется директор фирмы в костюме от Арма́ни — и какая-нибудь тетя Шура в туфлях «прощай молодость», которая весь вечер будет его грузить тем, как она солит огурцы и растит внуков...

— Карина, ты говоришь о моей матери, — обиженно напомнил Лохнесс.

— Не о ней, а о тех, кого она хочет пригласить.

— Однако за свою родню ты почему-то не опасаешься, — он использовал не слишком честный прием «перевода стрелок».

— Моих родных на свадьбе не будет, — отрезала Карина. — Я так решила. Позову только нескольких подруг по институту и старой работе — за них мне краснеть не придется.

— Не думал, что в тебе столько снобизма, — убито сказал Евгений. — Ведь я рассказывал тебе, что всю жизнь был для своей матери светом в окошке. Она воспитывала меня без отца, выбиваясь из последних сил только для того, чтобы у меня всегда была недырявая

одежда и вкусная еда на столе. О своей личной жизни она не думала, а я был маленьким свинтусом и настоящим эгоистом, ревновал ее к любому встречному... Было бы черной неблагодарностью так с ней поступить. Наверняка можно найти какой-нибудь компромисс.

— И все равно. Свадьба — это же прежде всего праздник для двоих, ведь так? — Карина чуть не плакала и выглядела так несчастно, что у Крутилина невольно сжалось сердце.

— Но это и мамин праздник, — тихо возразил он. — Хотя она, по правде говоря, и не очень-то рада.

По щекам Карины потекли крупные слезы. Но Лохнессу шлея попала под хвост. В нем проснулась жесткость бизнесмена, и он решил не отступаться — иначе потом пожалеет.

— Спасибо, что проводил, — сухо сказала Карина у подъезда. Повернулась и ушла, не поцеловав его на прощание.

Он пришел домой расстроенный и сразу же лег спать, но уснуть не удавалось. В голову все время лезли дурацкие мысли про маму, воспоминания о сегодняшней ссоре. Хотя это и ссорой-то настоящей не назовешь, так просто, не сошлись во мнениях. Однако это неприятно — только позавчера заявление подали, а сегодня уже размолвки...

Утром, едва проснувшись, он схватил трубку и набрал номер Карины, но абонент оказался недоступен. Он позвонил ей домой, но к телефону никто не подошел.

«Наверняка специально не берет трубку, хоть и сидит дома, — подумал Крутилин. — Ведь утро воскресенья, где ей еще быть?»

Внезапно в дверь позвонили. На пороге стояла Карина. Лохнесс так и замер, не в силах вымолвить ни слова от удивления.

— Я бы хотела попросить прощения. Я была не права. — Она тихо прислонилась щекой к его плечу и обняла.

Когда страсти улеглись, обнаружилось, что найти компромисс не так уж сложно. Для первого дня сняли зал в одном из лучших ресторанов Москвы, куда пригласили всех гостей, включая тех, кого хотела видеть Галина Евгеньевна. А поздно вечером новоиспеченные супруги с друзьями укатили в загородный клуб, где веселились всю ночь и весь следующий день. И все остались довольны.

В свадебное путешествие молодожены отправились в Египет. Место отдыха выбрала Карина. Лохнесс предлагал другие, более изысканные варианты, но молодая жена настояла на своем, ей очень давно хотелось видеть пирамиды, сфинкса и все прочие чудом сохранившиеся приметы древней цивилизации. Там, в Египте, и произошла их вторая крупная ссора.

Сначала все было хорошо, несмотря на сильную жару, царившую здесь в это время года. Евгений, правда, первые дни чувствовал себя неважно, почти не мог есть, рано ложился спать и старался как можно чаще находиться у воды. Карина лучше переносила жару, с удовольствием завтракала и ужинала, накладывая себе со шведского стола полные тарелки, а вечерами, когда муж засыпал, отправлялась бродить по сувенирным рядам,

тут же, на территории отеля, покупала разные мелочи, курила кальян и иногда ходила в бар попробовать, как она выражалась, «арабского пойла».

Вскоре акклиматизация прошла, Лохнесс воспрял телом и духом и уже не отпускал жену от себя. Все дни они проводили на пляже, а однажды вечером решили отправиться в город. Вышли из ворот отеля на шоссе и сели в одну из маршруток, которые в огромном количестве носились по дорогам Хургады, не соблюдая никаких правил дорожного движения. Не прошло и пóлучаса, как Женя с Кариной прибыли в Старый город, где долго ходили по лавкам, самозабвенно скупая всякие ненужные вещи. Потом, уставшие и нагруженные покупками, направились, как им казалось, обратно и вскоре незаметно для себя очутились в нетуристической части города. Здесь все было по-другому: ни сувенирных магазинчиков, ни огней, ни ярко одетых туристов, лишь тусклое освещение, мрачноватые дома да тяжелые запахи от валяющихся прямо на улицах куч мусора, гниющих фруктов и овощей. Чем дальше они удалялись от центра, тем внимательнее встречные египтяне разглядывали откровенный наряд Карины.

— Похоже, мы заблудились, — произнес наконец Лохнесс.

— Ты не знаешь, куда нам идти? — с ужасом спросила Карина.

— Боюсь, что нет. Но сейчас узнаю. Многие местные неплохо говорят по-английски, а кое-кто и по-русски.

Однако, как назло, все, кто попадались им не пути, не знали иностранного языка. Наконец, плутая, они вышли

на улицу, вдоль которой стояли рестораны с яркими вывесками, в том числе сделанными и на русском языке.

— Я жутко проголодалась. А тут русский ресторан, давай зайдем? — Карина показала на светящееся название «Пельмени».

— Стоит ли в Египте есть пельмени? — улыбнулся Женя.

— Мне кажется, надо попробовать! — решительно возразила Карина.

В просторном зале чувствовалась прохлада, кондиционер работал на всю мощь. Почти все столики оказались заняты, но тем не менее навстречу новым клиентам тут же вышел улыбчивый темнокожий хозяин и заговорил, чудовищно коверкая русские слова:

— Добрий день, даракие кости! Прощю, садитес!

Карина отыскала столик у окна и принялась листать меню.

Через пару минут к ним подошла официантка, темноволосая женщина лет тридцати пяти. Улыбаясь усталой улыбкой, она приготовила блокнотик для записи.

— У вас греческий салат свежий? — спросила Карина неожиданно высокомерно.

— У нас все свежее, — официантка ответила по-русски без всякого акцента.

Карина пожала плечами и продиктовала свой заказ. То же сделал и Евгений. Женщина отошла и минут через пять принесла напитки. Карина схватила стакан, сделала жадный глоток, нагнулась к Крутилину и зашептала:

— Официантка тут русская. Заметил, как нас обслуживает? Своим можно и швырнуть, и теплое питье при-

нести. Вон, мой каркаде как будто весь день на солнце простоял.

Лохнесс дотронулся до ее стакана:

— По-моему, ты придираешься.

Через двадцать минут на столике появились салаты.

— Девушка, почему так долго? — сердито поинтересовалась Карина.

— Извините, пожалуйста, — прозвучало в ответ. — Сами видите, сколько у нас сегодня посетителей. На кухне просто не успевают готовить.

— Ах, не успевают... — Карина взяла со стола вилку, та вдруг выпала из ее руки и оказалась на полу. И Женя не смог бы поручиться, что это произошло действительно случайно.

— Ну что вы стоите? — напустилась его жена на официантку. — Принесите мне чистую.

Новый прибор появился, но тоже не так скоро, как хотелось Карине.

— Побыстрее нельзя? Вас, между прочим, клиенты ждут.

— Простите. У меня много заказов. Меня ждете не только вы, — ответила женщина и отошла.

— Совсем обнаглели! — бушевала Карина. — Им все равно, что о них подумают! Никакого сервиса и уважения!

— Да не кипятись ты так, — попытался утихомирить ее муж. — Не забывай, что мы в Египте. Тут обслуживают медленнее, и вообще все происходит медленнее. Помнишь, нас даже гид об этом предупреждал...

— Плевать я хотела на гида! — прозвучало в ответ.

Когда приготовили горячие блюда, официантка поставила их перед ними и поспешила ретироваться. Карине оставалось лишь буравить ее яростным взглядом. Но этим она не ограничилась.

— Хлеб черствый!

— Да не говори ерунды! — Крутилин уже начал сердиться. — Нормальный хлеб. Что это на тебя нашло? Зачем портишь нам отдых?

— На, сам посмотри! — Карина в ярости швырнула ему корзинку с хлебом так, что она, перелетев через весь столик, упала на пол. — Она подала нам совершенно черствый хлеб, им гвозди забивать можно! Наверняка думает, раз мы из России, то можно что угодно подсунуть. Дрянь какая, я на нее управу-то найду!

— Карина, что с тобой? — Лохнесс, казалось, онемел из-за происходящих метаморфоз.

— Девушка! — позвала Карина так громко, что все посетители повернули головы в ее сторону. — Сейчас же подойдите сюда!

Официантка в этот момент шла через зал с тяжелым кувшином лимонада в руках. Услышав зов, она подошла к Карине, та вдруг резко и неловко повернулась, толкнула ее под локоть, и женщина выпустила кувшин из рук. Три литра холодной жидкости с кусочками льда вылилось прямо на платье Карины. Та с расширившимися от ужаса глазами в первый миг даже не смогла ничего сказать, а потом завизжала на весь ресторан:

— Что... вы... Что вы делаете? Вы с ума сошли! Позовите вашего хозяина, — казалось, от гнева ее сейчас хватит удар.

Официантка сама перепугалась не на шутку, побледнела и попыталась полотенцем промокнуть платье, но от этого стало только хуже.

— Не смейте! — рявкнула Карина. — Не прикасайтесь ко мне!

— Простите, простите... — лепетала официантка.

За ними уже с интересом наблюдал весь ресторан.

Карина вскочила и заорала в зал:

— Вызовите хозяина! Я требую, чтобы ее уволили!

— Перестань, перестань сейчас же. — Крутилин схватил жену за руку, но к ним уже приближался хозяин заведения с растерянной улыбкой на лице.

— Прошю нас простит, мине очень жал, — начал он.

— Ваша официантка сначала принесла мне теплые напитки, потом черствый хлеб, хамила, а потом, в довершение всего, облила меня вот этим, — и Карина гневно указала на осколки кувшина и лужи на полу. — Она непрофессиональна и неадекватна. Я требую, чтобы ее уволили.

— Но ведь все было не так! — возразил пораженный Женя. — Девушка не хамила тебе и уронила кувшин случайно. Ты сама ее толкнула.

Хозяин в растерянности переводил взгляд то на Лохнесса, то на Карину. Было видно, что он с трудом понимает, о чем они говорят.

— Мариам халасо работать, многа работать, — забормотал он. — Женсина харашо гаворить русски тут мала...

— Это ваши проблемы. Я не понимаю, почему они должны меня интересовать, — зло отвечала Карина.

— Мы приносить искриний прощений, угощать ви десерт за счет фирма, — заверил хозяин.

— Не хочу я никакого десерта! Я хочу, чтобы ее уволили.

И тут Крутилин не выдержал. Мысленно прикинув в уме, во что мог обойтись им ужин, он на всякий случай удвоил сумму, отсчитал купюры, вручил хозяину и встал из-за стола.

— Я ухожу, а ты как хочешь, — бросил он жене и направился к выходу. Та, подумав с минуту, двинулась за ним.

— Не знал, что ты способна на подобную подлость, — процедил сквозь зубы Лохнесс, когда они вышли на улицу. — Зачем ты оговорила человека? Ведь ты же сама ее и запугала, а потом удивилась, что она своей тени боится и шарахается от всего.

— Пусть впредь ведет себя повежливее! К тому же ты не видел ее лица, та еще стерва. Наверняка такого про меня думала...

— И была права! — закричал он. — Тебя мама не учила, как себя надо вести с людьми?

— Отстань, — отмахнулась Карина.

— Знаешь, в чем разница между воспитанным состоятельным человеком и нуворишем? — продолжал Крутилин. — Именно в том, что когда у порядочного человека появляется власть или деньги, не важно, он не спешит их использовать на вред другим. Но для этого нужно быть сильным и мудрым, а у тебя, судя по всему, нет ни того, ни другого.

— Глупости. Если у тебя есть деньги, то ты вправе требовать к себе должного уважения! — ничуть не смущаясь, отвечала его жена. — Смотри, вон маршрутка остановилась. Узнай, доедем ли мы на ней до своего отеля?

Всю обратную дорогу супруги не разговаривали, спать легли молча и провели ночь, повернувшись спиной друг к другу. А утром, когда Лохнесс брился, Карина подошла к нему и сказала, что сожалеет о случившемся.

— Сама не знаю, что на меня нашло. Акклиматизация, что ли, так протекает... Пожалуй, я была вчера не права.

Обняла его, прижалась всем телом к голой спине:

— Ну прости меня, ну пожалуйста...

Крутилин простил, но на душе все равно скребли кошки. Тогда он впервые задумался: насколько хорошо он знает свою жену?

Правда, больше их отдых ничем не был омрачен, Карина вела себя как ангел. Когда вернулись домой, осадок от разлада постепенно выветрился, и Евгений с головой окунулся в прелести долгожданного семейного быта.

Например, его жена оказалась замечательной хозяйкой и хорошо готовила. Казалось, это ей самой доставляло несказанное удовольствие. Она могла часами выбирать продукты на рынке, пассеровать, жарить, парить и готовить сложносочиненные блюда, которые Лохнесс сметал за несколько минут, оставляя после себя только грязные тарелки. Такой аппетит Крутилина, впрочем, для Карины был своеобразным знаком качества и ее очень радовал.

Как ни странно, несмотря на восточное происхождение, она готовила преимущественно итальянские или французские блюда. Дом всегда у нее был в порядке, она фанатично следила за чистотой, и самый придирчивый гость не смог бы обнаружить ни пылинки даже в самом дальнем углу.

Но кое в чем первые месяцы супружеской жизни Евгения разочаровали — Карина была холодна с ним, она, что называется, позволяла себя любить, но сама никогда не выказывала инициативы, лишь покорно принимала его ласки. Лохнесса это огорчало, но в причины ее холодности он не вдавался, объясняя все для себя разницей темпераментов. Да, он не плавал постоянно в блаженной истоме, как большинство молодоженов, но и острого сексуального голода не испытывал. И, если не обращать внимания на мелочи, был счастлив.

Любимое дело по-прежнему очень занимало его. Но бизнес, как известно, вещь цикличная, взлеты в нем непременно сменяются падениями. Однажды возникли проблемы и у Крутилина. Ситуация сложилась, может, и не из разряда фатальных, но довольно неприятная. Срочно нужны были деньги. Женя задумал новый проект, который должен был принести большую прибыль, вложил в него все имевшиеся на тот момент свободные средства, но, когда он запустил его, оказалось, что начальная смета была неточной. Средств было недостаточно, требовалась еще приличная сумма, чтобы срочно покрыть возникшие издержки. Не ровен час — конкуренты узнают, что он задумал, и опередят его, тогда он вообще может разориться. Евгений хотел взять кредит, но из этой

затеи ничего не вышло — после дефолта 1998 года прошло совсем мало времени, банковская система страны еще не опомнилась от потрясения, и никто не хотел рисковать. В результате на Женю напала странная апатия, ему казалось, что все пропало. Нужно было бежать, что-то делать, а ему хотелось залезть под одеяло, обнять Карину и лежать так без движения.

Обычно Лохнесс не говорил дома о работе, подозревая, что жене это неинтересно. Сама она и не спрашивала его ни о чем, только регулярно брала деньги в стенном шкафу. Но в тот день он, сам не зная почему, решил поделиться с ней проблемами. Возможно, самому ему было уже невмоготу нести этот груз в одиночку. И когда вечером жена убирала со стола, он вдруг сказал ей:

— Что делать, Каринка? У меня, похоже, проблемы. Будешь меня любить, если разоримся?

Она резко повернулась, чуть не уронив на пол тарелку, села напротив него и, нахмурившись, спросила:

— А почему так случилось?

— Не знаю, Каринка. — Он закрыл лицо руками и быстро растер его. — Новый проект, который я запускал, оказался слишком затратным.

— И сколько тебе нужно?

— Много.

— Как много? Миллион?

— Ну, может, чуть меньше... Но беда в том, что нужно срочно. А взять негде. Везде, где только можно, я уже поскреб по сусекам.

Она медленно вытерла руки полотенцем и задумчиво проговорила:

— Если ты хочешь, я могу тебе помочь...

Евгений поднял удивленный взгляд.

— Гуссейн, мой брат, — продолжала жена, — теперь держит сеть автосервисов. Сейчас у него как раз дела пошли в гору, свободные деньги есть. Думаю, он мог бы одолжить тебе нужную сумму, за нормальный процент, разумеется. Ему ведь тоже надо во что-то вкладываться.

Лохнесс опешил. Он сам не знал, что его удивило больше: само неожиданное предложение, холодный расчет, сквозивший в словах жены, или ее столь подробная осведомленность в делах брата. Раньше он был уверен, что ее совсем не интересует бизнес, во всяком случае, любые его рассказы она всегда слушала вполуха.

До этого момента он мог бы поклясться, что его жена, несмотря на то что она прекрасный человек и заботливая хозяйка, жизнью в широком проявлении интересуется все-таки постольку-поскольку и более далекого от бизнеса человека просто не существует. Как, бывает, ошибаешься в близких людях... Про Гуссейна он знал и сам, они иногда встречались на семейных торжествах и вынуждены были общаться, но мысль одолжить деньги у него даже не приходила Евгению в голову, настолько она казалась абсурдной.

— Я подумаю, — сказал он через несколько секунд. — Ты же знаешь, у нас с твоими братьями сложные отношения...

— Мне показалось, что тебе сейчас не до личных симпатий и антипатий, — несколько резко ответила Карина.

— Ты права, — вздохнул он.

— В общем, делай как хочешь. Мое дело предложить, а решать тебе, в конце концов, — бросила она чуть сердито, уходя из кухни.

С Гуссейном они встретились на следующий же день в какой-то забегаловке у метро. Место выбрал сам Гуссейн, и, глядя на пластиковые стаканчики с плохо пахнущей жидкостью, которая здесь выдавалась за кофе, Лохнесс в очередной раз подумал: «Да, верно говорят, деревню из мужика ничем не вышибешь. Он уже вроде как бизнесмен, солидный человек, а его все тянет в какие-то шалманы. Видно, только здесь он чувствует себя уютно». Лохнесс знал, что до того, как стать владельцем собственного дела, Гуссейн несколько лет проработал на рынке простым продавцом. Этот общий факт биографии мог бы их сблизить — если б не так разительно отличалась манера ведения бизнеса.

В это время брат Карины тяжело вздыхал, мял в руках сигарету, говорил что-то про трудные времена, по-восточному расплывчато затронул проблемы Жени и наконец заявил, что мог бы купить долю в его компании.

— Но я не продаю фирму! — возмутился ошарашенный Лохнесс.

Это еще что такое? Карина ошиблась и не так передала? Да нет, не может быть...

— Мне нужно финансирование под новый проект, — продолжил он, взяв себя в руки. — Могу гарантировать хороший процент.

Гуссейн лукаво прищурился и произнес:

— Ну, кто сейчас дает в долг? Это неинтересно. А вот включиться в новый бизнес — другое дело. На такое

всегда средства найдутся. Меня привлекают новые горизонты. Глупо класть все яйца в одну корзину, знаешь, как говорят, да?

«Карина ему рассказала, в каком я положении? И что могу все потерять и мне выбирать не приходится? Да нет, вряд ли, наверное, сам пронюхал, хитрый лис, скотина... Или она, простая душа, чтобы мне же помочь, выложила все как на духу? — лихорадочно стучало у Лохнесса в голове. — Ишь ты, новые горизонты его привлекают!.. Где слов-то таких набрался?»

Он даже сжал под столом кулаки от бессильной злости. Крутилин понимал, что потерять часть — это гораздо лучше, чем потерять все. Ведь теперь от него зависит не только он сам, но и жена. К тому же рано или поздно для развития компании все равно пришлось бы искать заемные деньги, так, может, лучше взять их у Гуссейна? Ну и что с того, что он будет совладельцем? Так он уговаривал себя, но на сердце лежала тяжесть. Гуссейн был последним человеком, кого Лохнесс хотел бы видеть своим компаньоном. Хотя и говорят, что лучше какой-никакой, но родственник, чем чужой человек... А Гуссейн теперь считается членом его семьи и вряд ли будет вредить мужу единственной и любимой сестры, ведь ее благосостояние, а значит, и счастье, зависит в первую очередь от него, Крутилина. Все это было верно, но никакого доверия к Гуссейну Евгений не чувствовал.

— Э, Женя, ты не переживай так, — заметив мрачное выражение лица Лохнесса, проговорил Гуссейн. — Я ж у тебя фирму не отбираю. Процентов тридцать продай, на том и сойдемся. Это во-первых. Во-вторых, мое дело

предложить, твое отказаться. Поищи, может, тебе еще кто кредит даст, хотя на таких условиях вряд ли сейчас где найдешь, разве у бандитов только... Я в бизнес вмешиваться не буду, не понимаю ничего в компьютерной технике. Это в-третьих. А в-четвертых, мы ведь с тобой не враги, хоть и мало общаемся. Это, я надеюсь, теперь в прошлом останется. Ты муж моей сестры, а я семейные традиции уважаю. — Он все-таки не сдержался и ухмыльнулся Жене в лицо.

— Я подумаю, — ответил Крутилин и, не прощаясь, вышел на улицу.

Дома он передал Карине разговор с ее братом, но она только пожала плечами.

— Я только попросила его помочь и дать в долг, — сказала она. — Тебе выбирать, но мне кажется, пришло время оставить свои амбиции в прошлом. Мне обидно, что ты не доверяешь моему брату.

— Да при чем здесь амбиции! — вскричал Лохнесс, наверное, впервые со времен поездки в Египет повысив на жену голос. — Ты можешь с ним поговорить? Попросить, чтобы он дал мне кредит?

— Я же не могу заставить его дать денег, если он не хочет, даже если он и мой брат, — медленно сказала Карина, как будто раздумывая. — Его деньги — ему и условия выбирать. Но мне кажется — тебе нужно согласиться.

«Я в западне», — понял Женя.

Всю ночь он не спал, мучился раздумьями, а утром позвонил Гуссейну и согласился на сделку.

Уже через пару дней Евгений Крутилин с тяжелым сердцем подписал документы, согласно которым тридцать процентов акций его компании переходило в собственность Гуссейна Мамедова.

* * *

Деньги Гуссейна оказались кстати. Проект пошел и вскоре стал приносить прибыль. Дела снова пошли на лад, Женя уже задумался об очередном отпуске, когда пришло электронное письмо от Игоря Гинзбурга, старого студенческого друга, который когда-то звал его в Штаты подзаработать денег.

«Как ты там? — писал Игорь. — Я — так просто отлично. Женился на самой очаровательной женщине в мире, переехал на Семьдесят пятую авеню и приглашаю тебя в гости. А если вам с супругой лень лететь через океан, можем встретиться и на полдороге, где-нибудь в старушке-Европе».

Прочитав послание, Крутилин подозвал жену:

— Каринка! Я получил письмо от Игоря. Помнишь, я тебе про него рассказывал? Это мой бывший однокурсник, сейчас крайне успешный человек, живет в США. Представляешь, женился, и, видимо, на женщине далеко не бедной, раз они поселились на Семьдесят пятой авеню. А теперь самое главное — он предлагает встретиться! Можно отправиться к ним в гости, а можно пересечься где-нибудь в Европе. А? Как ты на это смотришь?

— С восторгом! — оживилась Карина, радостно обнимая мужа. — Даже не знаю, куда я хочу больше, в

Америку или в Европу... Пожалуй, все-таки в Европу. Что ты думаешь насчет Швейцарии?

В феврале две семьи — Крутилиных и Гинзбургов — встретились в Санкт-Морице, изысканном швейцарском курорте, тогда еще не ставшем настолько популярным у обеспеченных русских туристов.

Жена Игоря оказалась востроглазой американкой, ей было лет сорок, но этот возраст угадывался с трудом. Лора, так ее звали, энергично пожала руки обоим Крутилиным и высказала пожелание, что отдых будет удачным. Она неплохо говорила по-русски. Худощавая, размера сорок четвертого, не больше, с весьма изящной стрижкой на черных волосах, Лора выглядела эффектно и привлекательно. Лицо ее не было красивым, скорее даже наоборот, но цепляло, было в нем что-то такое запоминающееся. Сам Игорь был ровесником Евгения, но выглядел моложе его, постоянно смеялся и что-то быстро говорил. Женя обнялся с ним, и тот тут же увел его куда-то в ресторан выпить за встречу. Карина кивнула новой знакомой и поднялась в номер распаковать вещи. Она слышала про множество местных бутиков, расположенных недалеко от отеля, и уже мечтала о новых покупках. Закончив разбираться с вещами, Карина спустилась вниз, в холл отеля, и рассеянно огляделась, потом заметила небольшой бар и направилась туда.

— Сто грамм сухого мартини и чашку кофе, пожалуйста, — попросила она бармена по-английски, достала сигареты, закурила.

— Привет! — неожиданно раздался над ее плечом мягкий, чуть хрипловатый голос.

Она повернула голову и увидела Лору, жену Игоря.

«Надо познакомиться поближе, как-никак нам тут две недели вместе отдыхать», — подумала Карина. Лора тем временем с азартом изучала содержимое бара.

Когда она наконец сделала свой выбор, Карина вежливо улыбнулась и спросила:

— Часто здесь с мужем бываете?

— Обычно мы отдыхаем в Америке, — охотно откликнулась Лора, она рада была завязать разговор. — В Европу ездим мало, я, если честно, побаиваюсь самолетов, как ни стыдно в этом признаться.

— Да нет тут ничего стыдного. Мне тоже не по себе бывает, когда самолет в воздушную яму попадает, — просто отвечала Карина. — А где вы научились так хорошо говорить по-русски?

— Давай на «ты», ладно? — предложила собеседница.

Карина кивнула.

— У меня бабушка из России была, выучила меня вашему языку. Ну, и с Игорем разговариваем, конечно. А тебе не скучно? Такая женщина и сидишь тут одна? В Санкт-Морице полно развлечений. И полно русских, которые приехали тратить деньги.

— Такая — это какая? Разве я какая-то особенная женщина? — рассмеялась Карина.

— Ты из тех роскошных женщин, которые так нравятся мужчинам, что сводят их с ума. Впрочем, женятся на подобных женщинах редко, так что тебе повезло, — Лора чуть насмешливо рассматривала Карину. — Обычно если лет до тридцати пяти такая женщина не устроит

свою жизнь, то так и остается одна. Или выходит замуж, как это у вас говорят, за первого встречного.

— А ты?

— Я — женщина с деньгами, таким всегда проще найти пару. У меня было много партнеров, но все оказывалось как-то не то... А два года назад встретила Игоря и решила, что он мне подходит, — разоткровенничалась Лора. — Мы поженились, купили хорошую квартиру, но почти не живем там, больше путешествуем.

Карина знала от мужа, что до того, как получить огромное наследство, Лора преподавала математику в университете. Когда случилось то, чего она ожидала всю жизнь, свою работу она, на удивление многим, не бросила, ей просто нравилась работа. Лора не стала входить в семейный бизнес или, наоборот, удариться в разгульную жизнь. В университете, где она преподавала, она познакомилась со своим будущим мужем, который и возглавил унаследованную ею фирму. А в жизни ничего принципиально не изменилось.

Разглядывая собеседницу, Карина никак не могла решить для себя, что за впечатление та производит. Было в Лоре что-то очень притягательное, но одновременно и отталкивающее. Ей нравилось общаться с американкой, но в то же время она одновременно побаивалась ее, сама не зная почему.

— Пойдем в бассейн? — неожиданно пригласила Лора.

Карина, немного подумав, кивнула головой.

Они вошли в раздевалку и начали переодеваться. Карина мельком бросила взгляд на Лору. Да, сорок лет — это сорок лет. Кожа уже не та, хотя и видно, что эта холе-

ная богатая женщина постоянно ухаживает за собой, наверняка тратит десятки тысяч долларов на пластических хирургов, косметологов и визажистов по примеру их звезд, сейчас только ленивый этого не делает, но время берет свое.

Тело у Лоры было не то чтобы дряблое, но какое-то негладкое, хотя признаков целлюлита не наблюдалось. Ровный искусственный загар еще больше подчеркивал возраст. Карина вдруг представила, как ласкает эту женщину молодой муж. Интересно, что он испытывает, какие мысли проносятся у него в голове?

Карина вдруг поймала себя на том, что слишком долго смотрит на Лору и та сейчас вот-вот это увидит. Она спешно опустила взгляд и стала торопливо снимать одежду, не зная, что Лора давно уже заметила, как на нее смотрят, и сама успела как следует ощупать глазами свою спутницу.

Карина сняла с себя белье и начала застегивать маленький купальник — несколько узеньких полосок ткани. Руки отчего-то задрожали, она не сразу справилась с застежкой. Никогда раньше она не чувствовала себя такой раздетой, наоборот, обычно с удовольствием демонстрировала свое тело и гордилась им. Но тут ей стало неловко, жар поднялся к ушам, она схватила полотенце и прикрылась им.

— С тобой все в порядке? — спросила Лора, улыбаясь.

— Да, конечно, только знобит немного. Идем купаться.

И они направились в бассейн. По дороге Карина раздумывала над тем, почему она вдруг так взволновалась.

Давным-давно, еще в ранней юности, она научилась сдерживать свои эмоции и так привыкла к этому, что почти не испытывала их, чувствуя, что так жить и проще, и удобнее. А тут ее точно била изнутри невидимая мелкая дрожь, и молодая женщина никак не могла понять ее причины.

Они присели на бортик, Лора легко прыгнула в воду и поплыла с неожиданной грацией. Карина смотрела ей в спину, потом спустилась по лесенке и медленно вошла в бассейн. Лора смеялась, фыркала и быстро плавала от бортика до бортика. Чувствовалось, что она в отличной физической форме и такие заплывы для нее привычны. «Вот бы мне так», — с завистью подумала Карина, наблюдая, как гибкое тело Лоры то исчезает, то появляется на поверхности воды. Сама она утомилась уже через пять минут плавания и вынуждена была схватиться руками за край бассейна и отдышаться. Тут она заметила в другом конце зала небольшую горку и поплыла к ней. Карина поднялась по лесенке наверх, помедлила, потому что боялась острых ощущений, а сверху спуск не казался таким уж безобидным. Наконец вздохнула, зажала нос и соскользнула вниз. Водоворот закружил ее, она почти опустилась на дно, потом поднялась, как вдруг почувствовала прикосновение, чья-то рука схватила ее за лодыжку, потом за спину, обняла. Она попыталась разомкнуть объятия, оттолкнуть руку, но ей не удавалось это сделать. Наконец она смогла подняться над водой, вздохнуть и оглянуться. Недалеко от нее плескалась заливисто смеявшаяся Лора. Она подняла большой палец вверх, брызнула в сторону Карины водой и поплыла

прочь, довольная собой, оставив растерянную Карину в полном недоумении. Та еще немного поплескалась у бортика и отправилась в раздевалку.

— Ну, что, девочки, как поплавали?

Игорь после нескольких рюмок текилы еще не опьянел, но уже раскраснелся и казался оживленнее обычного. Женя откинулся на спинку дивана и внимательно смотрел то на жену, то на Лору. Карина попыталась нейтрально улыбнуться, хотя то, что случилось сегодня в бассейне, не давало ей покоя. Хотя что там, в сущности, произошло? Просто эта американка, раскованная и совсем иначе воспитанная, с чудáчествами, решила пошутить... Но от этой шутки было как-то не по себе. От прикосновений Лоры к ее телу кожу до сих пор жгло как огнем.

Официант принес салаты, пасту и стейки, и компания дружно принялась за еду. Лора сидела как ни в чем не бывало, потягивала белое вино, уплетала пасту. Карина взглянула на нее украдкой и тут же отвела взгляд — та смотрела ей прямо в глаза и как-то испытующе.

— А мы сегодня по красному склону спустились, — радостно сообщил Игорь. — Девчонки, это что-то! Обязательно попробуйте!

— А как насчет черного, дорогой? — лукаво поглядела Лора.

— Не, черный — это уж слишком...

— Ну что, может, в казино? — весело предложил Женя, промокнув губы салфеткой. — А то жены у нас какие-то грустные...

— Я пас, я бы полежала после обеда, — откликнулась Карина. Ей хотелось остаться одной.

Лора пожала плечами и сказала, что пойдет в таком случае по магазинам, так как казино никакого удовольствия ей не приносит, и попросила, чтобы муженек не промотал все их состояние. Игорь недовольно поморщился, но хохотнул, делая вид, что все ОК. Все вышли из-за стола и разбрелись в разные стороны.

В номере Карина некоторое время слонялась без дела, не зная, чем заняться, потом открыла дорожную сумку, достала купленный в аэропорту роман, который ей рекомендовали как «модный» и «нашумевший», и улеглась на просторную кровать.

«Удачно я вспомнила про книгу», — подумала она.

Роман назывался «Я тебя люблю, и я тебя тоже нет» незнакомого ей автора Сони Адлер. Она окунулась в чтение и через некоторое время обнаружила, что с таким интересом следит за перипетиями запутанных лесбийских отношений, что не заметила, как пролетело два часа.

В номер постучали. Карина вздрогнула. Женька вернулся? Вряд ли... Она медленно поднялась, открыла дверь и не удивилась, увидев на пороге Лору.

Та была одета в полупрозрачную майку, похожую на пижаму, и немного пошатывалась, как будто была выпивши. Карина посторонилась, и Лора ввалилась в номер, не дожидаясь устного приглашения и ни слова не говоря.

«А еще преподаватель», — недовольно подумала Карина.

— Что делаешь? — спросила Лора как-то сдавленно.

— Да вот книгу читаю, — суховато ответила Карина через пару секунд и выжидающе посмотрела на гостью.

— Понятно. Можно присесть? — запоздало поинтересовалась Лора.

— Садись, конечно.

Лора с готовностью устроилась в большом кресле и закинула ногу на ногу.

— Я только что из магазинов. Тут все ужас как дорого! Рассчитано на ваших соотечественников... Заглядывала сейчас в казино, наши мужья совсем пропали. Еще часа три их не дождешься, — сказала она с нажимом.

— Может, и к лучшему. Я как раз спать хочу. — Карина не знала, как себя вести. В обществе Лоры ей было не по себе, и она никак не могла понять свое странное состояние. И сейчас ей больше всего хотелось не разбираться в собственных переживаниях, а вернуться к увлекательному чтению. Нужно было как-то спровадить назойливую американку, но Лора сидела и уходить не собиралась.

— Пожалуй, и правда лягу спать! — сказала Карина, голос отчего-то дрогнул. — Спокойной ночи, Лора.

— Спокойной ночи... — протянула та. Поднялась, приобняла Карину, чмокнула в щеку и, опуская руки, случайно дотронулась до ее груди. От этого легкого прикосновения молодая женщина вздрогнула, точно ее ударило током. — Приятных тебе снов! — пожелала Лора и исчезла за дверью.

Карина опять принялась за книгу, но сосредоточиться уже не удавалось. Она постоянно отвлекалась на свои собственные мысли, которые носились вокруг Лоры и ее странного поведения. Может, Лора тоже такая, как ге-

роини романа? В смысле — интересуется женщинами? Но у нее же есть муж, к тому же она богата, значит, выходила замуж по любви. Но как она смотрит на Карину... Так смотрели на нее только мужчины...

Весь следующий день Карина с Женей провели на лыжных склонах, катаясь до одурения. Гинзбургов нигде не было видно, и волнующее впечатление прошедшего дня немного подзабылось. В конце концов Карина устала от бесконечных подъемов и спусков, упала, вся изваляласъ в снегу и ушибла ногу.

— Все, отдых! — объявил, хлопнув в ладоши, раскрасневшийся Лохнесс. Он подал руку жене и повел ее в ближайшее кафе, расположенное прямо на вершине склона.

— Как тебе Игорь? — поинтересовался он, отхлебывая кофе. — Классный парень, правда?

— Правда, — согласилась она.

— А как тебе его жена, Лора? Вы вроде нормально общаетесь?

— Тоже ничего... Но она странная какая-то.

— Все они, американцы, со странностями... Да, я ж забыл тебе рассказать! Знаешь, кого я тут встретил? Стаса Кириллова!

— Стаса?..

— Ну Стаса Кириллова, мужа Тины! У них своя строительно-проектная компания, «СТК-проджект». Как же ты не помнишь, я вас знакомил! Он такой здоровый, видный мужик, а она миниатюрная брюнетка...

— Да, я вспомнила.

— Ну, слава богу! Так вот, у них сегодня какой-то праздник, годовщина свадьбы, что ли... Стас арендовал на весь вечер местный ресторанчик, собирается закатить банкет. Может, сходим? Знаю, ты не слишком любишь тусовки, но мне это будет очень полезно для бизнеса. В такой атмосфере лучше всего налаживаются нужные знакомства...

В ресторане было душно и шумно. Между столами ходили какие-то люди в расстегнутых пиджаках и девушки в вечерних платьях, разговаривали, жестикулировали, смеялись, пили шампанское.

— Гляди, вон Виктор Волошин, владелец «АРКа», крупного агентства недвижимости, — показал жене Лохнесс. — Идем, я вас познакомлю.

— Не сейчас, — попросила Карина. — Мне нужно в туалет.

— А, ну тогда присоединяйся к нам потом, — машинально проговорил Женя и исчез в толпе.

Когда Карина мыла руки, к ней подошла официантка и вежливо пригласила пойти с ней, указав на неприметную дверь, занавешенную серебристой шторкой.

— Это чил-аут, вас просили туда провести.

— Кто просил? — попыталась узнать Карина.

Но девушка то ли не расслышала, ли не поняла ее английского и только сделала пригласительный жест.

Карина пожала плечами и отворила дверь. Она оказалась в темной комнате, на полу лежали ковры, половину пола занимал невысокий подиум, покрытый мягким ковром и подушками.

— Не нравятся тусовки? Мне тоже, — раздался рядом знакомый шепот. Щеку обожгло горячее дыхание с запахом виски и табака.

— Лора? — Карина вся задрожала.

— Угу, — казалось, та была здорово пьяна. Карина попыталась нащупать дверь, но неожиданно руки Лоры обвили ее шею, а потом потянулись вниз, к коленям.

Девушка инстинктивно оттолкнула Лору и попыталась выйти, но это оказалось не так-то просто. Американка быстро сориентировалась и, проворно вскочив, схватила Карину за плечи и отбросила на подушки. Та упала и попыталась встать, но Лора мешала ей, она быстро говорила что-то непонятное и беспрестанно хватала за руки. Они боролись в полутьме. Американка оказалась на удивление сильной, она прижала свою жертву к полу, а ее верткая рука уже спешила обследовать грудь и бедра Карины и скользнуть в самые сокровенные места.

— Не уйдешь, — шептала она.

— Я буду кричать, ты что, с ума сошла? — как заведенная повторяла Карина почему-то шепотом, но все не могла никак избавиться от объятий Лоры.

— Я всем сказала, чтобы сюда никто не заходил и нас не беспокоили. А муж твой сейчас напьется и заснет где-нибудь в соседнем зале.

«Пьяная баба совсем ополоумела», — пронеслось в голове у Карины.

Тут ее глаза наконец привыкли к темноте, и она разглядела в одной из стен нишу, в которой стояла массивная ваза. Она на мгновение перестала сопротивляться, и Лора, озадаченная отсутствием борьбы, тоже застыла.

Карина извернулась, дернулась и, схватив вазу, кинула ее в сторону Лоры. Послышался звон разбитых осколков, затем настала тишина. Карина сидела, не смея пошевелиться, пытаясь заглушить в душе гадливое чувство.

Она наконец нашла в себе силы встать и нащупать выключатель. Вспыхнул приглушенный свет. Растрепанная Лора сидела на полу и плакала, размазывая по лицу кровь и тушь.

— Ты что, изнасиловать меня хотела? — с ужасом спросила Карина.

— Дура ты. Дура, ты мне нравишься, понимаешь? Нравишься. — Теперь Лора ревела уже в голос, и Карина испугалась, что кто-нибудь услышит. Она немного помолчала, пытаясь осознать происходящее, потом спросила:

— Сильно я тебя?

— Переживу, — Лора вытерла слезы и попыталась подняться.

— По-моему, кто-то перепил, — заметила Карина, все еще стараясь держаться на безопасном расстоянии.

— Ты прости меня, — сдавленно проговорила Лора. — Просто давно со мной такого не было. Влюбилась, как девчонка, вот и голову потеряла. У меня такое бывает... Тебя напугала... Мне показалось, что ты наша. И что я тебе нравлюсь. Ты так смотрела...

— Я не лесбиянка! — решительно возразила Карина. — И ничего не испытывала к тебе, — добавила она не слишком уверенно.

— Правда? Мне показалось иначе. Обычно мы сразу находим друг друга, вычленяем из толпы по... Не знаю,

как тебе это объяснить. Взгляд, что ли, другой... И у тебя есть что-то такое в глазах. Мне кажется, я могла бы тебя раскрыть.

— Не говори ерунды, — слишком поспешно возразила Карина. — Ничего подобного!

— Ты точно не хочешь попробовать? Потом на всю жизнь не забудешь. Знаешь, какие острые переживания от этого у женщин? Только они сами могут доставить такое удовольствие друг другу. Только они знают все тайные кнопочки... — И Лора снова потянулась к Карине.

Та заколебалась, но все-таки оттолкнула ее руку:

— Не надо. Не начинай опять.

— Как знаешь. — Лора наконец приняла вертикальное положение и пошла к двери.

— Послушай, — остановила ее Карина, — а мне интересно... Ты же замужем?.. У тебя есть Игорь, я думала, что ты его любишь или он тебе хотя бы нравится. Ты ведь сама выбрала его. Я не понимаю...

— Что? Ты думала, Игорь — муженек богатой скучающей дамочки, обслуживающий ее сексуальные прихоти? Извини, но в таком случае я все равно взяла бы помоложе и покрасивее, будем говорить прямо. — Лора вернулась и села на пол рядом с Кариной. — Ты слышала, что мне досталась в наследство, можно сказать, целая империя. И я тогда задумалась, что мне делать дальше. Я не хотела уходить из университета, мне нравится преподавать. Но глупо было бы спустить наследство, а оставить его без внимания, по сути, означало бы именно это. Нанимать кого-то со стороны, как это часто делают, сомнительно, ненадежно. К тому же если взять на работу управляющего, то тогда придется погружаться в тонкости бизнеса, чтобы он тебя не обманывал. Ведь не зря говорят, что грамотный руководитель не может уехать даже на месяц отдыхать, нанятые менеджеры что-нибудь сделают не так. А если менеджер — человек из твоей семьи — это другое дело.

Я просто поняла, что мне нужен менеджер, хороший, талантливый менеджер. А близких родственников, которым я бы доверяла, у меня не было. И тут я встретила Игоря. К тому же... Видишь ли, выяснилось, что как программист Игорь был, конечно, хорош, но не блестящ. А как менеджер оказался по-настоящему талантлив. Кстати, скажи своему мужу, что к советам Игоря стоит прислушаться. Это и правда золотая жила... Кстати, если тебе интересно, у нас бывает секс, мы нормальная семья в этом смысле. Просто это такой почти дружеский секс...

— А зачем тебе это?

— Я так решила. В нашем союзе, по сути, мужчина я, я принимаю все важные решения.

— Но для чего?

— Чтоб была традиционная семья, где я могла бы растить ребенка... Да-да, я очень хочу ребенка. Но, к сожалению, своих детей я иметь не могу, буду усыновлять...

— Но у вас же свободная страна, разве нет? И можно иметь детей независимо от ориентации.

— Да, но даже у нас есть некоторые трудности для лесбиянок. Да и сама лесбийская семья — не лучшее место для воспитания детей. Знаешь, сколько это нервов, безумных страстей, скандалов, ссор... Я каждый раз в таких отношениях балансирую по краю бездны и понимаю,

что в повседневной жизни моя психика этого не выдержит.

— А Игорь знает?

— Догадывается, — усмехнулась Лора, — но он мудрый мужик. Я тоже подозреваю, что знаю парочку его подружек, но он, так же как и я, не придает им значения и осознает ценность семьи. И кроме того, мы с Игорем удивительно близки, мы настоящие друзья. Нам нравятся одни книги, фильмы, у нас примерно одинаковые взгляды на жизнь, а в браке это гораздо важнее многих других вещей. Я действительно думаю, что мне удалось построить лучшие отношения за всю свою жизнь, и я надеюсь их сохранить.

— Понятно, — кивнула Карина. — Чего только не бывает в этой жизни... Ладно, пошли отсюда. Думаю, Женя уже голову сломал, куда я девалась. Да и тебе неплохо было бы пойти в туалет и привести себя в порядок.

Остаток отпуска две семьи провели без приключений, Лора больше не пыталась приставать к Карине, только изредка бросала на нее многозначительные взгляды. Крутилин и Гинзбург от души накатались на лыжах, остались друг другом очень довольны и разъехались, обменявшись объятиями, поцелуями и заверениями дружить семьями до гроба. Договорились пересечься где-нибудь через годик тем же составом.

Но через год у Лохнесса была уже другая жена.

■ ЧАСТЬ ТРЕТЬЯ

В ту пятницу Женя не торопился домой, поскольку там не было Карины. Она отправилась к родственникам на какое-то семейное торжество, а Крутилин с ней не поехал: не любил он встречаться с Мамедовыми. Вместо этого Лохнесс решил провести вечер в фитнес-клубе.

«Можно позаниматься до упора, а потом без сил свалиться и спать часов двенадцать», — мечтал он.

Женя и его персональный тренер, мускулистый красавец Артем Малышев, начали занятие с силовой нагрузки. Потом последовала игра в теннис, после чего Евгений поплавал в бассейне и завершил программу в баре, выпив стакан яблочного фреша и с удовольствием поболтав с Артемом.

Собираясь домой, он заметил у стойки администратора новое лицо — пышноволосую блондинку с точеным носиком и очень белой кожей. «Марина» — значилось на бейджике, приколотом так, чтобы наиболее выгодно подчеркнуть грудь, высокую и очень красивую. Марина была немного полновата, но это лишь придавало ей дополнительное очарование — вся она казалась такой мягкой, такой уютной, точно обожаемая хозяевами породистая кошечка.

— Добрый день, Мариночка! — приветливо улыбнулся Крутилин. — Вы, я смотрю, новенькая? Что-то я никогда вас тут раньше не видел.

— Да, я новенькая, — девушка охотно подхватила эстафету кокетства. — Буду теперь вместо Насти. Она замуж выходит, слышали? За одного из здешних клиентов.

— Что вы говорите? Нет, я не знал. И за кого же?

Случись этот ничего не значащий разговор еще полгода назад, он тут же выветрился бы у Жени из головы. Но к тому моменту его брак с Кариной уже стал давать трещину. Нет, они не ссорились, не выясняли отношений, не предъявляли никаких претензий друг к другу. Просто Лохнесс чувствовал, что они отдаляются все больше и больше. Да и вообще, были ли они когда-нибудь близки? Изначально было ясно, что они не подходят друг другу, слишком разные по темпераменту... Да и вообще разные. Последнее время в семейной жизни он ощущал себя так, словно пытался вальсировать в одиночку. Он танцует, а партнерша только стоит рядом, не шелохнувшись, и с места не двигается.

Крутилин стал чаще приезжать в фитнес-клуб и почти каждый раз видел там Марину. Она все больше нравилась ему — такая юная, такая ладная, такая милая. И эти чудные льняные волосы... Марина мягка и приветлива, но за этой мягкостью невооруженным глазом можно разглядеть страстную натуру.

«Вот на ком надо было жениться, а не на Каринке», — думал он иногда.

А потом у Карины заболела тетя, сестра матери, жившая в Ростове. Мамедовы всем кланом подорвались туда, а Лохнесс остался на неделю «соломенным вдовцом» и сам удивился, насколько обрадовало его подобное стечение обстоятельств.

В первый же вечер он поехал в фитнес-клуб, а когда собрался уезжать, едва дойдя до своей машины, вернулся, подошел к Марине и проговорил со смущенной улыбкой:

— Представляете, забыл пакет из супермаркета! Борсетку из ячейки взял, а пакет забыл. А там продукты на вечер, я по дороге отоварился. Жена уехала на неделю, придется теперь самому хозяйство вести, холостяцкие ужины готовить...

Марина с готовностью ответила:

— Хорошо, что вспомнили вовремя. Конечно, сейчас сходим посмотрим, где ваш пакет. Какой был номер ячейки?

— Забыл, — Крутилин неловко развел руками.

Разумеется, он лукавил. И еды Карина оставила полный холодильник, и номер ячейки он отлично помнил, тем более что спрятал там пакет специально. Но Марина не поняла его хитрости — или сделала вид, что не понимает.

Она грациозно повернулась и сняла со стены, утыканной крючками, несколько ключей.

— Ну, пойдемте поищем.

В клубе почти никого не осталось, и запертых кабинок было мало. Марина принялась осматривать пустые ячейки, то приседая, то поднимаясь на цыпочки, чтобы заглянуть на верх шкафчика. Шикарные густые волосы струились по ее спине. Каждая ее поза, каждое движение под-

черкивали достоинства фигуры, этого удивительного сочетания пышных груди и бедер и на редкость тонкой талии. Лохнесс поневоле залюбовался ею. Марина вся казалась округлой мягкой плюшевой игрушкой.

— Вот, нашла, — девушка указала на одну из ячеек. — Посмотрите, это ваш пакет?

Он подошел поближе, думая, что Марина отступит на шаг, чтоб подпустить его к узкой двери ячейки, но этого не случилось, и они внезапно оказались очень близко друг к другу. Все как-то произошло само собой, Крутилин даже не ожидал от себя такого, он искренне считал себя верным мужем.

Однако Карина так измучила его своей холодностью и равнодушием, что он, как само собой разумеющееся, обратил внимание на молодую, смешливую, веселую Марину, которая казалась ему свежим весенним цветком, олицетворением женственности и чувственности.

Первый раз был каким-то дико возбуждающим, на Женю навалился ворох новых ощущений, вся его кожа как будто горела. Марина оказалась очень нежной и очень искусной в любви. Вечером Лохнесс возвращался домой, даже не испытывая особого чувства вины. Он вдруг понял, что отношения с женой давно уже его не удовлетворяют, он не чувствовал гармонии, но осознал это только сейчас. Да, он привязался к Карине, но природа брала свое: ему хотелось любви, ласки, теплоты и страсти. Потому в его жизни и появилась полная противоположность Карины — зеленоглазая Марина, с ее мелодичным голосом и нежными прикосновениями, сводившими его с ума. От нее веяло слабостью и мягкостью, тем, чего так недоставало Карине.

Всю неделю, пока жена гостила в Ростове, Лохнесс ждал предстоящей встречи с Кариной в некотором волнении, не зная, как себя вести и что делать, чтобы не выдать себя.

Карина вернулась днем, он приехал позже, после работы, и поразился тому, что ничего не изменилось. И квартира, и Карина выглядели так, будто никто никуда не уезжал. Ни чемодана в углу, ни милого пустячка из поездки, ни рассказов о том, как съездили, ни объятий и слов «соскучилась». Просто жена, как обычно, услышала, что он открыл дверь, вышла навстречу, взяла из его рук куртку и аккуратно повесила на вешалку.

— Есть будешь?

Он отрицательно мотнул головой.

— Устал сильно?

— Да, Карин. И еще я думаю, нам надо поговорить.

Она пожала плечами и ушла в комнату. Крутилин прошел на кухню, налил себе рюмку водки и выпил залпом. Карина сидела на диване в большой гостиной и невидящим взглядом смотрела в телевизор. На ковре спала ее любимая голая кошка.

— Знаешь, у меня иногда бывает такое чувство, как будто мы женаты уже лет двадцать, — задумчиво проговорил Лохнесс, присев на диван с другой стороны.

— Что ты хочешь сказать? — пожала плечами Карина, — Тебе чего-то не хватает? Что-то не устраивает во мне?

— Да, — просто сказал он.

— И чего же? — в голосе Карины мелькнули нотки заинтересованности.

— Может, любви?

— То есть ты... — начала было Карина, но тут же перебила себя: — Впрочем, что я как дура...

Она потянулась к сигаретам, унизанные перстнями длинные пальцы с безупречным маникюром вытянули тонкую сигарету.

— У тебя кто-то есть? — скорее утвердительно, нежели вопросительно произнесла она.

— Нет, что ты, конечно, нет! — Он поднялся, вздохнув, чмокнул ее в лоб и ушел на кухню.

На тот момент он еще не думал, что отношения с Мариной смогут разрушить его такой, казалось бы, прочный брак.

* * *

После возвращения Карины он дней десять не появлялся в клубе. Марина, конечно, могла найти его телефон по базе данных клиентов, чего он отчасти опасался, но она не стала так делать. Вместо этого она подошла к директору клуба и попросилась в отпуск. Директор только удивленно посмотрел на нее. С одной стороны, новая сотрудница проработала еще слишком недолго, чтобы иметь право на отпуск, с другой — работала она хорошо, уже успела зарекомендовать себя с лучшей стороны, клиенты были ею довольны. Отпускать ценного сотрудника, пусть даже на время, директору не хотелось.

— Что-то случилось? — поинтересовался он.

— Мама заболела, — прозвучало в ответ.

— Могу дать только две недели. И за свой счет.

— Хорошо, меня это устроит, — промурлыкала Марина.

Ни к какой маме она, конечно, не поехала. Да и нужды не было — та, слава богу, была совершенно здорова. Однако Марина поняла, что судьба дает ей шанс и, если сейчас не ухватить за хвост синюю птицу удачи, другого случая может и не представиться. «Или пан, или пропал», — решила она.

Марина была провинциалкой даже больше, чем Карина. Ту отец, торговавший мандаринами на Тишинском рынке, привез в Москву в пятнадцатилетнем возрасте, устроил в английскую спецшколу, а потом в престижный вуз. Марине приходилось всего добиваться самой. В ее родном Томске среднегодовая температура была около ноля градусов, а из развлечений от советской эпохи оставалась только пара обветшалых кинотеатров. А Марине хотелось великосветской жизни и пляжей с пальмами. Чего ее родители, врачи районной больницы, обеспечить никак не могли.

По счастью, Маринка с детства была раскованна, обаятельна и очень легко сходилась с людьми. В школе она занималась художественной гимнастикой, ездила на сборы и подружилась там с несколькими девочками из Москвы, с которыми потом старательно переписывалась. Позже это знакомство пригодилось. Закончив по настоянию родителей медучилище, Марина тут же рванулась в столицу, где одна из подружек по переписке пристроила ее администратором в фитнес-клуб. Больших денег она там, разумеется, не получала, зарплаты еле-еле хватало

на то, чтобы снимать дешевую квартирку и быть во что-то одетой. Но Марина была рада и этому. Пока у нее в активе было самое главное — молодость и красота. А на такой товар всегда найдутся покупатели, главное только реализовать его с умом. И не продешевить.

Более подходящий вариант, чем Евгений Крутилин, трудно было себе представить. Молодой, симпатичный, богатый, да к тому же, похоже, и человек хороший — что еще надо?

И Марина решила бороться за него до победы.

Первым делом она отправилась в салон красоты и привела себя в порядок. Потом купила на остатки сбережений пару шикарных шмоток. После чего засела у себя дома и стала ждать.

* * *

Придя в клуб, Женя был очень разочарован, когда не увидел Марину за стойкой. Не то чтобы он хотел встречи с ней, наоборот, даже побаивался этого, но девушки не оказалось на месте, страх тут же сменился досадой.

— Светик, а где Марина? — небрежно спросил он у другой администраторши после занятия.

— Да отпуск взяла ни с того ни с сего. Дела, наверное, неотложные появились, — пожала плечами та.

Несколько секунд Лохнесс постоял в раздумьях, потом произнес:

— Слушай, а ты мне не дашь ее номер телефона? Она просила меня кое-что узнать... — он ляпнул первое, что пришло в голову, и не заботился о достоверности.

— Вообще нам запрещено. — Девушка явно мялась и не знала, как поступить, но, видимо, у Крутилина был такой вид, что она сжалилась: — Ну хорошо, записывайте...

* * *

Лохнесс летел на ежегодную экономическую конференцию фирм, занимающихся информационными технологиями, проходившую в Женеве. Компьютерщики не случайно выбрали этот представительный и респектабельный город для своих встреч. Тут можно и деловые контакты наладить, и отдохнуть, все для этого под рукой.

Крутилин просидел весь день на конференции, выслушивая докладчиков, и к обеду был опять выжатым как лимон.

«И правда, пора отдыхать, Крутилин», — подумал он.

Он был на этой конференции не в первый раз, и многими полезными для бизнеса контактами и связями ему удалось обзавестись именно здесь, но теперь прежний азарт прошел, и он как будто отбывал неприятную повинность. Именно сегодня ему невыносимо тяжело было сидеть в этом огромном зале, пусть и оборудованном множеством кондиционеров, и слушать доклады представителей крупных компаний. Ему вдруг нестерпимо захотелось выбежать куда-нибудь на улицу.

Евгений осторожно поднялся, пытаясь не привлекать к себе внимания, и медленно вышел в холл, там немного постоял, облокотившись о подоконник и думая, что ему делать со своими импровизированными каникулами. В зал он решил сегодня не возвращаться.

Женева — город все-таки не вполне туристический, достопримечательностей не так уж много, но вполне можно кое-что посмотреть.

И он медленно направился к выходу, когда его окрикнул кто-то сзади. Голос, показавшийся жутко знакомым, с трудом произносил русские слова:

— Женька, ты!

Он обернулся и увидел Гинзбурга, с которым расстался всего пару месяцев назад, в Санкт-Морице:

— Ты? Какими судьбами тут?

— Да я на международную выставку! Говорил же, у нас с Лорой своя фирма.

— А у меня как-то совсем вылетело из головы, что тут много разных мероприятий проводится, — признался Лохнесс.

— Слушай, — Игорь приобнял Крутилина и повел его к выходу, — пошли встречу отметим, а? Кроме того, ты мне ужасно вовремя подвернулся. Видишь ли, у меня к тебе дело есть.

В маленьком французском ресторанчике на берегу Женевского озера Игорь первым делом заказал еду и напитки, а когда их принесли, начал развлекать Лохнесса веселыми историями, которых у него в запасе всегда было множество.

— Игорек, ты чего темнишь? — спросил Крутилин после еды, доставая зубочистку. — Я же вижу, что у тебя ко мне какой-то серьезный разговор. Мы уже выпили, поели, а ты все не приступаешь к делу. На тебя не похоже.

Взгляд Гинзбурга стал необычно серьезным.

— Да я все не знаю, как начать. Хочу, чтобы ты меня внимательно выслушал. Я обычно балагурю, меня и привыкли так воспринимать. Поэтому мне нужно, чтобы сейчас ты сосредоточился. То, что я тебе скажу, может повлиять на твою жизнь.

— Ну-ну, слушаю, — Крутилин, наоборот, почему-то развеселился, настолько необычно было видеть Гинзбурга серьезным.

— Ты ведь знаешь, что Лоре достался в наследство огромный холдинг. Там много разных компаний, так или иначе связанных с древесиной: это и лесозаготовительные компании, и строительные, и судостроительные, и деревообрабатывающие, и много других. Еще в прошлом веке один из ее предков скупил леса в нескольких штатах и разбогател на этом. Холдинг принадлежит Лоре, но не полностью, пакет акций есть и у других ее родственников. Но я не про это сейчас. А про то, что создал новую перспективную компанию, пока не афиширую ее связь с этим холдингом. Она будет только наша. И сейчас эта компания начала выставлять акции на продажу. Их пока никто не берет, — медленно говорил Гинзбург, подбирая русские слова.

— Ну и что ты этим хочешь сказать? — не понял Евгений. А сам подумал: «Надо же, его акцент все сильнее и сильнее. Скоро уже никто не поверит, что он родился в России».

— Пока никто не берет! — многозначительно повторил Игорь. — Так что скупай их на все деньги, какие у тебя есть, и на все, которые сможешь одолжить. Говорю,

дело верное, ты меня знаешь, я тебя никогда не подводил.

Крутилин подумал, что не случайно Гинзбург основал эту фирму. Условия брачного контракта, составленного Лорой, наверняка связывали его по рукам и ногам. И он решил иметь хоть что-то полностью свое. «Весьма неглупо», — решил он.

Женя согласился поддержать старого друга. Гинзбург назвал ему неприметного дилера, и Крутилин купил через него акции компании Игоря, благо свободные средства на тот момент имелись. Первое время прибыли не было почти никакой, затем дивиденды стали потихоньку расти. Но однажды, открыв в Интернете знакомую страницу, Лохнесс увидел, что акции фирмы Гинзбурга, еще вчера продававшиеся по двадцать долларов, сегодня упали до четырех.

Крутилин торопливо набрал номер мобильного телефона Игоря, но тот был недоступен.

— Евгений Александрович! У вас все в порядке? — поинтересовалась вошедшая в кабинет Вика.

— У меня пока да. А вот у моего друга...

Телефон Гинзбурга ответил только поздно вечером.

— Игорь? Наконец-то!

— Привет, Жень. Извини, что был не на связи, — Гинзбург казался встревоженным.

— Ты скажи мне ради бога, что у тебя происходит?

— Жека, временные трудности. Ты, главное, верь мне. И запомни то, что я тебе скажу. Может быть всякое, но ни при каких, слышишь, ни при каких обстоятельствах не продавай акции.

— Игорь, ты меня извини, конечно, мы с тобой друзья... Но я буду продавать твои акции, пока они окончательно не упали в цене. Мне сейчас очень нужны деньги.

Это было чистой правдой. Положение дел на фирме Крутилина в тот момент было не лучшим, имелось несколько крупных обязательств, в том числе, что самое неприятное, перед Мамедовыми, братьями Карины.

— Послушай меня! — заорал в ответ Гинзбург. — Ни в коем случае не продавай! Барахтайся как можешь, избавляйся от всего, но акций не продавай. Жди, пройдет время, может, три года, может, год. Все образуется. Мы уходим в тень, акции будут стоить центы. Пользуйся этим и продолжай покупать! Когда потом выбросим — котировки будут сумасшедшие. Ты меня еще вспомнишь, а пока извини, совсем нет времени.

В трубке раздались короткие гудки. Крутилин некоторое время сидел, обдумывая ситуацию, потом отключил мобильный и положил его на стол.

«Ну, пусть будет так», — подумал он.

К счастью, его ситуация не была критической. И он с ней справился, как делал уже не первый раз. А о фирме Игоря просто забыл, поскольку буквально через месяц его жизнь кардинально изменилась.

* * *

Лежа в кровати и задумчиво накручивая на палец свои чудесные волосы, Марина говорила Крутилину:

— Знаешь, мне так грустно без тебя по вечерам и выходным. А это плохой признак...

— Признак чего? — смеялся он, лаская ее обнаженную грудь. — Того, что ты любишь меня? Так что ж в этом плохого?

— И все-таки... — Марина мягко, но решительно отстранила его руку. — Я подумала и решила, что нам надо расстаться.

Лохнесс тревожно посмотрел на нее:

— Чего вздумала, глупая? Разве нам плохо вместе? Зачем ты все портишь?

— Затем, что я буду тебе только помехой. У тебя жена, ты ее любишь... А что я для тебя? Так, развлечение ненадолго.

— Не говори так, — твердо произнес Евгений.

— А как? Как говорить? Знаешь, у моей бабушки любимая пословица была: «Правдой не задразнишь».

— Но ты ведь почему-то со мной... Почему?

— А потому что дура.

— Не понял? Объясни.

— Влюбилась в тебя, как дура, как малолетка. Взрослые женщины не позволяют себе такого...

— Видишь ли, Маришка, все гораздо сложнее... — признался Крутилин. — Я раньше тоже думал, что люблю ее, а сейчас и не знаю, честно. Она такая... такая холодная...

— Ой, да перестань, — она махнула на него рукой. — Мужики все в койке на жен жалуются. Ты-то не опускайся до такого. Пусть она будет в моих глазах таинственной и загадочной, а ты — мужчиной с достоинством.

— У тебя богатый опыт, как я посмотрю, — буркнул Женя.

— Ну, а тебе-то что до этого? Кто я в твоей жизни? Да никто, и звать меня никак...

Она внезапно всхлипнула, закрыла лицо ладонями.

— Что ты, Маришка? — испугался Лохнесс, обнимая ее за голые плечи. — Ну перестань, не надо, не плачь...

— Знаешь, Женька, чего мне хочется больше всего на свете? — замурлыкала она, прижимаясь к нему. — Семью. Обычную семью, мужа, детишек... Чтобы встречать его ужином после работы и вместе ездить в зоопарк по выходным...

Когда он ушел, Марина подошла к окну съемной квартиры в Митине и долго смотрела на ночные огни города. Потом достала бутылку вина, сделала глоток прямо из горлышка и расплакалась.

«Он не разведется, как пить дать. Уеду к маме, в Сибирь», — решила она.

На следующий день она и правда собрала вещи и, взяв расчет, уехала домой.

Женю ее неожиданное исчезновение просто лишило почвы под ногами. Ее телефон не отвечал, в квартире вместо Марины обнаружилась хозяйка, которая долго неприязненно изучала посетителя и потом грубо сказала, что жиличка внезапно съехала, даже не предупредив заранее, и что порядочные люди так не поступают.

«Она просто играет со мной, — раздраженно думал Лохнесс. — Куда она денется? Небось и не уехала никуда, прячется где-нибудь у подружки. Наверняка с таким трудом в Москву проникла, эти так просто не сдаются». Но покоя на сердце не было. Он весь день злился и срывался на всех, на вопросы Карины отмахивался, а вече-

ром, чертыхаясь, позвонил своему начальнику службы безопасности, раньше работавшему в органах, и попросил, задействовав старые связи, навести справки в Томске.

Через два дня у него был на руках адрес родителей Марины, еще через день — билет на самолет. Персональный водитель отвез шефа в аэропорт, а спустя несколько дней встречал уже не одного, а со спутницей. В тот же вечер Крутилин объяснился с Кариной и ушел из дома, прихватив лишь ноутбук и небольшой чемодан с личными вещами.

Карина восприняла новость, не изменяя себе, то есть очень спокойно. Уточнила, что квартира и ее машина останутся за ней, обговорила сумму отступных, на которую приобрела себе позднее салон красоты. И все. Ни слез, ни выяснений, ни расспросов, как же так и почему.

Развод и дележ имущества прошли быстро. Вскоре Лохнесс женился на Марине и с головой окунулся в прелести новой жизни. Купил большую квартиру на Солянке, записал на имя жены и с удовольствием отделывал, обставлял, обживал с Мариной свое новое жилище.

* * *

Со стороны казалось, что Карина Крутилина, урожденная Мамедова, вновь взявшая после развода девичью фамилию, перенесла расставание с мужем очень легко. Не плакала, истерик не закатывала, в депрессию не впала. А что на самом деле творилось в ее душе — этого не мог знать никто.

Конечно, самолюбие Карины было уязвлено. Она не привыкла, чтобы ее бросали, чтобы ей предпочитали кого-то — это что ж получается, она хуже, чем новая жена Лохнесса? Но, как ни странно, ни ревности, ни ненависти к удачливой сопернице или бывшему мужу Карина действительно не испытывала.

После развода ей стали сниться повторяющиеся сны, но в центре событий в них виделись не Женя и не Марина, а Лора. Во сне Карина вновь оказывалась в той темной комнате с коврами и подушками, но развивалось действие всегда по-другому, не так, как это было в реальности. Чаще всего она понимала, что находится в комнате одна, и упорно пыталась найти в темноте Лору, а та лишь смеялась откуда-то из-за портьеры, но не показывалась.

Карина завела свой бизнес, с увлечением занялась новым делом и чуть ли не по нескольку раз в неделю стала посещать по очереди все московские салоны красоты — перенимала опыт конкурентов.

Как-то раз она зашла почистить перышки в «Галакси». Это было модное местечко, куда стекались многие дамочки света и полусвета. Кроме обычных, общераспространенных услуг, у «Галакси» имелась и своя особенность — целебные ванны, для которых использовалась вода из серных источников. Администраторы с удовольствием рассказывали клиентам, что воду привозят из-под Кельна, из тех самых водоемов, в которых еще много веков назад лечили свои недуги римские легионеры. Благодаря этим ваннам в помещении «Галакси» к обычным парфюмерным ароматам всегда примешивался

запах серы. «У вас тут чертями пахнет!» — шутили клиентки.

Салон работал как часы, точнее, как хорошие швейцарские часы: никогда не приходилось сидеть зря, теряя время. Народу всегда было немного, но обслуживающего персонала наблюдалось, пожалуй, даже больше, чем клиентов. Позагорав под лучами искусственного солнца, получив удовольствие от ароматического массажа, расслабившись под грязевыми обертываниями с морскими водорослями, обновленная и благоухающая Карина присела отдохнуть в гостиной. И тут ее внимание привлекла — просто не могла не привлечь — молодая женщина: рослая, одетая, как и Карина, в белый махровый халат салона. Незнакомка притягивала взгляд своей необычной прической. Коротко постриженные волосы представляли собой как бы плотную черную маслянистую шапочку, из-под которой, как язычки пламени, выбивались короткие ярко-красные прядки. Она сидела в томной позе, на низком столике возле ее кресла стояли бутылочка минеральной воды, блюдо с миндальными орешками и высокая четырехгранная бутылка.

Заметив, что Карина не сводит с нее глаз, незнакомка дружески кивнула и указала пальцем на бутылку: мол, не хочешь ли сделать глоток?

— Я за рулем, — с сожалением сказала Карина.

— Я тоже, подруга, — засмеялась красотка. И пояснила: — Это — киршвассер, водка на вишневых косточках. Если закусывать орешками, никакого запаха не будет. Во всяком случае, — она заговорщицки подмигнула, — менты такого не нюхивали. Эй, Соня! — она

чувствовала себя здесь полной хозяйкой. — Принеси бокал и стаканчик!

Соня появилась, исполнила требование и тут же исчезла. В стаканчик со скругленным дном незнакомка налила минеральную воду, в бокал плеснула на два пальца киршвассера. Карина, чтобы не двигать тяжелое кресло, присела рядом с ней прямо на столик. «Интересно, кто она по национальности, — подумала Карина. — Явно не русская и не с Кавказа. Другой тип лица. Нос с горбинкой, высокие скулы... А может, откуда-то с юга Европы — румынка, скажем?» Тут она заметила, что кончики ресниц незнакомки, густых и длинных, тоже окрашены в огненно-красный цвет. «Здорово! — отметила про себя Карина. — Надо взять на вооружение».

Незнакомка подняла бокал и произнесла краткий тост:

— За нас! Таких красивых и таких желанных...

Они выпили, закусили орешками.

— Фреда! — молодая женщина протянула сухую крепкую руку.

— Карина.

— Азербайджанка?

Карина молча кивнула.

— Московского разлива?

— Ростовского.

— Давно в столице, подруга?

— Школу уже здесь заканчивала.

— Ну, тогда считай — москвичка, — сказала Фреда грудным голосом, не отпуская руку Карины. — Как тебе моя стрижечка?

— Я просто глаз не могу отвести. Я вообще-то здесь никогда еще не стриглась...

— Есть тут такой мастер — Джей. Возится, правда, долго, но все делает качественно. А нам с тобой — куда спешить?

«Хм, мы уже на «ты», — отметила про себя Карина и согласно кивнула: спешить им и вправду было некуда.

— А ресницы тоже он тебе делал?

— Нет, — засмеялась Фреда. — Это уже другая история...

Глаза у Фреды были неопределенного темно-серого цвета — про такие говорят «никакие в крапинку». Красные кончики ресниц придавали взгляду что-то хищное. Но это и притягивало. «Я тоже так себе сделаю, — решила Карина. — Только мне пойдет темно-сливовый оттенок». Фреда смотрела на нее не отрываясь. Будто угадала мысли Карины и теперь тоже прикидывала, в какой же цвет той покрасить ресницы.

— Еще по глоточку?

Длинные холеные пальцы отвинтили крышку с бутылки. Маникюр на них был тоже черным с огненной окантовкой на концах. Фреда плеснула по бокалам прозрачную жидкость, завернула крышечку, медленным, нарочитым движением погладила горлышко бутылки — сверху вниз. Подняла бокал:

— За нас! Таких прекрасных и неповторимых!

Киршвассер Карине понравился, хотя и показался крепковат, сразу ударил в голову. Она вылила в свой стаканчик остатки минералки, медленными глотками выпила. Наступила пауза.

Фреда качнулась в кресле из стороны в сторону, медленно поднялась. Покачиваясь, встала во весь рост прямо перед Кариной. Летящим движением пальцев проверила прическу.

— Ну что, подруга, а показать тебе все?

— Все? — Карина не поняла.

Фреда одним движением распустила узел на кушаке халата, распахнула полы. Мягкая ткань соскользнула с плеч и улеглась на сгибах локтей. Карину обожгло выставленное напоказ нагое тело. Фреда раскинула руки — густые волосы под мышками были выкрашены под стиль прически — черное пятно посередине и ярко-огненная окантовка. Так же были выкрашены и волосы на лобке. И даже соски имели угольно-черный цвет — как две тутовые ягоды, обведенные оранжево-красными кругами цвета спелой хурмы. Фреда стояла неподвижно, явно наслаждаясь замешательством Карины. И, увидев, что та не может оторвать взгляда от ее груди, усмехнулась:

— Подружка, это краска! На одну ночь!

Она лизнула кончик указательного пальца, провела по алому кругу на левой груди. Поднесла к губам и снова лизнула, словно оценивая вкус. Потом поднесла палец к губам Карины. И Карина, высунув кончик языка, тоже лизнула — ничего особенного. Такая отдушка бывает и у губной помады.

Но Фреда спросила:

— Чувствуешь горечь? Там в краску добавлен немножко... — она сделала паузу, потянулась, как кошка, и, растягивая слоги, продолжила: — ...бе-е-еленький,

ме-е-е-ленький тако-ой по-ро-шо-о-чек... Ты когда-нибудь пробовала?

— Нет...

— А хочешь? — И, заглянув прямо в глаза, переспросила: — Так мы никуда не спешим? Посмотрим обалденный фильм?

— Почему бы и нет, — согласилась Карина. А про себя подумала: «Ну вот, что-то новенькое в моей жизни».

* * *

Автомобиль Карины они бросили возле салона, уехали на желто-зеленой спортивной машине Фреды. Та жила совсем недалеко, в новом современного вида здании на Садовом кольце.

Пока ставили машину в подземный гараж, пока поднимались на лифте, Кариной овладевало странное волнение. Она была на грани обморока. Она даже и не заметила, на какой этаж они поднялись.

Квартира Фреды оказалась просторной и полупустой. Везде полумрак, окна плотно занавешены. Хотя был день, Фреда не стала открывать шторы, а повернула выключатель, и из светильников полился необычный свет бронзово-коричневатого тона. На зеркально сияющем бамбуковом паркете расположился на штангах-подставках домашний кинотеатр. Дома у Карины тоже был подобный. Но этот — со всеми сопутствующими устройствами — отчего-то походил на стальную птицу, спрятавшую голову под крыло.

Фреда предложила Карине сигарету:

— На, подруга, кайфани, под это смотреть фильм — одно удовольствие.

Карина сделала первые затяжки, и перед глазами у нее поплыло... Фреда подошла, взяла у нее сигарету, затянулась сама. Затем, усевшись рядом, нажала кнопку пульта.

— Вообще-то, сейчас все это есть на ди-ви-ди, — она внимательно, изучающе посмотрела на гостью. — Но мне когда-то досталась целая коллекция на кассетах, я так их и держу.

Она показала потрепанную коробку от видеокассеты. На торце была наклеена белая бумажка с надписью, отпечатанной на принтере: «Лесбийский рай».

На экране возникли женщины, много женщин. Блондинки, брюнетки, рыжие, худощавые и полные, красивые и не очень, полуодетые и полностью обнаженные. По двое, по трое, целыми группами, они сплетались в объятиях, сливались в поцелуях, кричали и стонали, страстно и бесстыдно предаваясь порочной любви. Карина не могла отвести взгляд от плазменной панели, она еще никогда не видела ничего подобного. В их с Лохнессом доме порнухи не водилось, ни он, ни она как-то не стремились к этому. А в тех фильмах, которые случайно попадались ей на глаза (включая те кассеты, которые она в юности находила у братьев и тайком смотрела в их отсутствие), всегда участвовали и женщины, и мужчины.

— Ну как, нравится?

Карина не успела ответить. Фреда буквально парализовала ее, повалив на широкий пружинистый диван и обхватив руками и ногами. Она склонилась над ней, любу-

ясь, а затем — не страстно, не чувственно, не жадно, не жестоко — подробно — изучала, обцеловывая, каждый изгиб, каждую складочку на теле своей новой подруги. Подробно и ненасытно.

— Нравится? — снова прозвучало через некоторое время.

— Да, да!.. Лора...

— Как ты меня назвала? Я не Лора, я Фреда. А, впрочем, неважно...

Время тянулось бесконечно. Фильм давно закончился, экран погас, динамики умолкли, а их праздник сладострастия все продолжался. Один за другим, как из волшебного ларца, Фреда доставала из ящиков комода предметы, о которых Карина понятия не имела и даже не предполагала, что такие могут существовать. Хозяйка квартиры со знанием дела пускала их в ход один за другим. На каком-то этапе Карина, устав от нахлынувших на нее новых сексуальных ощущений, отключилась.

Проснулась она глубокой ночью. Фреда спала рядом, на спине, раскинувшись, приоткрыв рот. Бронзовый свет едва тлел в светильниках. На какое-то мгновение Карине стало страшно. Ей показалось, что она потеряла себя в этой громадной полутемной квартире и никогда больше не найдет отсюда выход. Она провела рукой по обнаженному телу — казалось, что это не ее собственная рука, а рука Фреды все еще ласкает — неутомимо и обстоятельно.

Знакомым уже путем Карина дошла до ванной комнаты. Дверь была распахнута настежь, внутри было разбросано ее белье. Что здесь происходило? Они боролись? Кто-то кому-то в чем-то отказывал? Одна другую брала силой? Карина ничего не могла вспомнить.

Она глянула в зеркало — на лице, на губах остались следы черной и красно-рыжей краски. Карина включила воду в душевой кабине и подставила под горячие струи воды изможденное новой, неистовой любовью тело.

Ей очень хотелось спать. Она подумала о том, чтобы найти в этой квартире комнату с чистой постелью, запереться и заснуть. Но что будет завтра? Выпустит ли ее Фреда или, как в заколдованном замке, залюбит до смерти? А она ведь может...

Карина устало поплелась собирать свои вещи. И только когда оделась и нашла свою сумочку, осмелилась разбудить Фреду.

Та сразу поняла, что ее новая подруга уходит. Не стесняясь наготы, проводила ее в холл. Вытянула длинные пальцы, притянула голову Карины и бесстрастно поцеловала в губы.

— Прощай, подруга!

— Фреда... — Карина вдруг почувствовала острое желание. Ей ужасно захотелось остаться, остаться хотя бы до утра. А может, и на всю жизнь — с этой женщиной. После нее никакие другие поцелуи не будут так сладки, так пьянящи и так желанны. — Фреда, дай мне телефон.

Фреда огляделась вокруг сонными глазами, разыскивая, вероятно, телефонную трубку.

— Да нет, номер твоего телефона! — Карина улыбнулась.

— Ах, номер, — зевнув, бесстрастно проговорила та. — Ну записывай!

Карина вынула из сумочки ручку и на пачке сигарет записала номер. Выбежала за дверь и вскоре уже стояла на Садовом кольце, голосуя пролетающим мимо ночным автомобилям.

До полудня она отсыпалась, а проснувшись, подумала: «Ну вот, оказывается, все мои устремления, чувства, эмоции, все было направлено на НЕЕ, а не на него!» Это было открытие. Оно и радовало, и пугало... Ей вновь захотелось ласки, той ласки... Она погрузилась в пенную ванну. Нежное касание воздушных пузырьков показалось ей прикосновением Фреды. Или Лоры... Потом Карина долго вытиралась полотенцем, изучая себя в зеркале. Перед ней стояла другая, новая женщина. И эта женщина ей нравилась.

— Я как девственность опять потеряла, — сказала она своему отражению.

Карина решила было позвонить Фреде и поделиться этой мыслью, но что-то удерживало ее. Эмоции перехлестывали через край, но она не могла в них разобраться: она стремилась к Фреде — и боялась ее. Карина аккуратно переписала номер телефона с сигаретной пачки в записную книжку мобильника, но звонить не стала.

Следующий день был буквально заполнен делами, но испытанные прошлой ночью ощущения не давали ей покоя. И только к вечеру, когда осенние сумерки окутали город, она вызвала своего охранника Макса Бирюкова:

— Отвези меня в центр. — Она с такой силой захлопнула дверцу автомобиля, что Макс с удивлением посмотрел на нее.

— Как прикажете. — Он включил зажигание.

Максим стал ее недавним приобретением, и Карина была им, в общем-то, довольна. Ведь это так стильно — ходить с охраной! Парень дисциплинированный, свое место знает, поручения выполняет без лишних вопросов. И в постель к ней не лезет, как это нередко случается. А то, что молчаливый и замкнутый, — так это к лучшему. К тому же она не слишком любила водить машину — последнее время на дорогах все ездят как хотят, постоянно приходится быть начеку.

Пока ехали, Карина жадно ощупывала глазами мелькавшие вывески магазинов. И вот показалось то, что было ей нужно. Вывеска дорогого интим-салона мигала то голубым, то розовым цветом.

Была мысль проехать квартал и отпустить Макса, но она передумала: собственно, чего стесняться?

— Вот здесь притормози. И подожди меня.

В салоне продавщиц было больше, чем покупателей. Почуяв в Карине «жирную» клиентку, к ней подскочили сразу две девицы. Она остановила свой взгляд на кареглазой толстушке.

— Я бы хотела... — неуверенно начала она.

Девчонка, видя ее замешательство, пошла ей навстречу.

— Мы только вчера получили новый товар. Не хотите посмотреть?..

— Да-да, конечно, — обрадовалась Карина такому повороту событий.

— Вам, конечно, из розового ассортимента?

— Из розового? — Карина не сразу поняла. Про голубых сегодня все слыхали, но что в противовес голубым

есть розовые — об этом сразу и не вспомнишь. — Да, из розового, — к ней вернулся уверенный тон знатока.

В глубине салона завесами из плотной ткани были отгорожены закутки — видимо, для VIP-покупателей. Толстушка-продавщица, словно оберегая покупательницу, усадила ее на диван в одном из закутков и через минуту появилась с ворохом коробок. Устроилась на вертящемся табурете и стала ловкими пальчиками одну за другой раскрывать коробки.

Через какие-то минуты перед Кариной лежал весь вчерашний набор Фреды, которым та так умело пользовалась. Горячая волна окатила ее, она почувствовала дикий прилив желания.

— Я беру все, — она улыбнулась и погладила толстушку по щеке.

Это было что-то новое. Жизнь, в которую вошла страсть и неимоверная чувственность. И это захватывало ее, вытесняя все другие желания. Карина потеряла голову от новизны ощущений. Одна только мысль не давала ей покоя. Хотелось еще и еще раз пережить сладкие мгновения с Фредой, ощутить магию волшебной сигареты, почувствовать за спиной крылья.

Макс молча помог ей донести пакеты до квартиры. Отослав его с большим списком в супермаркет, Карина с нетерпением выложила на стол свои покупки. Она с интересом рассматривала каждое приобретение, вертя в руках, поглаживая пальцами. А потом позвонила Фреде.

Холодный женский голос, сначала по-английски, а потом и по-русски огорчил ее: «Номер, который вы набрали, не существует». Вот так! «Кто-то из нас напутал с цифрами, — подумала она. — Или я, или она... После такой ночи неудивительно. Может, Фреда сейчас ждет моего звонка?» Она набрала номер еще раз. На этот раз ответом была тишина. Как будто она попала в преисподнюю.

Несколько минут Карина обдумывала, как ей разыскать Фреду. Может быть, поехать к ней домой? Дом она помнила, но этого было мало. Ни номера квартиры, ни этажа, ни даже подъезда в памяти не сохранилось. А это здание такое огромное! Не бегать же по всем подъездам, учиняя допрос консьержкам!.. Тем более что даже неизвестно, о ком расспрашивать. Что это за имя — Фреда? Альфреда? Фредерика? А может, это и не имя вовсе, а прозвище, ник, как сейчас называется... На самом деле таинственную незнакомку могли звать как угодно.

Навести справки в салоне «Галакси»? Но вряд ли в таком месте будут раздавать телефоны клиентов, даже за очень приличное вознаграждение. Тем более что они могут его просто не знать. Сама Карина, например, не знала координат никого из клиентов своего салона, исключая разве что собственных подруг.

Вернувшийся из супермаркета Макс застал свою хозяйку в отчаянных рыданиях. Подобные сцены были для него в новинку, но он не подал вида. Налил ей коньяк, заварил крепкого чая.

— Макс, — Карина понемногу приходила в себя, — ты бы мог умереть от любви?

Максим посмотрел на нее долгим-долгим взглядом:

— А я и умру от любви...

От этих слов и особенно от его тяжелого стеклянного взгляда Карине стало не по себе.

— А знаешь что... Достань-ка мне травки. Немного. Сможешь?

Максим хмыкнул и полез в карман куртки.

После сигареты стало несколько полегче.

Когда дверь за молчаливым охранником закрылась, Карина подвела итоги дня: ее тело хранило память о прикосновениях Фреды, и это заставляло ее страдать. С этим надо было что-то делать. Может, попробовать переключиться? Она решила пустить в ход тяжелую артиллерию. Достала телефонную книжку, перелистала страницы, отыскивая мужские имена. Сердцеедкой она никогда не была, но знакомые мужского пола, в том числе и близкие знакомые, у нее имелись — и до замужества, и во время.

Подумав, Карина остановила свой выбор на парне, с которым встречалась сразу после института. В их кругах он считался прекрасным любовником, правда, Карина никогда особенно не умела этого оценить... Но до сих пор одни воспоминания о Никите рождали у Карины целый ворох эмоций. После того как она вышла замуж, они перестали встречаться, но она часто вспоминала минуты, проведенные вместе. Он тоже тяжело переживал расставание и даже, как она слышала, женился исключительно назло ей.

Густой мужской баритон откликнулся через пару гудков:

— Слушаю вас!

Она томно проворковала:

— Привет, Никита! Помнишь меня? Это Карина.

Никита здорово удивился, но на предложение встретиться ответил горячим согласием.

Они встретились через три часа, у метро, у Никиты, на удивление, не было никаких неотложных дел. Он торжественно вручил ей большой букет роз, видимо, купленных тут же, в ближайшем ларьке, отчего она сразу почувствовала неловкость и досаду.

«Теперь мне его всю дорогу с собой таскать», — подумала она.

— Давай пройдемся, — предложила Карина, — а то все в машине да в машине и в офисе, уже и света белого не видим.

Они пошли по бульвару. И говорили все о каких-то пустяках, вспоминали прошлое и все не могли перейти к главному

— А я так и не верю, что ты позвонила все-таки, Каринка! — наконец проговорил Никита.

— Как жизнь семейная? — осведомилась она.

— Да нормально, жена недавно на новую работу перешла.

— А детей заводить не надумали?

Она что-то говорила, а сама в это время прислушивалась к тому, что творилось у нее внутри. Ничего. Ничего нигде не екнуло. Сердце не ухало, не срывалось вниз, как раньше, а спокойно и ровно билось там, где ему положено. Даже ладони не потели.

— Детей, честно говоря, я уже хочу. Но жена пока сомневается, она на работе на хорошем счету, обидно сейчас уходить в декрет...

Она украдкой посмотрела на него. Точеное лицо, раньше ослеплявшее своим совершенством, спокойно и отстраненно. Морщинки уже появляются. И постарел, и живот появляется, это заметно. Да, не Ален Делон уже. Современная жизнь никого не щадит. В погоне за благополучием и не такие ломаются.

Он вдруг внезапно остановился и взял ее за руку.

— Какая-то ты чужая, что ли... Как живешь?

— Да ничего интересного, — она усмехнулась. — Была замужем, развелась.

— А чего развелась?

— Не сошлись характерами.

— Ты такая красивая, одета как с иголочки, — произнес он. — Часы дорогие, кольца, медальон...

Она прямо чувствовала, что он мысленно примеривает, как ее драгоценности смотрелись бы на его жене.

— А чем занимаешься? — Никита продолжал расспросы.

— У меня свой бизнес.

Он присвистнул, взглянул на нее как-то по-новому, оценивающе, завистливо.

«Не иначе думает, почему одним все, а другим ничего, — усмехнулась она про себя. — Он-то тоже свой кусок откусил, но далеко не такой жирный. Наверняка какой-нибудь менеджер среднего звена, не акула, просто рыбешка...»

— Что за бизнес? — он попытался изобразить равнодушие.

— Да обычный женский бизнес, салон красоты. Правда, один из лучших в Москве, — она не смогла удержаться от хвастовства.

И увидела, как расширились и потемнели его глаза. Он явно растерялся.

— Ну что? Пошли? — предложила она.

Он кивнул слишком поспешно.

«Зачем он пришел? — мелькнуло в ее голове. — Что его заставило? Наверное, просто любопытство...»

Конечно, когда она предложила поехать в гостиницу, он согласился. Но, лежа с ним в постели, она лишь смотрела на потолок и ждала, когда же наконец все кончится. Еще до того, как они разделись, Карина четко осознала, что не хочет этого. И так все понятно. Она еще раз прислушалась к себе. Она не чувствовала больше ничего. Совсем.

— Слушай, — проговорила она, как только Никита, тяжело переводя дыхание, откинулся на подушку, — ты извини меня, правда. Не знаю, что на меня нашло. Не надо было нам ворошить прошлое, его назад не вернешь. А ты хороший.

Он удивленно посмотрел на нее, не веря своим ушам.

— Это ты мне говоришь, что я хороший? Это ты за мной бегала сначала, помнишь? А теперь утешаешь? — Он выглядел разозленным, хотя ей показалось, что в глубине души он тоже почувствовал облегчение.

— Просто я люблю другого человека.

— Да люби себе на здоровье! — он наконец рассердился. — Я, что ли, тебе звонил? Пожалел тебя, дуру.

Она не к месту улыбнулась.

— Прости. Что побеспокоила, и вообще... Просто из всех мужчин ты всегда был самым желанным для меня. Мне нужно было кое-что проверить. Не получилось. Не сердись на меня. А цветы жене подари. Пока. — И быстро, пока он не успел опомниться, она чмокнула его в щеку, подхватила свою одежду и побежала в ванную.

Оказавшись дома, Карина подмигнула своему отражению в зеркале:

— Ну что ж, подруга... Значит, твоя жизнь изменилась круче, чем ты предполагала.

* * *

Однажды пасмурным ноябрьским днем Крутилин торопливо отпирал своим ключом дверь однокомнатной хрущевки, бывшей когда-то и его квартирой. Сколько раз он предлагал переселить маму в комфортабельное жилье, чтобы она не гнула спину, таская тяжелые сумки на четвертый этаж без лифта. И соседи тут тоже неблагополучные. Не ровен час, кто нападет или просто испугает пожилого человека, а много ли ей надо? Но мама раз за разом твердо отказывалась, мол, нечего уже менять, доживет свой век тут.

«Привыкла я тут жить и не хочу на старости лет к новому привыкать. Что мне твои хоромы, если все чужое будет? А тут у меня знакомых полно, и магазины все знаю, и роднее тут как-то», — говорила Галина Евгеньевна.

Со временем он оставил свои попытки, только неодобрительно бурчал, когда у мамы в очередной раз протекал кран, что, живи она в хорошем доме, такой проблемы просто бы не возникло, но безропотно вызывал сантехника.

И вот дождались — сердечный приступ. Дом, конечно, тут ни при чем, возраст, да и здоровье подорвано. Мама позвонила в разгар рабочего дня, сказала тихим спокойным голосом, что у нее был приступ. Лохнесс вспомнил, сколько раз до этого откладывал поездку к маме из-за каких-то срочных неотложных дел, закрученный этой суматошной жизнью, не успевал остановиться и отдышаться, и сейчас проворонил приступ матери.

«Ты, Крутилин, самая настоящая скотина и сволочь», — подумал он отстраненно. Отменил все встречи и помчался в Царицыно.

Марину он с собой не взял, не хотел, да и дело это его личное. Она не особо и рвалась — кому охота за больным человеком ухаживать, потом еще обяжут постоянно ездить. Как-то они не особо с его матерью поладили, хотя никакой антипатии обе не проявляли, скорее холодную вежливость. Когда мама звонила на домашний телефон, Лохнесс сразу догадывался, что это она, таким сдержанным становился голос Марины. Жена старалась свести обмен светскими любезностями к минимуму и поскорее передать трубку ему. Но Евгений решил для себя, что это все же лучше, чем открытая неприязнь, которая установилась между мамой и Кариной. После свадьбы они старались вообще не встречаться. Всегда такая деликатная Галина Евгеньевна тут проявила недюжинную волю и упорство и никак не хотела сдавать позиции. Только ко-

гда Женя расстался с Кариной, она вздохнула с облегчением.

Про Марину мама ничего не говорила, ни плохого, ни хорошего, и Крутилин этим удовлетворился, невесело подумав про себя, что намечается хоть какой-то прогресс.

Войдя в квартиру, он чуть не разрыдался. Мама лежала такая маленькая и беспомощная, доверху укутанная одеялом, на тумбочке у кровати ампулы, одуряюще пахло лекарствами и чем-то еще неприятным, так, как иногда пахнет в больницах.

— Женечка, проходи, — попросила она слабым голосом. Он рванулся к ней с порога не раздеваясь, стиснул в объятьях и долго так держал, не выпуская. Слезы катились у него по щекам, и он боялся, что если повернется, то она увидит их. Но она и так догадалась.

— Сыночек, ты чего разнюнился, все будет хорошо. Знаешь, сколько инфарктов человек может пережить? — сказала она и вытерла слезы у него со щек. — Ты уже взрослый мальчик, чего испугался?

— Да, мам, не обращай внимания, нервы сдают. Что сказал врач?

— Что сказал? Что они говорят в таких случаях? Лежать, не вставать минимум еще две недели, могут быть осложнения... Но ты не переживай, я тебе обузой не буду. Альбина уже позвонила в собес, договорилась, чтобы ко мне ходили два раза в неделю, носили продукты.

— Не говори ерунды! — возмутился Лохнесс. — Сегодня же позвоню, нормальных врачей вызову, пусть по-

смотрят. Сиделку хорошую найдем... А чуть что понадобится — звони мне, я тебе все пришлю с водителем.

— Ничего не надо, — Галина Евгеньевна сердито посмотрела на сына. — Меня уже осмотрели врачи со «Скорой», этого хватит. И не надо никого дергать лишний раз. Я против, а то рассержусь. А мне волноваться нельзя.

— Ну как хочешь, — неуверенно сдался он. — Я сегодня с тобой останусь, ладно, мам?

— А как же Марина?

— Я ее предупрежу.

— А вдруг она... Вдруг не поверит, ревновать будет? Хочешь, я сама с ней поговорю?

— Мама, ты можешь хотя бы сейчас перестать думать только о других? Хватит уже! Хоть сейчас подумай о себе!

— Ну только при одном условии, — слабо улыбнулась мама. — Если ты сейчас пойдешь на кухню, заваришь чаю и сделаешь себе бутерброд. А то я тебя так сдернула, ты, наверное, даже пообедать не успел...

Он сделал все, что она сказала, и, вернувшись в комнату, устроился на кресле рядом с маминой постелью. Вскоре Галина Евгеньевна тихонько уснула, и он отчего-то подумал, что скоро потеряет ее навсегда. И ничего нельзя будет уже сделать, сказать; все то, что бесконечно откладывалось, нужно говорить и делать сейчас.

Он долго сидел так, глядя в пустоту, полностью погрузившись в воспоминания о своем детстве, как вдруг заметил, что за окном стемнело, а мама уже проснулась и смотрит прямо на него.

— Как я жалею, что не родила тебе брата или сестру, — прошептала она неожиданно. — Вы бы любили и

оберегали друг друга, когда я уйду. А так ты ведь совсем один останешься...

Такой печальной он никогда ее не видел.

— Не говори ерунды. Никуда ты не уйдешь. А если и уйдешь, то это будет так не скоро, что совсем не имеет значения, — демонстративно бодрым голосом отвечал Женя. — Ты ведь у меня еще молодая совсем.

Весь вечер он провел у ее кровати, держал за руку, рассказывал какие-то истории, чтобы ее отвлечь, а сам ни на минуту не переставал думать о том, столько же времени упущено, его уже никак не вернуть...

Вдруг Галина Евгеньевна сжала его руку. Ладонь ее была очень горячей, а пожатие — неожиданно сильным.

— Хочешь, я расскажу тебе о твоем отце? — тихо спросила она.

Женя только кивнул. Он хотел этого всю жизнь, сколько себя помнил. Но до последнего времени мама упорно не говорила на эту тему.

* * *

Галя встретила его на танцах в военном училище, куда ходили все девушки из их пединститута. Поначалу ее смущала некоторая откровенность и неприкрытость мотивов таких походов: они ищут тут мужей, и все это прекрасно понимают.

Когда Галя одевалась в гардеробе, ей всегда казалось, что тетки, выдающие пальто, глядят на них с пренебрежительной усмешкой.

— Не обращай внимания! — учила подруга Альбина. — Относись ко всему как к закономерному явлению. Еще воспитанницы института благородных девиц ходили на балы к юнкерам. И это всеми поощрялось. И потом — где нам еще знакомиться, как не здесь. В нашем вузе мальчишек — раз, два и обчелся. И все уже разобраны.

В тот раз они, как всегда, пришли заранее. Альбина высокомерно выпрямила спину и свысока оглядывала контингент кавалеров, всем видом показывая, что она птица высокого полета и снизойдет только до самых лучших. Галя, наоборот, уселась на скамейку в углу. Она была из тех девушек, которые однажды раз и навсегда уверились в своей непривлекательности и с тех пор не собирались ничего менять. Танцевать ее приглашали нечасто, большую часть вечеринки она проводила у стены, наблюдая за собравшимися. И только улыбалась, когда Альбина в очередной раз повторяла свою любимую поговорку: «Люди делятся на тех, кто ходит по улицам, и тех, кто сидит у окна и смотрит, кто пошел, куда и с кем».

Народу в зале уже было предостаточно. Первая красавица их потока, Надя Вострякова, флиртовала с высоким чернявым атлетом в сильно расклешенных брюках. Атлет вроде бы привлек внимание Гали, но заглядываться на чужого парня было некрасиво, к тому же в случае с Востряковой — бесперспективно. Надя слыла не только самой эффектной, но и самой стервозной девушкой потока, поэтому даже мечтать отбить у нее парня было странно. Родители Нади, высокопоставленные чиновники, как только могли баловали единственную дочь и одевали как куколку. Сегодня Вострякова была в легком,

почти прозрачном белом платье, Галя такие только в кино видела. И на фоне Нади чувствовала себя замарашкой, несмотря на одолженную у соседки кримпленовую юбку.

Галя пошла в pединститут не по велению души, а просто потому, что особенных склонностей у нее ни к чему не было. А быть учительницей не так уж и плохо, детей она всегда любила. Кроме того, работа педагога — это всегда хоть и небольшой, но стабильный кусок хлеба. Так они рассудили с мамой, скромной библиотекаршей. Отца к тому времени уже не было на свете, дали знать о себе ранения, полученные на войне.

Так Галя со своими школьными четверками тихо поступила в педагогический имени Крупской и стала учиться на непрестижном факультете, где готовили преподавателей труда. А поскольку Галя была родом из Зарайска, откуда до Москвы на электричке не наездишься, то ей предоставили место в общежитии. Соседкой по комнате оказалась девушка из Можайска, Альбина, с которой они быстро подружились. Сидели рядом на лекциях, обменивались конспектами, а на четвертом курсе решили вместе ходить на танцы.

Вечер начался. Зазвучали «Амурские волны», закружились по залу две-три пары. Пока, как это обычно происходит вначале, танцующих было немного. Большинство собравшихся разбились на маленькие кучки и с интересом переглядывались. Хотя тут многие и знали друг друга, но все равно каждый раз приходил кто-то новенький, это всегда было любопытно.

Альбина наклонилась к Галиному уху и жарко зашептала:

— Гляди, Авдеев пришел... Вон, видишь, коренастый такой, в яркой рубашке? Говорят, он фарцовщик... Так вот, с ним теперь Олька Петрова встречается. И он ее уже того...

— Как это — «того»? — покраснела Галя.

— Ну, они пока только обнимались, — торопливо пояснила Альбина, — но он уже намекает, что неплохо бы... ну ты понимаешь...

Галя пригнула голову, слушая историю про Ольку и Авдеева, а сама зорко, но незаметно поглядывала по сторонам. Потом вдруг с неудовольствием поймала себя на том, что ищет глазами брюнета Востряковой.

Тем временем движение на танцплощадке уже оживилось, туда стекались самые уверенные в себе или просто отчаянные пары.

Осторожно, по стеночке, к ним приблизился первый нескладный кавалер, откашлялся и буркнул Гале:

— Пошли танцевать?

Та ухмыльнулась, церемонно подала ему руку и поднялась. Они отплясывали под какую-то озорную зарубежную мелодию, и вдруг Галя снова увидела брюнета и Надьку. Увидела и на сей раз не смогла отвести глаз, как ни хотела. Каждый раз, когда две пары оказывались рядом, Галя исподтишка их изучала. Вострякова обдавала ее запахом своих терпких духов, а ее спутник смотрел на свою партнершу восторженным взглядом и сжимал в руках как какую-то драгоценность.

«Они влюблены друг в друга. С другой стороны, чего не влюбиться, когда ее папа завотделом райкома», — с грустью подумала Галя. После танца, холодно попрощавшись с кавалером, она вернулась к своему месту. Ей вдруг захотелось уйти, музыка и веселье больше не радовали. Бросив растерянную и ничего не понимающую Альбину, девушка просто сбежала.

Но это не помогло. Мысли о брюнете не шли из головы, его образ, как нарочно, буквально преследовал ее.

«Не надо было ходить на эти дурацкие танцы, — с досадой ругала себя Галя. — Жила бы сейчас спокойно и не мучилась».

С Надеждой она не дружила, но о том, что у Востряковой начался бурный роман, шептался весь курс. Говорили, что Надя и ее избранник безумно любят друг друга, но что-то им мешает. Что именно — никто толком не знал. Одни считали, что все дело в отце Нади, которому не понравился дочкин кавалер, другие говорили, что все наоборот — это его родители настроены против избалованной и капризной Востряковой.

Галя мучилась всю неделю, почти перестала есть, ничего не говорила Альбине, которая, впрочем, сама заметила перемены с подругой, но деликатно молчала.

В следующую субботу они снова отправились в училище. Галя, бледная и прямая как доска, быстро высмотрела *его* в толпе. А Востряковой... Востряковой не было.

«Это мой шанс! — поняла девушка. — И если я его упущу, то никогда не прощу себе этого!»

Впервые в жизни она решилась на столь отчаянный поступок.

В этот вечер ее приглашали наперебой, чего никогда раньше не случалось, но Галя всем отказывала.

Наконец произошло то, чего она так ждала, — объявили белый танец.

Вострякова так и не появилась.

Сгорая от стыда, на подгибающихся ногах девушка двинулась через зал. Ей казалось, что все до единого присутствующие смотрят только на нее.

Наконец она приблизилась к сидевшему на стуле брюнету. Тот удивленно взглянул на нее.

— Можно тебя пригласить? — прошептала Галя.

Он, видимо, не понял, чего она хочет, и переспросил:

— Что-что?

— Сейчас белый танец, — заплетающимся языком пролепетала девушка.

— А... Да, конечно, пойдем, — он чуть замешкался, потом взял ее под руку и повел в центр зала. От него приятно пахло одеколоном, и он замечательно двигался — это все, что смогла запомнить ошалевшая от впечатлений Галя. Они о чем-то говорили, в основном он спрашивал, она вроде бы отвечала — но все было как во сне.

— Спасибо за приглашение, — он галантно и чуть шутливо поклонился ей после танца и отвел к Альбине.

— Ну ты даешь, тихоня! И как? — подруга сгорала от любопытства.

— Ах, Алька, я летала как на крыльях, — только и смогла ответить Галя. Она была уверена, что этим единственным танцем все и закончится. Но вдруг, когда за-

звучал следующий медляк, увидела, что брюнет движется в их сторону.

«Этого не может быть, он идет не ко мне», — уговаривала она себя. Но он подошел к ней, и Галя удивилась, как ее сердце от счастья не выпрыгнуло из груди...

После танцев он проводил ее домой под завистливым взглядом Альбины. С этого момента они стали встречаться, ходили гулять или в кино. Брюнет, его звали Юрой, оказался сыном известного врача, профессора медицины. Родители надеялись, что он продолжит династию, но сын пошел по другой, военной части.

А про Вострякову Галя никогда не спрашивала, боясь услышать неприятный ответ. Пусть уж все идет как идет!

Однажды после прогулки в Парке культуры он проводил Галю до общаги и невзначай, как о чем-то само собой разумеющемся и малозначительном, спросил:

— К тебе можно?

— Конечно, — отвечала девушка. Вообще-то ребят в женское общежитие не пускали, но этот запрет никого не останавливал. Не так уж трудно забраться по пожарной лестнице в окно туалета на втором этаже.

Галя была уверена, что Альбина дома, но той не оказалось. На столе лежала записка: «Ушла в кино».

— В «Зарядье» на девять часов, — проявил неожиданную осведомленность Юра. — С Сашкой Семеновым, это мой сокурсник.

Галя немного растерялась. Было только без двадцати восемь, а вернуться подруга должна была, получается, не раньше одиннадцати.

— Странно, я спрашивала, она говорила, что будет к семинару готовиться, — смущенно забормотала девушка, осознав, что впервые остается с возлюбленным наедине.

И вот они уже сидят на ее кровати, он залезает ей рукой под блузку, и ее сердце бьется так бешено от страха и от восторга, что ей даже чуть стыдно, что он это заметит. «Правильно ли я поступаю?» — проносится последняя мысль в ее голове, но через секунду от нее уже не остается и следа.

А потом пришло лето. Близилась сессия, началась суматоха последних дней перед экзаменом, судорожный поиск конспектов и книг, не сданные вовремя зачеты...

Юра куда-то пропал, но у Гали даже не было времени думать об этом, она запустила учебу и теперь старательно наверстывала потерянное. Наступила уже и зачетная неделя, и хотя, несмотря на учебный переполох, ее все чаще и чаще посещали мысли о Юре, она старалась их отгонять и успокаивала себя тем, что он тоже готовится к экзаменам и не может отвлекаться.

А потом он вдруг снова появился, и все ее дурные мысли забылись как страшный сон.

Первый экзамен в ту сессию — методологию — Галя сдала на «отлично». Выйдя из аудитории, зашла в туалет на том же этаже и еще из-за двери услышала чьи-то рыдания. Внутри, согнувшись над раковиной и размазывая по лицу обильную косметику, горько плакала Надя Вострякова.

Галя раздумывала некоторое время, стоит ли тревожить девушку, но потом, решившись, все же тронула ту за плечо и спросила:

— Надя, что случилось?

— Ты? — Вострякова, увидев ее, тут же отпрянула с брезгливостью и одернула рукав. — Не трогай меня, не смей прикасаться, тварь, тварь!

И снова зашлась в рыданиях. Галя испуганно покосилась на дверь туалета и медленно проговорила:

— Ты в своем уме?

— Это все из-за тебя, паскуда, из-за тебя! — Вострякова, видимо, совсем уже перестав себя контролировать, рванулась к Гале и, схватив ее за волосы, потащила к стене.

Галя беспомощно молотила руками по воздуху, пытаясь освободиться, но это никак не получилось. От природы она не была сильной, а Вострякову, видимо, подогревала ярость, и, прежде чем подоспели сбежавшиеся на крик студентки, она успела несколько раз ударить Галю и расцарапать ей лицо. Наконец Вострякову оттащили, и она стремглав бросилась вон, ревя в полный голос.

Галя подошла к раковине и начала умываться, когда услышала за своей спиной тихий, но отчетливый шепот:

— Да ее парень бросил, они пожениться собирались, она из-за него с родителями поссорилась, а сегодня еще и двойку получила. Так можно и из института вылететь. А эта как раз ее парня и увела...

Галя закрыла кран и быстро вышла из туалета, ни на кого не глядя. В институтском дворике она присела на скамейку и попыталась переварить услышанное.

Разве она сделала что-то плохое? Она просто боролась за свою любовь и этим себя оправдывала... Но смотреть на муки Востряковой тоже было тяжело.

Девушка решила, что необходимо поговорить с Юрой, развеять все сомнения. Зайдя в ближайший телефон-автомат, бросила в прорезь две копейки и набрала его домашний номер.

— Алло, — раздался красивый низкий женский голос.

— Можно Юру?

— Можно, — с небольшой паузой ответили ей. Раздался шорох, очевидно, трубку положили на столик. Спустя некоторое время она услышала веселый голос Юры.

— Это Галя. Мы можем с тобой увидеться?

— Галя? — Юра как будто удивился.

— Ну да, мы не могли бы встретиться с тобой? Я бы хотела поговорить.

— Слушай, я сегодня экзамен завалил, нужно готовиться к пересдаче. Это может потерпеть?

— Думаю, нет, — Галя думала, обидеться ей или нет, и решила все-таки не обижаться.

Юра замешкался, потом нехотя сообщил, что хорошо, он придет, но не раньше чем в шесть часов. Встретиться договорились у памятника Пушкину. Юра опоздал на сорок минут, а к вечеру похолодало, и Галя, ожидая его, жутко продрогла.

Она хотела рассказать про сегодняшний случай, спросить, что произошло между Кириллом и Востряковой, но он не дал ей и рта раскрыть.

— Слушай, тут такая лафа подвалила! У другана моего вся семья на дачу свалила, квартира пустует, он мне ключи дал. Двинули туда скорее!

И она пошла с ним, забыв обо всем.

Они встречались еще несколько раз, все на той же квартире друга. Галя уже наперед знала, что там будет, как бессловесно и торопливо пролетит время и как быстро он исчезнет, небрежно чмокнув ее в щеку напоследок. Ей очень хотелось сказать, крикнуть ему в лицо, что так нельзя, не по-людски, но она не решалась.

— Он просто искал легкой добычи, — возмущалась Альбина, смоля в форточку тайком от коменданта общежития. — Вот ты ему и подвернулась, на все согласная. Помяни мое слово, ни к чему это не приведет. Поматросит и бросит. На фиг ему такая невеста нужна, без роду без племени? Вон он даже Надьку бросил, а у нее папа шишка! А ты, дурочка, влюбилась...

Но Галя ничего не хотела ни слушать, ни видеть. Начались каникулы, он уехал с родителями на море, она — домой в Зарайск. И именно там сделала неприятное открытие, что месячных у нее нет. Сначала решила, что это временный сбой, у нее такое раньше иногда случалось. Но ни в августе, ни в сентябре ничего не изменилось.

— Допрыгалась, дуреха, — резюмировала Альбина. — Давай срочно звони ему.

— Да может, обойдется?

— Не смеши меня! На, держи две копейки.

На встречу он пришел необычно хмурый, выглядел повзрослевшим и каким-то чужим. Не поцеловал ее, не обнял и как будто нарочно держался отчужденно.

Она присела на скамейку у общежития, зябко кутаясь в шерстяную кофту.

— Слушай, мне тебе кое-что сказать надо, — нехотя проговорил Юра

— Мне тоже, — одеревенелыми то ли от холода, то ли от ужаса губами ответила она, хотя вдруг поняла все и сразу, в ту же минуту.

Его, казалось, терзали какие-то сомнения, он присел рядом и неуверенно сказал:

— Давай сначала ты говори.

— Я беременна, — произнесла Галя и почувствовала, что летит в пропасть.

— Да... Во дела, — он выглядел совсем растерянным. — А я женюсь... Это окончательное решение. Ты прости меня... Давай подумаем, что теперь делать... с ребенком.

— Тебе ничего, это будет мой ребенок. — Она встала и ушла. Он не догонял ее.

А потом была бессонная ночь, половину которой она горько проплакала на плече у Альбины, а вторую, вытерев слезы, обсуждала вместе с ней, что делать дальше. Ребенка Галя решила оставить.

По счастью, они были уже на последнем курсе. А это давало возможность не бросать учебу. Можно было даже попробовать не брать академический отпуск и досрочно защитить диплом.

За эти девять месяцев Галя изменилась так сильно, что если бы ей рассказали об этом год назад — не поверила бы. Она вообще не думала, что способна быть совершенно другим человеком. С глаз вдруг спала пелена, по крайней мере, та часть Гали, которая считала Юру чем-то вроде небесного существа, явно исчезла.

Мысли приняли практическое направление, до этого витавшая в облаках и при возможности не опускавшаяся на землю беззаботная девушка занялась конкретными земными вопросами. Галя стала находить в этом даже какую-то простую радость: решать, где будет жить ребенок, что он будет есть и что будет есть его мать. Отвлеченные мысли о другом мужчине в ее жизни и справедливости общего устройства мира Галя отложила на потом, как несущественные и второстепенные.

Главным сделался ребенок, он стал целью, смыслом, силой и слабостью, делая ее и уязвимой и сильной одновременно.

Мама, узнав новость, очень огорчилась и много плакала. Зарайск хоть и находится недалеко от Москвы, но все же провинциальный город, и рождение ребенка вне брака там осуждалось. Расстроенная мама чуть не на коленях умоляла дочь сделать аборт, но Галя была непреклонна.

Юра больше ни разу не объявился, видимо, он сразу вырвал ее из своей жизни, и Галя сочла, что так даже лучше — ни мук, ни сомнений. Она успела досрочно сдать диплом, чему была очень рада: последние месяцы беременности проходили тяжело, она почти каждый день ходила в больницу, один раз лежала на сохранении. Бесконечные анализы, уколы, постельный режим сильно утомили. Она крепилась, уговаривала себя, что терпит не для себя, а для будущего сына или дочки, и в сердце закипала радость.

Схватки начались неожиданно, за две недели до намеченного срока, когда Галя и Альбина пили чай. Девушку внезапно скрутила боль, она побледнела, выронила чашку и прохрипела:

— Звони!

— Ку-ку-да? — залепетала Альбина. Она вдруг растерялась, ее обычная уверенность и находчивость куда-то пропали.

— В «Скорую» звони, — простонала Галя.

В регистратуре нянечка грозно посмотрела на корчащуюся от боли Галю и строго спросила:

— А где пересдача анализов на хламидиоз?

Галя заныла и начала сползать по стенке. Альбина наконец пришла в себя и рявкнула:

— Да вы что, не видите, ей совсем плохо? Я сейчас главврача позову, жалобу на вас напишу. Нельзя же так к людям относиться!

Нянечка тяжело вздохнула и буркнула:

— Одежду сдать, сама в предродовую палату.

Галя прождала больше часа в холодном коридоре, когда о ней наконец вспомнили, отвели в какой-то кабинет, обрили тупой бритвой, отправили в душ, сделали клизму и определили в предродовую палату. За стеной раздавались крики какой-то женщины, такие страшные, что кровь стыла в жилах. Матрас на кровати оказался пропитан кровью. Но Гале уже было все равно. Она закрыла глаза и попыталась ни о чем не думать, хотя от окружающих вещей и криков хотелось выть самой. Время от времени накатывала жуткая боль, все чаще и чаще. Наконец, когда она совсем перестала уже что-нибудь соображать, ее отвезли рожать. Это продолжалось двадцать часов.

Из роддома ее никто не забирал. Альбина в тот день лежала с высокой температурой, а маме Галя решила пока ничего не сообщать. Она сама вызвала такси и из окна смотрела, как оно подъезжает, потом, тихо попрощавшись с соседками по палате и врачами, спустилась вниз, приняла из рук нянечки сверток с сыном и вышла во двор.

Сына назвала Женей, в честь отца и своего любимого певца Евгения Мартынова, и отчество ему дала папино — Александрович.

Едва закончился декретный отпуск, Галя устроилась нянечкой в ясли. За ней тут же стал ухаживать электрик, татарин Айдар. Наличие у Гали ребенка его не то что не смущало, но даже устраивало. «Значит, ты хорошая женщина, раз сыновей рожаешь!» — смеялся он.

Гале Айдар не нравился — маленький, нескладный, кривоногий, лицо плоское, глаза хитрые. Но он много помогал ей, приносил продукты, лекарства, которые часто были нужны — Женя родился слабеньким и постоянно простужался, ему требовался усиленный уход.

— Выходи за меня замуж, — постоянно твердил Айдар. Но Галя только отмахивалась, ей было не до того.

А дальше, как говорится, не было бы счастья, да несчастье помогло. У Галиного отца была тетка, одиноко жившая в Царицыне, которую девушка иногда навещала. И та, узнав о мытарствах внучатой племянницы, сама предложила молодой маме переехать к ней.

— Не на пряники зову, — сразу предупредила она. — Рак у меня нашли. Тебе придется ухаживать за мной. Но за это я вас к себе пропишу — тебя и сына.

Галя, конечно же, согласилась. И два года разрывалась между маленьким ребенком и смертельно больной старухой. Зато после ее смерти сделалась обладательницей собственной квартиры — крохотной, на окраине, в хрущевке, но собственной.

Постепенно жизнь наладилась. Галя устроилась учительницей в школу неподалеку, отрабатывала положенные часы, бежала за сыном в детсад, шла с ним гулять, потом кормила его и укладывала спать, а сама занималась домашними делами. Сил часто не было, но сын придавал ей уверенность.

Женя подрастал, жизнь с каждым годом становилась чуть полегче. Особенно когда Галина Евгеньевна решилась подрабатывать шитьем. Экстравагантных модных нарядов она делать не умела, но клиентки — женщины средних лет и старше — оставались вполне довольны простыми платьями и юбками.

Какая-то часть души Галины все еще ждала Юру, не могла его забыть, но разумом женщина понимала, что это напрасные надежды. Со временем исчезли и они. Тем более что она знала — Юры нет в Москве, он служит где-то за границей, то ли в ГДР, то ли в Чехословакии.

Как-то вечером, когда сын был уже во втором классе, в квартире раздался телефонный звонок. К телефону подбежал Женька и через пару секунд крикнул: «Мам, тебя дядя какой-то».

— Кто это может быть? — Она недоуменно пожала плечами, приложила трубку к уху и провалилась в какую-то ужасающую пустоту, но по молчанию и тяжелому ды-

ханию в трубке вдруг поняла, кто звонит. Ноги моментально стали ватными.

— Привет. Узнала? — раздался наконец усталый, чужой и хриплый голос. — Галька?

Она не отвечала, он уже подумал, что на линии помехи, такой мертвой была тишина, потом неожиданно ответила.

— Как ты меня нашел? — спросила помертвевшими губами.

— Значит, узнала! После стольких лет, — обрадовался Юра. — Слушай, мне нужно встретиться с тобой, — затараторил он, боясь, что она сейчас отключится.

— Как ты меня нашел? — упрямо повторила Галя.

— Трудно, что ли? Разыскал Альбинку через Сашку Семенова, она и дала твой номер.

— А ты что, в Москве?

— Да вот, приехал...

— А, — протянула Галя. И замолчала.

— Мне правда надо тебя увидеть.

Она все молчала, но и трубку не вешала.

— Я тут в гостинице «Украина» остановился. Номер пятнадцать тридцать четыре. Слушай, приходи, а? — продолжал уговаривать Юра. — Просто поговорим. Я очень буду тебя ждать.

— А что ж ты не домой поехал? — удивилась она.

— Ну, там сестра с мужем живет, у них ребенок маленький... Не хотел стеснять.

Всю ночь она промучилась сомнениями, наутро встала с тяжелой головой, еще более тяжелым сердцем и уверенностью, что никуда не пойдет. Женька озабоченно поглядел на мать и спросил, что случилось, не заболела ли она.

— Ничего, милый, ничего, — она погладила его по вихрастой голове и украдкой смахнула выступившую слезу. — Я здорова.

Утром снова звонил телефон, но она не взяла трубку.

В тот день у нее было всего четыре урока, а у сына, наоборот, еще занятия в кружке. В такие дни Галина Евгеньевна всегда торопилась домой, чтобы успеть зайти в магазин, постирать или убраться до прихода Жени, но сегодня ноги сами понесли ее в противоположную от дома сторону, к автобусной остановке. Взглянув на часы, она решилась и отправилась на Кутузовский проспект.

Юра, увидев ее, жутко обрадовался, наскоро обнял ее, усадил в кресло и все забрасывал вопросами, а она сидела ошарашенная, не могла ничего толком сказать и вообще не понимала, как и зачем сюда приехала.

— Как сын? Ты скажи прежде всего, как он поживает? Я ведь спрашивал потом у Альбины, как ты, а она со мной разговаривать не хотела... Только сейчас еле-еле уговорил твой номер дать. Ты уж ее очень не ругай, я на нее так насел, тут никто бы не выдержал, — он криво улыбнулся.

«Он какой-то потертый стал, что ли... — отметила про себя Галя. — Лысеет... И потолстел, вон пузо какое...»

— Сын хорошо, во втором классе учится, в шахматном кружке занимается. А как у тебя? Дети есть? — выдавила она наконец.

— Да вот жизнь так сложилась... Я женат, а детей нет. Она дочь генерала, у нас и квартира хорошая, и машину купили. Я теперь при штабе, подполковника дали. Словом, налицо все внешние признаки благополучной жизни, — горько усмехнулся он.

— А ко мне чего пришел?

— Хотел про сына спросить, я же сказал.

— Теперь уже поздно спрашивать.

— Я могу его увидеть?

— Нет, — быстро ответила она. — Ни к чему это. Нечего ребенка травмировать. Ты опять уедешь — а что мне ему говорить?

— А что ты ему вообще сказала?

— Ничего. Но когда он повзрослеет, я обязательно придумаю что-нибудь убедительное.

Он грустно кивнул.

— Ну, ты права, наверное... Так будет лучше и справедливее. И впрямь, чего мальчишке жизнь портить. Так уж сложилось, ничего назад не вернуть. Вот если б можно было, я бы, конечно, иначе поступил.

— Что, женился бы? — с вызовом спросила Галя.

Он отвел глаза в сторону:

— А чем черт не шутит, может, и с тобой бы остался. Испугался я тогда сильно, признаю, испугался как никогда в жизни. Ну, и заплатил за свою ошибку. Это факт, и я не хочу ничего менять. Просто я хотел бы не терять с вами связь, я же немногого прошу? Ну, пусть я не смогу видеться с сыном, могу я хоть звонить узнавать, как у него дела? Он же мой сын!

Галя судорожно пыталась убедить себя, что ее больше не волнует этот обрюзгший функционер. И с болью понимала, что все осталось по-прежнему. Она все еще любит его — несмотря на живот и начавшие редеть волосы. И это открытие доставило ей еще большие страдания, потому что походило на какую-то издевательскую гримасу судьбы. Зачем он разыскал ее? Чтобы сообщить, что женат на генеральской дочке и не собирается разводиться?

— Галь, а у тебя есть кто-нибудь? — вдруг спросил он, и она вспылила.

— Тебя это не касается! — произнесла с вызовом. — Прощай, мне пора. И не звони нам больше.

Встала и вышла из номера.

Больше они с Юрием никогда не виделись.

Зато с Женькой были большими приятелями. Пока он был маленьким, она была для него самым лучшим советчиком, о таком друге, искреннем, добром, неунывающем, можно только мечтать. Она никогда не жаловалась, весело и легко, как ему казалось, растила своего единственного сына.

Когда Лохнесс болел, она часами не отходила от его кровати, искала по городу дефицитные лекарства, обегая все аптеки, самозабвенно ухаживала за ним. Когда ему грозила опасность, она, обычно такая хрупкая и беззащитная, бросалась на его защиту, о чем бы ни шла речь — о стае мальчишек или о злобной тетке, которая делала ему замечание на улице.

Они читали вместе книги, разговаривали на все темы и почти все ее свободное время проводили вместе.

Об отце она говорила всегда только хорошо. На вопрос сына, почему у всех есть папы, а у него нет, отвечала весело:

— Папы есть у всех, даже у тех, у кого их нет. Маленькие мальчики и девочки никогда не появятся на свет, если у них не будет папы и мамы. А папа еще вернется, мы подождем немножко, и он вернется.

Она ждала его всю жизнь. Но он больше никогда не появлялся.

* * *

Мама давно закончила свой рассказ, а Евгений все еще сидел молча, боясь пошевельнуться. В комнате было душновато, но он не решился открыть форточку, опасаясь простудить больную.

Потом встал, подошел к ней, обнял и прошептал:

— Я очень люблю тебя, мамочка...

Ночью на собственной, купленной в его школьные годы тахте, которую мама никак не соглашалась выбросить, он долго не мог уснуть, все ворочался, прислушивался к ее тяжелому дыханию. Забылся сном только под утро, когда уже начало светать, и проснулся от необъяснимой тишины в комнате.

— Мама?

В ответ он ничего не услышал. Холодея от ужаса, бросился к ее кровати.

Она ушла тихо, во сне, как будто и в смерти не хотела никого потревожить. Сначала он тряс бесчувственное тело, что-то кричал, прислушивался к сердцу, потом вдруг все понял, обмяк и сел на пол рядом, держа ее в руках.

Сколько времени он так просидел, он не знал. Наконец он встал и отправился искать свой мобильный телефон. Звонил из кухни, метаясь по ней — находиться в той комнате, рядом с ней, было невыносимо.

* * *

Карина включила компьютер, набрала в поисковике нужные слова. Сайтов у лесбиянок было немного, но на них активно шло общение, участницы переписывались друг с другом. назначали встречи, вели отвлеченные разговоры. Был и раздел «Знакомства», в котором ищущие себе пару размещали анкеты. Она начала просматривать анкеты, потихоньку увлеклась и написала всем девушкам, хоть чем-то похожим на Фреду.

Потом Карина с нетерпением ждала очередного письма и постоянно проверяла свой электронный ящик. Каждый раз, подходя к компьютеру, первым делом искала синий конвертик внизу экрана. В течение недели ей ответили почти все девушки, но Фреды среди них не оказалось.

Она еще более внимательно изучила анкеты, подробнее останавливаясь на тех, что были без фотографии.

И, кажется, нашла.

Эта девушка, скрывавшаяся под ником Пламень, писала рублеными фразами, коротко, лаконично, грубовато, но в рамках вежливости. Ее тексты выдавали своеобразный острый ум, язвительность и оригинальность. Кроме того, она, как и Фреда, обращалась ко всем «подруга», и это вселяло надежду. Карина предложила ей

встретиться, та долго отнекивалась, ссылаясь то на одно, то на другое, но наконец согласилась.

После недели сомнений и ожиданий Карина воспряла духом. Она покрасила волосы, добавив им рыжеватый оттенок, сделала оригинальный маникюр, проехалась по бутикам и купила несколько новых вещей, не таких, как она привыкла носить, а более смелых и стильных.

Лена, так назвалась новая знакомая, предложила встретиться у одной из станций метро и дала свой номер мобильного.

В назначенное время Карина подошла к месту встречи, бросив машину в паре кварталов, остановилась напротив и стала напряженно вглядываться в толпу и особенно в останавливающиеся автомобили — не мелькнет ли среди них знакомый желто-зеленый цвет?

Прошло уже пятнадцать минут, но к ней никто не подходил. Она уже подумала, что встреча не состоится, возможно, она что-то перепутала, как вдруг ее окликнули. Карина обернулась и... Это была не Фреда.

Да, это была совсем не Фреда, а маленькая, ростом гораздо ниже среднего, полненькая белобрысая девушка. Волосы ее торчали в разные стороны неопрятными вихрами, отчего она напоминала воробья. Бесцветные серые глаза, не как у Фреды, многозначительно неопределенного цвета, а какие-то выцветшие, цепко следили за реакцией и мгновенно оценили произведенное впечатление.

— Привет! Пошли в кафе, тут рядом? — И, не оглядываясь, по-пацански положив руки в карманы и покачиваясь, точно матрос на палубе, она направилась в сторону ближайшего кафе. Карине, несмотря на ее обычную

бесцеремонность, почему-то не хватило духу повернуться и уйти.

Внутри Лена быстро выбрала свободный столик, заказала дешевую пиццу, пиво и выжидающе уставилась на Карину. Разговор не особенно клеился. Причем Карина с удивлением догадалась, что она тоже Лене не понравилась.

«Пламень» залпом выпила полбокала пива и вдруг ни с того ни с сего начала рассказывать свою несчастную историю любви, которых множество у каждой лесбиянки, как позже выяснила Карина. Потом выдернула сигарету из пачки и закурила.

— Ну а ты что про себя расскажешь?

Карина в двух словах обрисовала ей ситуацию с Фредой, признавшись, что сначала приняла Лену за нее.

— Да, бабы стервы, — улыбнулась с пониманием Лена. Она как будто даже расслабилась, узнав, что не представляет для Карины интереса. — Но так ты ее не найдешь. Похоже, твоя не из тех, кто ищет пару через Интернет. Ты лучше в «Акуле» как следует поспрашивай.

— А что это такое?

— Ты что, не в теме? Ну, ты даешь! — Лена впервые за всю встречу искренне засмеялась. — Туда все наши ходят, особенно по субботам.

Карина вспомнила, что встречала это название на страницах «розовых» сайтов.

— Вообще-то «Акула» — клуб для «стрейтов», — продолжала Лена. — Но в субботу туда проходят только наши девушки. Мужиков и геев не пускают. А натуралки и

сами не суются, нечего им там делать. Ну, вот там и пересечемся.

Лена записала адрес на обрывке салфетки и объяснила, как проехать. К удивлению Карины, клуб располагался не в центре, а на окраине.

Бросив взгляд на часы, Лена поднялась со стула со словами:

— Ну ладно, мне уже пора, и так опаздываю. Приятно было познакомиться. Ты пиши, может, еще чего придумаем.

Карина рассеянно кивнула, сжимая в руках салфетку, как самую дорогую в мире драгоценность.

В «Акулу» она отправилась на такси. Не хотелось, чтоб охранник Макс видел, куда она едет. Да и ее серебристая «Ауди», как она догадалась, была бы там совершенно неуместна. Интересно, если Фреда посещает такие заведения, то где оставляет свою машину и как одевается?

На сей раз Карина постаралась выглядеть попроще. Большинство столичных «розовых» не особенно состоятельные люди, и выделяться среди них она не хотела. Обычные джинсы (никто из этой публики и не догадается, что они стоят почти тысячу долларов), белая футболка, минимум косметики. Она уже заметила, что лесбиянки, в отличие от геев, не злоупотребляют косметикой.

Клуб располагался в здании бывшего то ли завода, то ли троллейбусного парка.

На крыльце две нетрезвые молоденькие девушки тискали друг друга в объятьях. Сильно пахло разлитым пивом. Карина заплатила за вход и прошла внутрь. На нее тут же обрушился оглушительный грохот музыки. Все

пространство клуба было заполнено, сидели на подоконниках, стульях, за столиками, обнимались, целовались, лезли друг другу под кофточки. Многие были пьяны, почти перед каждой стоял пластиковый стакан с пивом. Девушки делились на две явные группы: одни внешне похожие на парней, в мешковатой одежде, рубашках навыпуск, сутулые, коротко стриженные, без грамма косметики на лице, другие обычные, в юбках и косметике. Были и такие, которые как будто застыли в переходной стадии между этими двумя имиджами.

В зале, куда сначала попала Карина, располагался бильярд, бар, игровые автоматы. Перед туалетом выстроилась длинная очередь. Следующее помещение, отгороженное бамбуковой занавеской, оказалось танцполом, туда постоянно входили и выходили. Карина подошла к бару:

— Что у вас есть из напитков?

Брюнетка лет тридцати пяти с короткими волосами иссиня-белого цвета насмешливо произнесла:

— Пиво есть.

— А что еще? Кроме пива?

— В первый раз, что ли?

Карина кивнула.

— Могу предложить только коктейль. У нас еще нет лицензии на крепкий алкоголь.

Пришлось согласиться на коктейль. Барменша налила в бокал жидкость ядовито-зеленого цвета из цветной баночки.

Карина, поморщившись, расплатилась, забрала его и, с отвращением потягивая, отправилась на танцпол, попутно стараясь отыскать среди девушек Фреду.

В полумраке под светом прожекторов быстро двигались девичьи тела кто во что горазд. Сначала лиц было не разглядеть, но чуть позже глаза Карины начали привыкать к такому освещению. Множество девушек курили, пили и орали что-то друг другу в ухо, потому что иначе слов было не разобрать.

Она несколько раз обошла весь зал, заглядывая в лица, но никого похожего на Фреду не нашла.

Вдруг к ней кто-то подошел, схватил за плечо и потащил танцевать.

Она отпрянула. На нее посмотрели осоловелые глаза какого-то существа в мешковатом растянутом свитере.

— Епрст, — пролепетало существо и отправилось дальше. Карина почувствовала, что ее тошнит.

* * *

В ту ночь Карина напилась так, как не напивалась никогда в жизни. Воспоминания потом всплывали в памяти только отдельными эпизодами. Вот она танцевала медленный танец с какой-то низенькой толстухой, вот кто-то целовал ее в туалете, вот она сидела на автобусной остановке рядом с клубом в три часа ночи, пила пиво и разговаривала с какой-то коротко стриженной девушкой. Этот разговор запомнился более или менее подробно.

— А я вены резала спокойно, — невозмутимо говорила та, — три раза.

— Почему?

— Жить не хотелось. Но каждый раз откачивали. А я еще потом попробую.

— Зачем?

— Мы четыре года были вместе. Четыре года, понимаешь! А потом она ушла к другой. Просто пришла однажды домой и сказала, что больше меня не любит, что изменила мне. Изменила с нашей общей подругой, которую я считала за сестру.

— М-да, — тянула Карина, чтобы хоть что-то сказать.

— Понимаешь, — девушка отчаянно жестикулировала, разбрызгивая вокруг себя пиво. — Понимаешь, как ни страшно, но отношения тупиковые, асоциальные, тут друг друга ничего не держит вместе, кроме любви, ни деньги, ни обязательства, ничего. Можно, конечно, строить дома, хозяйство вести совместное, но это только осложнит жизнь, если что случится.

Она вдруг заплакала. Карина чувствовала себя налитой до краев бочкой, ей не хотелось ничего говорить, только сидеть так и не шевелиться.

— А ты тут чего делаешь? — обратила на нее внимание собеседница. — Я раньше тебя здесь не видела.

— Девушку ищу.

— Как ее звать-то?

— Лора... То есть Фреда!

— Фрида, что ли? Здоровая такая, у нее еще татуха в виде ангела вот здесь, — девушка показала себе на плечо.

— Нет, — покачала головой Карина. — Не она. Та Фреда, а не Фрида.

— Тогда не знаю. А из себя она какая?

Карина, как могла, описала Фреду.

— Чего-то тут я похожей не встречала, — искренне огорчилась собеседница. — Но ты поспрашивай. У нас все всех знают, мир тесен. Наверняка найдешь.

Решив последовать ее совету, Карина вернулась в клуб и продолжила расспросы. Но безрезультатно.

Утром Макс подобрал Карину на остановке, из-за выпитого алкоголя и усталости сама добираться она была не в силах и позвонила ему. Он хотел было что-то спросить, но наткнулся на ее неожиданно злой взгляд и промолчал.

Лену-«Пламень» она в тот вечер не встретила, но на другой же день списалась с ней по аське.

«А ты знаешь девчонку, которая вены резала?» — спросила в числе прочего.

«Это Ширу, что ли? — откликнулась собеседница, добавив ехидный смайлик. — Она тебе трагическую историю про измену рассказывала? Не верь ни слову. Да она сама своей девушке и изменила. И не резала вены, а просто один раз царапнула себя ножом по руке. А теперь ей себя жалко и она всем лапшу на уши вешает...»

Карина начала новую жизнь. Она уже поняла, что вряд ли когда-либо найдет Фреду. Может, она просто пригрезилась ей? То ли это было наваждение, то ли подарок судьбы, то ли случайность, но ей было суждено прикоснуться к волшебству, а теперь оно растаяло. Теперь ей предстоит жить дальше, неся в себе эту тайну.

Отныне мужчины для нее больше не существовали. Болтовня клиенток в салоне о своих и чужих любовниках, своих и чужих мужьях, их достоинствах и недостатках теперь оставляла Карину совершенно равнодушной. Она смотрела на своих клиенток только под одним углом зрения: мое — не мое. Чаще было «не мое».

Память тела о Фреде сидела в ней как заноза. Тело жаждало любви, и, раз Фреды не было, Карина решила искать ей замену. Завела несколько знакомств через Интернет, выбирая коротко стриженных спортивных брюнеток, но не таких, которые подражали мужчинам, а имевших свой собственный стиль, желательно тонкий и элегантный. Иногда по старой памяти заходила в «Акулу», посещала и другие клубы. В общем, ей нравилось. Не хватало чего-то, конечно, но все равно нравилось.

Единственное, что напрягало Карину, — это родня. Каждая поездка в гости к «своим» грозила скандалом. Приезжая к матери, она раз за разом подвергалась сначала расспросам, а потом и упрекам. Разговор всегда начинался одинаково. После чая, вымыв посуду, мать вытирала мокрые руки о полотенце, садилась напротив Карины на кухне и смотрела на нее тяжелым взглядом:

— Ну, как у тебя?

Интересовало ее при этом не здоровье дочери, не ее настроение и даже не дела в салоне, а исключительно ее личная жизнь. Карина отмалчивалась или пыталась перевести разговор на другую тему, но это не получалось.

— Что, мама? Что не так? — взрывалась тогда Карина. — Деньги я зарабатываю, себя содержу, семье помо-

гаю. Что еще я должна делать, чтобы ты от меня отстала? Ты с детства мной недовольна, дай мне хоть сейчас пожить по-человечески.

Мать поджимала губы и отворачивалась к окну:

— Ты все сказала?

Карина нервно дергала головой, как будто прогоняя назойливое насекомое.

— Тебе сколько лет сейчас? — спокойно спрашивала мать. — Скоро тридцать? Не пора ли подумать о детях? Когда еще родишь? Мужа упустила, а теперь что?

Об особенных пристрастиях дочери она, конечно, и не догадывалась.

— Успеется, — мрачно отвечала Карина. — Сначала на ноги встать надо.

— Отец был бы тобой недоволен, — продолжались упреки. — Женщине не делами надо заниматься, а семьей. Пусть братья деньги зарабатывают, ты о другом подумай.

— Всегда ты так: братья, братья... А я вечно на втором плане.

— Так положено. Они мужчины, ты женщина.

— У Гуссейна и Карена семьи есть, им о них заботиться надо. А кто обо мне подумает?

— Замуж тебе опять нужно, муж и подумает. Кто тебя будет любить, когда нас не станет? Я не смогу умереть спокойно, зная, что ты одна остаешься...

Эти нотации утомляли и раздражали Карину. Ей не хотелось разочаровывать родственников, где-то глубоко внутри она чувствовала свою вину, что не слушает их, все-таки воспитана она была в восточной семье. И уж

конечно, Карина боялась, что мать узнает о ее недавно открытой в себе склонности. Ну не объяснишь же матери, что ее тошнит от мужчин, от их грубых волосатых тел. А дети... Зачем ей дети?

* * *

Маринка, жена Лохнесса, приглянулась ей сразу, с первого взгляда. Карина заехала поздравить своего бывшего мужа с днем рождения, а заодно и потолковать о покупке нескольких компьютеров для ее салона. После развода Крутилины стремились сохранять цивилизованные отношения, тем более что само расставание прошло спокойно, да и совместные дела у них оставались.

День рождения проходил в загородном коттеджном комплексе на берегу водохранилища. Лохнесс снял несколько домиков и разместил в них всех своих гостей. Празднование началось в пятницу вечером. На следующее утро Марина проснулась рано, ее мутило от выпитого накануне, во рту все пересохло. Она выбралась из постели и, стараясь не разбудить Женю, вышла на улицу.

Рядом с потухшим мангалом на длинных деревянных столах валялись остатки вчерашней еды, пустые бутылки из-под пива и крепких напитков, пластиковые тарелки. Марина нашла одну нераспечатанную бутылку минералки, открыла ее и жадно сделала несколько глотков. На скамейке перед мангалом курила темноволосая женщина лет тридцати. Марина ее не вспомнила.

— Простите, у вас сигареты не будет? — спросила она, зябко кутаясь в кофту.

Карина молча протянула пачку, внимательно разглядывая ее лицо.

Марина закурила и взглянула на женщину.

— Извините, а как вас зовут? Вы из наших гостей? Просто вчера я вас тут не видела...

— Я Карина, — она усмехнулась, — бывшая жена Лохнесса, то есть Жени, конечно. Вчера я не смогла приехать, меня задержали дела.

Марина растерянно разглядывала гостью, потом махнула рукой:

— Ну, наконец-то познакомились. Меня Женя предупредил, что вы должны приехать. Мы вас вчера ждали. По правде говоря, я вас немного побаивалась. А тут смотрю, вы такая...

— Какая?

— Красивая, — Марина звонко рассмеялась. Видно было, что она не особенно напрягается от двусмысленности ситуации и уж точно не испытывает угрызений совести.

Белокожая, русоволосая, с высокими и стройными ногами, узкими лодыжками и пышными формами — все это Карина оценила в одно мгновение. Так вот на кого променял ее Лохнесс!

«Что-то сладко ему живется, — зло думала Карина за завтраком. — Маринка слишком хороша для него. Зачем ему эта красотка, ведь он весь в своем деле, в своих цифрах. А она, по всему видно, скучает в большой квартире одна. Вон как стреляет глазками на мужиков. Девчонка любит роскошь, бриллиантики-то на шее стоят, пожалуй, немало... Видать, балует ее Лохнесс. Но если бы она любила Лохнесса, то так бы глазками не стреляла».

В середине дня, когда снова были пожарены шашлыки, выпито много алкоголя и спето много песен, к Карине, которая сидела за столом и с аппетитом уплетала грушу, вдруг подошла Марина, бывшая уже навеселе.

— Слушай, — Марина наклонилась к ней, окутав облаком терпких духов, обняла за плечи и зашептала: — А ты не сердишься на меня? Ну, скажи как есть...

— И думать забудь! Я на тебя не сержусь. Сама во всем виновата, — Карина рассмеялась. — Ничего просто так не бывает.

— Ну да, ты ведь и сама не на бобах осталась, верно? Вот у тебя свой бизнес, и живешь припеваючи.

«А девочка-то с претензиями», — мелькнуло в голове у Карины.

— Давай выпьем? — предложила вдруг Марина. — За женское взаимопонимание?

Прошло уже больше получаса, а они продолжали весело болтать. Марина, изначально относившаяся к Карине настороженно, почему-то не увидела в этой женщине соперницы. Очевидно, та и впрямь не испытывала никакого сожаления по поводу развода.

— Приходи ко мне в салон, — на прощание сказала ей Карина, оставив визитную карточку, на которой золотыми тиснеными буквами значилось: «Карина Мамедова. Салон Vis Divina».

— Что такое «Vis Divina»? — захлопала ресницами Марина.

— Стихия или неодолимая сила, — снисходительно перевела владелица салона. — Что-то вроде этого. Приезжай, у меня там на самом деле мастера классные.

* * *

Казалось, благополучие, к которому всю свою сознательную жизнь стремилась Марина, наконец настало. И первое время Марина упивалась исполнением всех желаний. Квартира, машина, наряды, драгоценности — все это точно упало с неба к ее ногам. А потом она заскучала, постепенно все вокруг стало казаться пресным. Делать абсолютно нечего. Муж все время работает, выводит ее в свет крайне редко. С бывшими подругами, не скрывавшими своей зависти, а подчас и злобы к ее успешному замужеству, пришлось расстаться, а новых Марина так и не приобрела. Даже хозяйство — и то вела приходящая домработница.

На столиках валялись стопки женских журналов, когда-то таких желанных, но она даже не брала их в руки. А раньше тратила чуть не все деньги на покупку глянца, иногда даже лишая себя обеда. Теперь журналы, книги, диски с музыкой и фильмами — все пылится на полках.

Зато Марина полюбила играть в компьютер и сидеть в Интернете. Порой она целыми днями торчала перед монитором, гоняя по экрану цветные шарики или общаясь на форумах. Но переводить виртуальные знакомства в реал не спешила — побаивалась. Мало ли что...

Как и первая жена Лохнесса, со своей работы она ушла еще до свадьбы, по настоянию жениха. Как и Карину, долго уговаривать ее не пришлось.

Крутилин, заметив, что вторая жена мается без дела, все время пытался что-то придумать. То предлагал получить высшее образование, то записаться на языковые курсы, то брал ей абонемент в школу верховой езды. Но ездить на лошадях Марине не понравилось, учить английский показалось скучно, а вуз и специальность она выбирала себе уже второй год и все никак не могла выбрать.

И ребенка, о котором все чаще заговаривал муж, ей тоже пока не хотелось. Молодые еще, надо и для себя пожить. Кто сказал, что надо обзаводиться детьми сейчас? Вон на Западе женщины и в сорок, и в сорок пять рожают...

Словом, изо дня в день Марина занималась тем, что элементарно убивала время. Ходила по магазинам, ресторанам и кинотеатрам, а то и просто каталась на машине по городу или, если была хорошая погода, прогуливалась пешком.

В один из таких погожих дней Марину занесло на Никитский бульвар, где она еще никогда не была. Молодая женщина лениво брела по тротуару, рассматривая витрины и вывески, и вдруг увидела название «Vis Divina», показавшееся ей знакомым. Ну конечно же, это салон Карины! С момента их встречи прошло уже месяца полтора, но сейчас бывшая жена Лохнесса вспомнилась необычно ярко, и ей вдруг почему-то захотелось ее увидеть. Как ни странно, но Карина понравилась Марине, у них в тот день обнаружилось много общих тем и интересов. Вот только оказалась ли эта симпатия взаимной? А то еще неизвестно, как встретит ее Карина...

«Зайти, что ли, в салон? — размышляла Марина. — Как раз можно маникюр сделать, да и массажик какой-нибудь...» К тому же хозяйка вроде бы сама приглашала

ее, визитку дала... Но кто ее разберет, эту лису, искренна она была тогда или нет?

«Решено, пойду. Не понравится — так уйду тут же, и всего делов».

Марина поднялась по нескольким ступенькам, стеклянные двери автоматически распахнулись перед ней, приглашая окунуться в мир шика и роскоши. Салон был оформлен в салатовых и золотых тонах. На стенах висели рисованные портреты молодых красивых женщин, было много живых цветов, тихо играла приятная музыка. Во всем чувствовались вкус и уют.

К ней тут же метнулась девушка в идеально сидящем темно-зеленом костюме с безукоризненной прической.

— Чем могу вам помочь? — приветливо спросила она.

— Я правильно понимаю, что это салон Карины Мамедовой? — высокомерно произнесла Марина и капризно надула губы.

На холеном лице администраторши отобразилось понимание.

— Хотите увидеть Карину Азизовну? Она сейчас на месте. Как вас представить?

— Я жена ее бывшего мужа, — сказала Марина и, увидев изумленное лицо девушки, звонко рассмеялась, довольная достигнутым эффектом.

— Подождите секундочку, — пролепетала администратор и, пятясь, скрылась за отделанной золотом дверью. Меньше чем через минуту эта дверь отворилась, и на пороге возникла Карина с раскрытыми объятиями:

— Мариночка! Как я рада тебя видеть! Проходи, дорогая, — и, подхватив гостью под руки, Карина увела ее в свой кабинет. Он был оформлен в том же стиле, что и салон, но тут было гораздо больше хромированных и металлических современных деталей, вроде модного тонкого ноутбука. Одну из стен полностью занимал аквариум, в котором плавали огромные рыбы устрашающего вида. Пахло какой-то приятной восточной пряностью.

— Садись, — Карина указала на удобное кресло. А сама опустила жалюзи на двух выходящих во двор окнах и зажгла несколько свечей. По кабинету разлился уютный приглушенный свет.

— Нравится тебе у меня? — спросила Карина.

— Классно! — искренне отвечала гостья.

— Так заходи почаще! Мы ведь с тобой не чужие. Даже можно сказать, родственницы — по Лохнессу, — рассмеялась Карина. — Что тебе принести? Кофе? Зеленого чаю? А может, что-нибудь покрепче? Ликер, вино, коньяк?

— Я бы выпила бокал вина.

— Красное, розовое, белое? Сухое или послаще?

— Десертное, если можно.

Не прошло и нескольких минут, как перед ними появились вино, орешки, ваза с фруктами, конфеты, маленькие пирожные... Марина только ахнула.

— Ты прямо целый стол накрыла...

— Ну а как же! Знаешь, как у нас на Кавказе говорят? «Гость в дом — радость в дом»... Сигарету хочешь?

— Хочу. — Марина прикурила от протянутой ей зажигалки и с удовольствием затянулась. — Вообще-то я

стараюсь не курить, Женя этого не любит, но иногда так хочется...

Взглянула на Карину и осеклась.

— Извини... Тебе, наверное, неприятно, когда я говорю о Жене, да?

Но та только рассмеялась.

— Перестань! Я же тебе говорила: рано или поздно я бы сама от него ушла. Мы с ним не пара. Что ни делается — к лучшему. Он, в общем-то, неплохой, не жадный. Тебя, наверное, балует...

— Да, он не жадный, — только и могла сказать Марина.

Дома за ужином она с восторгом делилась с Крутилиным своими впечатлениями от Карины:

— Она такая классная, умная, деловая! О тебе — только хорошо.

— Как о покойнике, — зло пошутил Евгений. И добавил: — Знаешь, Маришка, мне не хотелось бы, чтоб вы общались.

Марина удивленно подняла брови:

— Почему?

— Потому, что я уже много раз слышал, что Каринка травку покуривает, а может, и чем покруче балуется, — Лохнесс строго посмотрел на жену. Та потупила глаза.

До того, как начались их отношения, Марина иногда употребляла марихуану и во время одного из первых свиданий предложила косячок и ему. Но Крутилин, ярый противник наркотиков в любом виде, пусть даже в «безобидном», отказался.

Однажды, еще в универе, один из однокурсников дал ему попробовать забитую травкой половинку «беломорины». Сначала он ничего не почувствовал, только легкую слабость и головокружение, и лишь неловко улыбался, глядя на веселившихся однокурсников и не понимая, что это с ними происходит. Но когда он уже ехал домой на метро, сознанием вдруг овладела странная мысль — он непременно должен пересчитать всех пассажиров в вагоне, иначе никогда не сможет выйти из поезда.

И Женька отправился вдоль по вагону, ведя счет сначала мысленно, а потом и указывая пальцем на людей. Раз, два, три... Считать отчего-то было трудно, он все время сбивался и начинал снова. На него оглядывались, кто-то с опаской сторонился, кто-то хихикал. Вдруг парню показалось, что он задыхается, счет пришлось прекратить. «Это конец! — пронеслось в голове. — Теперь я останусь здесь навсегда...»

«Станция «Спортивная», — раздался механический голос из динамика.

Увидев открывающиеся двери, Лохнесс опрометью выбежал из вагона и долго не мог отдышаться. То, что довелось пережить в вагоне, потрясло его. Оказывается, нет ничего страшнее, чем понимать, что твое сознание больше тебе не принадлежит...

Словом, тогда Крутилин не только отказался кайфовать на пару с Мариной, но и взял с нее слово забыть о травке раз и навсегда. Марина, на тот момент всеми правдами и неправдами старавшаяся его окрутить, поклялась завязать и пока не нарушила своих обещаний.

— Конечно, любимый! — проворковала она. — Раз тебе это неприятно, то я больше никогда не буду ходить в салон Карины. Мало, что ли, в Москве других салонов красоты?

Марина оставалась верна своему слову... ровно три дня. А на четвертый снова отправилась на Никитский бульвар. И с тех пор уже ездила туда часто, раза два-три, а иногда и четыре в неделю. Жены Лохнесса, бывшая и настоящая, стали подругами. Их общение мирно протекало за чашкой зеленого чая, за обедом с бокалом вина, за обычными сигаретами, а потом и с травкой. Иногда они ходили в кино, на модные премьеры в театр, на всякие фуршеты и презентации. Но им гораздо больше нравилось проводить время вдвоем. В отличие от Карины, Марина была мягкой, домашней, она своими повадками напоминала кошечку. А ее лодыжки просто сводили Карину с ума.

Как-то Марина засиделась у новой подруги допоздна. Они болтали, потягивая мартини.

— Мариночка, — Карина просительно заглянула ей в глаза, — ты бы не могла размять мне затылок, что-то там тянет.

Марина с радостью бросилась выполнять просьбу подруги. Но то ли пальчики ее были очень неловкими, то ли просто умения недоставало, но очень быстро она сдалась.

— Не могу больше, руки устали. Сил не хватает. И как это ловко твои девчонки делают...

— Здесь не нужна сила, это надо делать очень нежно. — Карина встала с кресла. — Давай я тебе покажу.

Она осторожно, одними кончиками пальцев, провела по шее Марины, нащупала нужные точки и стала их поглаживать. Затем ее руки опустились ниже, она стала круговыми движениями массировать плечи. Когда ее пальцы, горячие и подрагивающие, коснулись груди Марины, пробежались мелкой рябью по ее упругим соскам, она остановилась, затем наклонилась и поцеловала Марину в губы.

Реакция Марины была странной и неожиданной. Она лишь молча смотрела на подругу. Пауза явно затянулась, Карина сказала:

— Согласись, ни один мужчина не сможет так... как это делаю я... Если ты захочешь, я продолжу. Если тебе неприятно, мы никогда больше не увидимся.

— Ну что ты, — Марина поднялась во весь рост. — Я не хочу с тобой расставаться. И мне нравится, мне очень нравится, как ты это делаешь.

И в подтверждение своих слов Марина взяла в свои ладони Каринино лицо и нежно поцеловала.

Начало бурного романа совпало с началом финансовых проблем Крутилина. И хотя ничто пока еще не предвещало полного краха, он видел признаки надвигающегося кризиса, тревога заставляла его сидеть до поздней ночи над документами и ломать голову над тем, как выпутаться из беды. И, конечно, он не подозревал, что все обернется так плохо. Он приходил в час ночи домой, валился в постель и засыпал, едва только голова его касалась подушки. За своими заботами он просто не замечал, что Маринка слишком часто стала приходить домой незадолго до него, что, ложась в постель рядом с ним, она

тоже быстро засыпала. Он был издерган неудачами, сыпавшимися на него со всех сторон, и ему было не до того, чем занята его жена. А Марина все чаще и чаще виделась со своей любовницей, она возвращалась домой как шальная, смесь травки, секса и запрета пьянила ее. Она уже перестала думать о том, что может все потерять, тем более что была уверена — Женя ничего не подозревает.

В тот вечер Марина предупредила Крутилина, что пойдет в театр, так как он все равно не планировал появиться дома до часу, а то и двух. Но встречу пришлось перенести, и Лохнесс приехал домой гораздо раньше, чем планировал, где-то около половины десятого.

Марины, конечно, не было. Женя сам разогрел в микроволновке приготовленный домработницей ужин, включил телевизор, поел, посмотрел боевик. Жена все не возвращалась, хотя было уже за полночь.

Лохнесс заволновался. Странно, почему ее так долго нет? Во сколько обычно заканчиваются спектакли? Ну в девять, в десять, самое позднее — в одиннадцать. Давно должна быть дома, учитывая, что практически все театры находятся в центре. Может, в пробке стоит? Так вроде поздновато уже для пробок...

Мобильник жены не отвечал, но такое бывало нередко — иногда она просто не слышала звонка спрятавшегося где-то в недрах сумочки телефона. Крутилин уже собрался позвонить личному водителю супруги, но тут услышал, как проворачивается ключ в замочной скважине, неуверенно и как-то воровато. Затем послышались нетвердые шаги. Марина вошла, слегка покачиваясь.

— Ну, что ж ты так долго? — сделал к ней шаг Лохнесс.

— А ты чего, скучал без меня, что ли? — спросила, с некоторым трудом выговаривая слова, и вдруг расхохоталась, как будто сказала что-то очень смешное. Вид у Марины был взлохмаченный, глаза горели лихорадочным блеском, помада размазалась по щеке.

— Ты что, пьяна? — спросил он с беспокойством.

— Нет! А что? Ты же меня отпустил, — невпопад ляпнула она.

— Но сейчас так поздно! А ты сама говорила, что будешь дома не позже одиннадцати, — он попытался придать голосу строгость, но внутри была лишь радость от того, что она наконец-то рядом и с ней ничего плохого не случилось. Ну, выпила в кафе с подружкой пару лишних коктейлей, ничего страшного.

Она молчала, потом, устало привалившись к стене, стала стаскивать с ног высокие сапоги с длинным тонким каблуком.

— Ну-ну. — Он ушел на кухню и сел за стол.

— Я же пришла. — Она зашла за ним и примирительно положила руку ему на шею.

Он вдруг резко повернулся к ней и принюхался. От нее пахло тонкими духами, сигаретами и чем-то еще, но это был не алкоголь. От одежды тоже шел подозрительный запах.

— Что это? — Он резко тряхнул ее за плечо, она покачнулась, как кукла, и чуть не упала.

Марина капризно надула губки, отвела его руку и, всем своим видом демонстрируя, что обиделась, опустилась на диван.

— Марина, подожди, — до него вдруг начало доходить. — А я не сразу догадался, в чем дело... Марин, ты что? Ты опять травку куришь? — Он был вне себя. — Ты же обещала мне!

— Ну и что, я немного, слабенькую... — вяло оправдывалась жена.

— Господи! — закричал Крутилин. — Еще ты... Я запру тебя, ты этого хочешь. У меня все летит к черту, а я еще должен за тобой присматривать?..

— Она несильная, — затараторила Марина. — Привыкнуть к марихуане невозможно, а вреда меньше, чем от обычной сигареты, с помощью вещества, содержащегося в ней, даже делают лекарства, но правительствам невыгодно, чтобы наркотики были легальными, потому что...

— Да что ты несешь? Где ты этой чуши набралась? Ты знаешь, сколько людей умерло от этого так называемого безвредного наркотика?

Он вдруг взорвался, лицо его исказилось гримасой. Евгений схватил жену за плечи, тряс, кричал, ругался, требовал поклясться никогда больше этого не делать.

Марина никогда не видела своего супруга таким разъяренным. «Еще запрет, чего доброго, — испугалась она. — И сиди здесь как клуша...»

— Ладно, я обещаю тебе, больше никогда... Только пусти.

Руки мужа бессильно опустились.

— Как же ты не понимаешь, глупая, я так волнуюсь за тебя...

— Что ты, что ты, успокойся. — Она обняла его и прижалась к нему, как только она умела. — Я больше не буду, обещаю тебе.

Женька обмяк от ее прикосновения. Потом она уже плакала у его ног, а он обнимал и успокаивал ее.

Марина сказала, что после театра случайно встретила в кафе старую подругу и та позвала ее к себе в гости и угостила марихуаной... Она сидела перед ним испуганная, и он вдруг остро почувствовал, как она ему дорога, именно такая, заплаканная, трогательная, с размазанной косметикой на лице. В ту ночь они вообще не ложились спать. А утром Крутилин позвонил Вике и попросил отменить все его встречи. Они с Мариной поехали в центр и гуляли, как школьники, сбежавшие с уроков, по зоопарку, Патриаршим прудам, старым улочкам и переулкам. Острое ощущение счастья не покидало Лохнесса, ему казалось, что все еще можно исправить...

Через пару дней Карина позвонила Марине и пригласила в ресторан.

Марина замешкалась, сказала, что Крутилин, кажется, догадывается о травке и вполне может догадаться и об остальном...

— Не бойся, — рассмеялась Карина. — Сегодня у него важное собрание акционеров, мой брат туда поедет, раньше одиннадцати твой Крутилин домой не явится. А мы с тобой только поужинаем вместе. Тут такое чудное местечко открыли! Какие там омары в апельсиновом соусе, пальчики оближешь!..

«Была не была, — решила Марина, — что я, в самом деле, заперта, что ли, здесь? Ничего он мне не сделает...»

Но, поужинав, они, конечно, поехали к Карине...

И вскоре семейная сцена у Крутилиных повторилась. Не сразу, месяца через два, но по той же схеме. Евгений опять вернулся в неположенное время и наткнулся на ту же картину: тот же остекленелый взгляд в никуда, тот же беспричинный смех...

Тогда они серьезно поссорились. Лохнесс даже грохнул об пол керамический кувшин, привезенный ими из Италии, крича:

— Я не хочу, не желаю, не допущу, чтобы моя жена употребляла наркотики, слышишь?

А Марина сидела на кресле, с интересом наблюдая за мужем, и громко смеялась.

* * *

Карина ждала Марину у себя дома, сидя в глубоком кресле и потягивая ликер. С утра она побывала у себя в салоне, обновила прическу, сделала макияж, спа-процедуры, галечное обертывание и теперь чувствовала себя на седьмом небе. Возраст, как давно поняла Карина, заключается в грузе проблем и накопленном опыте, который давит на человека, а не в количестве прожитых лет. Просто обычно эти параметры совпадают. Она нагляделась на женщин, очень богатых, которые постоянно только тем и озабочены, чтобы выглядеть моложе. И что же? Сколько они ни стараются, все равно что-то им мешает. Не зря говорят, что возраст выдают глаза. Бывает, удается напрочь стереть с лица все индивидуальные черты, все признаки возраста, остается гладкий белый лист. Но глаза никуда не денешь. А в них все — проблемы, усталость от жизни, тревоги, озабоченность, как бы не выпасть из обоймы, как бы не упустить богатого любовника, продюсера, влиятельных знакомых... Что происходит с глазами? Они становятся как у загнанной волчицы... Поэтому давным-давно Карина решила себе взять за правило никогда и ни из-за чего не переживать. Что бы ни произошло. Даже если это проблемы с родными. Пусть хоть все горит синим пламенем. Правда, в последнее время выполнять это правило ей не очень-то удавалось. Новые отношения захлестнули ее с головой, и она все чаще ловила себя на том, что переживает, по-настоящему переживает из-за них. Особенно она переживала из-за Фреды, но теперь это осталось позади.

В салоне ее обслуживал ее любимый Степан, немного мягкотелый, но в целом талантливый парикмахер. «Да и с клиентками умеет общий язык найти, далеко пойдет. Зверевым, конечно, не станет, да Зверев у нас один», — думала Карина, пока его ножницы порхали над ее затылком. Он быстро управился, правда, казался сегодня каким-то грустным, как будто думал о чем-то неприятном. Карина даже хотела задать вопрос, но потом раздумала. В конце концов, если у него есть проблемы, пусть сам их и решает. На то она и платит такую зарплату, а в ее салоне так престижно работать, чтобы все свои проблемы персонал оставлял за порогом.

Затем Карина приказала Максу отвезти ее в элитный гипермаркет и долго, придирчиво выбирала вино к предстоящему вечеру, дорогой сыр, закуски, суши, мясо для горячего. Потом забрала из пекарни эксклюзивный торт,

который заказала за неделю. На нем была изображена пара голубок, нежно приникших друг к дружке.

«Для любимого человека совершенно не напрягает заботиться о глупых и, казалось бы, незначительных мелочах», — думала Карина, возвращаясь в машину.

До назначенного времени еще было несколько часов...

С тех пор, как она начала встречаться с Мариной, казалось, прошла вечность, а всего-то, если рассудить, несколько месяцев. За это время так кардинально поменялась ее жизнь. В ней появился смысл.

Наконец-то Карина смогла избавиться от призраков прошлого. Ни Лора, ни Фреда больше не мучили ее, они отмерли, как отмирает надломанная ветка молодого сильного дерева. Что там Фреда? Жалкое ученичество, предвестник настоящей страсти. А уж Лора тем более... Но Карина была благодарна им обеим — без Фреды и Лоры, без этой сладкой и мучительной инициации не было бы этого волшебства.

Теперь ее жизнью, ее будущим стала Марина. Подумать, какая ирония судьбы! Она хочет отбить новую жену своего бывшего мужа. И ни страха, ни ревности к нему, только к ней. Представлять, как он обнимает ее, как целует, подчас было невыносимо, Карина старалась тут же избавляться от этих мыслей.

Это ненадолго. Она что-нибудь придумает. А пока она радовалась тем немногим минутам, которые им доводилось проводить вместе. Время и правда останавливалось в такие моменты.

Затренькал телефон. Карина, погруженная в свои мысли, вздрогнула и инстинктивно дернулась к аппарату, но чуть осадила себя, нажала на кнопку только через несколько секунд и спокойным, хорошо поставленным голосом проговорила:

— Слушаю.

— Зайчик? — раздался воркующий, чуть капризный тоненький голосок. — Я тут в пробке застряла, опоздаю чуток, ок?

«Ну как же, в пробке, наверняка еще даже не вышла из дома, все глазки красит», — подумала Карина скорее с нежностью, чем с раздражением.

— Да, я жду тебя, приезжай поскорей.

Она повесила трубку. Ни разу не было случая, чтобы Марина не опоздала. Ну, хоть предупреждает, и то хлеб. Ничего, времени у нее много. Карина налила себе еще немного ликера (она уже порядком опьянела) и внезапно расхохоталась

В последнее время с ней стали происходить совсем уж необычные вещи. Она никогда не отличалась особой страстью к литературе, не интересовалась книгами и вообще считала себя человеком, далеким от лирики, но вдруг она начала писать стихи.

Это стало потребностью — изливать на бумагу свою боль, которая теперь так, неважно, удачно или нет, облекалась в строчки.

Сначала она писала для себя, потом Марина как-то нашла обрывки неосторожно брошенной бумажки и, удивленно подняв брови, спросила:

— Что это? Ты пишешь стихи?

Карина вдруг замялась, покраснела, как школьница, но все-таки призналась:

— Да...

— И о чем тут?

— О тебе.

Со временем это стало частью их любовной игры. Карина отсылала стихи на электронный ящик своей подруги или передавала в конверте после свидания, и Марина, тоже никогда не имевшая дела с поэзией, приходила в восторг от этих безыскусных нескладных строчек.

И сейчас Карину снова накрыло вдохновение, она легко, как кошка, вскочила со стула и подошла к столу, быстро заскользила ручкой по бумаге. И сама не заметила, как прошло полчаса.

Раздался зуммер домофона, чуть позже — звонок в дверь. Карина быстро оглядела себя в зеркале и, оставшись на все сто довольной увиденным, открыла дверь.

— Любимая, — выдохнула она и зарылась лицом в волосы Марины.

— Привет! Есть травка? — поинтересовалась та, снимая куртку. — Так давно не курила...

После плотских утех любовницы лежали на широкой кровати, лениво потягивая уже согревшееся шампанское.

— Эх, Каринка, Каринка, как я тебе завидую, — Марина потянулась всем телом. — У тебя такая жизнь интересная! Твой салон уже на всю Москву известен, о тебе даже в светской хронике пишут. А я все время сижу дома и скучаю...

— Ну, тебе же это нравилось вроде? — усмехнулась Карина. — Тебя Крутилин за то, что ты такая домашняя и плюшевая, и выбрал...

Марина, вместо того чтобы обидеться на явную двусмысленность, лишь вздохнула.

— Да я сама была в такой ситуации, дома действительно скучно, — продолжала Карина. — Может, тебе заняться чем-нибудь? Хобби какое-нибудь завести, сейчас это модно. Кукол там делать или бижутерию... Певицей стать или, еще лучше, писательницей... А что, это идея! Наймешь пару способных студентов из Литинститута или с журфака, они пусть пишут, а ты печатайся. Будешь по телевизору выступать, на тусовки ходить... Или дизайном интерьера займись! У тебя вроде способности есть... Лохнесс говорил, что ты так квартиру обставила... Жаль, я не видела.

— А ты приезжай как-нибудь, посмотри, — оживилась Марина.

— То-то Лохнесс обрадуется...

— А ты приезжай, когда его дома не будет.

— Как он, кстати?

— Ужасно! — надула губки Марина. — Ругаемся все время. К счастью, он редко дома бывает, какие-то у него там проблемы с бизнесом.

— Ясно. — Карина поднялась, принесла из холодильника новую бутылку шампанского, открыла, разлила

по бокалам, один протянула Марине и, отпив глоток, пристально посмотрела на обнаженную подругу.

— Ты не думала уйти от мужа? — тихо спросила она.

— Интересно, а жить на что? — Марина даже закашлялась от возмущения. — Опять работать идти? В фитнес-клуб, за копейки? Вот уж нет. Никогда! Лучше уж так. Бедность мне не к лицу, знаешь ли, я ее считаю большой пошлостью, — добавила она фразу, явно откуда-то позаимствованную.

Карина только усмехнулась.

— Мариш, а ты помнишь, как мы увиделись в первый раз? — поглаживая плечо подруги, томно спросила она.

— Кажется, ты приехала на день рождения Лохнесса, — сказала Марина, отставляя пустой бокал. — На эту кошмарную турбазу...

— Ты, глупышка, и ведь подумать не могла тогда, что любовь может быть такой, правда?

— А ведь я могла этого никогда и не узнать.

— Не могла, — ласково целовала ее Карина. — Я бы тебя ни за что не пропустила.

— Ты перевернула всю мою душу. А твои стихи... Мне никто еще никогда не писал стихи, — повернувшись на бок и глядя в глаза подруги, произнесла Марина. — Мужчины мне теперь на фиг не нужны. Единственное, что меня в них привлекает, — это их деньги.

— Ты не должна об этом беспокоиться, — Карина сразу вся напряглась. — Да, мужчины — это всего лишь машины для добывания денег. Но хоть у них это неплохо получается, я, то есть мы, женщины, тоже умеем это делать. Ты должна довериться мне во всем, и в этом вопросе тоже.

— Мне с тобой очень хорошо, — Марина прижалась к ней.

— Женщина всегда лучше поймет и почувствует женщину, им не надо объяснять, как надо любить их тело... — Карина открытой ладонью слегка прикоснулась к коричневому бугорку на груди Марины. — Какое же у тебя все красивое... Знаешь, я очень ревную тебя к Лохнессу. Как представлю, что вы вместе...

— Вместе?.. — Марина громко засмеялась. — Да ты что, какое там вместе! От него несет одними проблемами. А я не люблю проблем... Я ему так вчера и сказала...

— Ты ведь его не любишь больше... — Карина была вкрадчива, как кошка. — Ты ведь теперь любишь только меня. Теперь я буду заботиться о тебе.

— Да, теперь ты... — Марина смотрела на подругу сквозь пелену наркотического тумана. — Мы поедем во Францию. И там поженимся. Там это можно.

— Надо будет — и туда уедем, — как глава новоиспеченной семьи, ответила Карина.

Как только она поняла, что нашла свою любовь, Крутилин стал ей мешать. Ей не хотелось делить с ним Марину, ей хотелось, чтобы бывшего мужа не стало. Ночами, лежа с открытыми глазами, она смотрела в потолок и как могла истребляла Лохнесса. То он у нее попадал в автомобильную катастрофу, то разбивался на самолете при посадке, то захлебывался по пьяни в джакузи у себя же дома, то выпадал из окна... Если бы Крутилин знал, как она его теперь ненавидела!..

* * *

А тем временем над Лохнессом все сгущались и сгущались тучи. Это были какие-то кошмарные осень и зима. Мировой кризис, сначала не показавшийся таким уж страшным (вроде и не такое переживали!), обернулся настоящей катастрофой. Каждый раз, засыпая, он с тревогой ожидал завтрашнего дня. Резко сократились прибыли, сначала стало не хватать средств на закупку нового товара, а потом и на самое необходимое — налоги, аренду, зарплату сотрудникам. Лохнесс все, что можно, распродал, сократил штат до минимума. Но настал день, когда и с последними сотрудниками пришлось распрощаться.

С ним осталась только Вика, которая продолжала находиться в офисе с раннего утра и допоздна, несмотря на то, что платить ей за работу Евгений уже не мог. Она старалась изо всех сил, чтобы хоть как-то помочь ему, но, конечно, это ничего не решало.

Последний страшный удар нанесли братья Мамедовы, прямо перед Новым годом. Они срочно захотели изъять из дела свой капитал, а когда поняли, что изымать-то уже, собственно, нечего, подали в суд. Пересиливая себя, Лохнесс звонил и Карену, и Гуссейну, просил встретиться, поговорить и как-то уладить дело, но его и слушать не стали.

Заседание суда прошло ужасно, адвокаты Крутилина ничего не смогли сделать. Фирму объявили банкротом, Крутилина обязали выплатить Мамедовым практически все средства, имевшиеся у него на счету.

* * *

Пятого января Крутилин сидел за столом в своем рабочем кабинете и рассеянно водил мышкой по коврику. Компьютер был отключен. Сегодня, пожалуй, первый день из тех, когда не надо никуда торопиться. И не последний, теперь все его дни будут такими.

За дверью слышались шорохи, это Вика убиралась в шкафах. Женя подумал, что нужно заплатить ей хоть что-нибудь, хоть небольшую премию. Себе оставить только на текущие расходы, бензин и все такое прочее. А офис надо закрывать. Все. Баста, кончилися танцы. И дернул же его черт передать тогда часть фирмы Мамедовым! Теперь они воспользовались моментом... И наверняка без Карины не обошлось, ни тогда, ни сейчас.

Невеселые мысли прервал шум и голоса за дверью. Кто-то пришел. Крутилин поднялся с кресла, открыл дверь и обомлел. В приемной толпилась целая толпа народу: несколько человек с какими-то папками и, что самое ужасное, несколько человек в защитной форме с автоматами. Посреди комнаты стоял Карен Мамедов и громко отдавал приказания. Бледная перепуганная Вика вжалась в кресло.

— Что здесь происходит? — в ярости закричал Лохнесс. — Что ты себе позволяешь?

— Вот судебное решение, — Карен ткнул жирным, похожим на колбаску пальцем в какую-то бумажку, которую он тряс в руках, — а это судебные приставы, и они имеют полное право опечатать фирму, потому что ты не подчиняешься решению суда.

— Да я подчиняюсь! Но сейчас же праздники!

— Суд решил, что ты должен освободить этот офис и передать мне все документы, — взвизгнул Карен, сверля ненавидящими глазками Крутилина и Вику.

— Такое ощущение, что суд купленный, — сказал язвительно Лохнесс. — Все против меня. А у меня нет ни сил, ни денег добиваться правды. Правда тоже стоит денег, и недешево.

— Это уже твои проблемы, — буркнул Карен.

«Вот сволочь, — мелькнуло в голове у Лохнесса, — Что он творит? Мы же договорились решить все полюбовно, зачем этот спектакль? Я и так все отдам, мне чужого не надо. Зачем лишний раз унижать? Хочет показать мое место... Неприятно, что все это происходит при Вике. Воистину, кто был никем, тот станет всем. Эти были раньше простыми барыгами, торговцами на рынке, и ведь это я их вытащил из дерьма, по сути, ввел в цивилизованный бизнес», — он сжал кулаки.

— Зачем этот цирк? — зло спросил он у Карена.

Вика испуганно переводила глаза то на одного, то на другого. Визитеры тем временем опечатывали офис, забирали компьютеры, обыскивали сейфы.

Карен вытаращил глаза и запричитал:

— Почему цирк-то? Я тебе еще вчера говорил очистить офис. Ты же отказываешься выезжать.

— Я просил дать мне время. Видишь, я пришел забрать бумаги и свои личные вещи. Скоро я бы сам отдал тебе ключи.

— А кто тебя знает, может, ты тут уничтожаешь что-нибудь ценное?

— Ты что, совсем идиот? — вышел из себя Крутилин.

— Вы обязаны подчиниться решению суда и дать доступ к бухгалтерии, — обратился канцелярский человек к Крутилину. — Карен Азизович заявил, что вы препятствуете этому.

— Ничему я не препятствую. Все документы в шкафах, ключи в замках. Пароли к компьютерам на бумажках. А я хочу забрать личные вещи в своем кабинете. Это я могу сделать? — с издевкой отвечал Евгений.

Тощий человек с прыщами, видимо, главный среди приставов, чуть заметно кивнул головой.

— Оформляйте документы, — сказал Карен приставам.

— Вика, пойдем со мной, — попросил Крутилин перепуганную девушку, которая, впрочем, держалась молодцом.

Он зашел в свой кабинет и закрыл дверь.

— Мне очень жаль, Евгений Александрович, — Вика смотрела полным сочувствия взглядом.

— Ничего, Вика, переживем. Я тут собирал свои вещи, — сказал Крутилин, — эти стервятники меня прервали.

Он достал из тумбочки коньяк, налил две рюмки, одну из них пододвинул Вике.

— Давай выпьем за твое бывшее место работы. И за будущее. Сейчас кризис, найти новую работу трудно. Я бы попросил за тебя, да боюсь, Карен без моих протеже обойдется.

— Что вы, я и сама не захочу у них работать! — возмутилась девушка. — После того, как они поступили с вами...

— Вика, ты даже не знаешь, как мне с тобой повезло, — Крутилин вдруг испытал горячее чувство благодарности к Вике и чего-то еще, что именно, он и сам не мог понять.

Она тем временем пригубила обжигающую жидкость и аккуратно поставила пузатую рюмку на стол.

— Не понравилось? — улыбнулся он. — Это хороший коньяк, мой любимый.

Вика внимательно смотрела на него, и было что-то странное в этом взгляде.

— Евгений Александрович, ну неужели ничего больше нельзя сделать?

— Я проиграл, — грустно сказал он. — Надо уметь и проигрывать.

Женя окинул взглядом свой осиротевший кабинет, поднялся и сказал:

— Поедем, Вика, я тебя отвезу.

Выгреб одним махом из ящиков письменного стола все свои бумажки, зажигалки, записные книжки, свалил в большой пакет, выставил коньяк на стол в приемной и вышел вместе с Викой на улицу.

* * *

— Марина, твои любимые Мамедовы решили на мне отыграться за свою сестру. Они оставили меня совсем без штанов, — придя домой, прямо с порога заявил Женя.

— Что значит — совсем без штанов? — певуче пропела Марина. Всего лишь час назад она с сестрой братьев

Мамедовых нежилась на мягком любовном ложе и мыслями была вся еще там.

— Они все-таки отобрали у меня фирму — я банкрот. Сегодня они имели наглость явиться ко мне в офис, Карен со своими купленными судьями. Я думал, у меня есть время для апелляции... Но теперь все кончено.

— Ну, мою поездку на Карибы они, надеюсь, не отобрали? — губы Марины задрожали.

— Твою поездку? Марина, ты не понимаешь!.. Я разорен. Мы разорены. Все, что у меня осталось, — это джип и квартира.

— Квартира? — переспросила Марина. — Какая квартира? Эта квартира моя. У тебя остался только джип.

— Ты еще шутишь, — он попытался улыбнуться, вышло совсем невесело. — Тогда так: у меня остались только джип... — он помолчал. — И ты.

— У тебя остался только джип!!! Квартира оформлена на меня.

— Что за бред ты несешь? — Крутилин с трудом нашел за своей спиной стул и опустился на него. — Ты что, опять накурилась? Наркоманка несчастная! Подумай лучше, как жить дальше!

Он вскочил, схватил ключи от машины и выбежал из квартиры.

Эту ночь он переночевал в гостинице. Марина ему не звонила.

ЧАСТЬ ЧЕТВЕРТАЯ

Звон колоколов, остановивший Лохнесса на улице, растекался по домам тихой серебряной мелодией. Вика, бывшая секретарша Крутилина, лежала в своей комнате на диване и, закрыв глаза, слушала эти божественные переливы. Как девушка романтичная, она верила во всякие сновидения, приметы и гадания. Но сейчас, отложив в сторону журнал «Лиза», она думала о том, что в последнее время гороскопы только обманывают. Какие могут быть «крупные удачи» и «неожиданные получения денег», когда во всем мире кризис!

В январском номере звезды обещали Девам: «Идеальный момент для страсти, настолько яркий, что ни вы, ни ваш партнер никогда его не забудете, но в то же время настолько интимный, что о нем не узнает больше никто. То, что произойдет в ближайшие дни и недели, не было задумано ни вами, ни вашим партнером, но эти события изменят ваше представление друг о друге и о вашем будущем».

Вика только вздохнула. На самом деле ничего хорошего ей в будущем не светило, наоборот, все было плохо.

Она закрыла лицо руками и заплакала.

В жизни Вики уже было несколько влюбленностей разной степени успешности. К двадцати пяти годам она подошла с ощущением четкой уверенности, что подобного с ней больше не случится, а именно глупой, безосновательной страсти к женатому человеку.

Страсти без перспектив, но с разрушающей тоской, бесполезное ожидание звонков по выходным и острое чувство одиночества. Ведь тратить свои душевные силы на семя, которое никогда не взойдет, так бессмысленно. И так бессмысленно опять наступать на те же грабли.

Именно это повторяла себе каждое утро Вика, собираясь на бывшую работу. Повторяла, но все равно старалась получше накраситься, красивее уложить волосы, выбрать одежду к лицу. Хотя и знала, что это решительно бесполезно.

Он женат и так сильно любит свою жену.

Она иногда вспоминала свою жизнь, которая была раньше. Она так четко делилась на период «до» и «после»...

Вика еще в школе увлеклась изучением иностранных языков. Больше всего ей нравилось заниматься английским, копаться в словарях, делать свои версии переводов и читать в подлиннике Шекспира, Диккенса, Голсуорси — это доставляло ей невыразимое удовольствие. Она считала настоящим прикосновением к тайне те моменты, когда ей открывались новые оттенки, смыслы и интонации уже знакомых книг.

Казалось бы, русский язык — такой богатый на тончайшие оттенки и ньюансы, так сложно его переиграть, но когда она узнала, что английский такой же, если не богаче, ее удивлению и восхищению не было границ. И если возникал спор на подобную тему, Вика яростно

защищала английский, не умаляя, конечно, достоинств родного языка. Особенно часто она спорила со своим братом Степаном, который, наоборот, особой ученостью не отличался и никаких языков, кроме русского, не знал.

Она бродила по книжным магазинам, часто совершенно бесцельно скупала учебники разных незнакомых ей языков: арабского, японского, хинди, китайского и голландского, листала их, знакомилась с каждым, как с человеком, задумчиво произнося непривычные слова, словно заклинания.

Школу она окончила твердой хорошисткой, потому что с точными науками отношения складывались хуже, чем с гуманитарными. Но все же сумела со второй попытки поступить на филологический факультет МГУ, пусть и на вечернее отделение, зато на бюджет.

Там же, в университете, она пережила свой первый серьезный роман. Вика влюбилась в своего преподавателя, что не было странно, потому что ребят на ее курсе было всего двое, и оба несколько не от мира сего. Странно было другое: преподаватель был почти пожилой мужчина с такой же немолодой женой и уже взрослыми детьми. Он читал им теорию языка и казался невероятно умным и тонким, а мягкий уставший взгляд из-под оправы выглядел столь одухотворенным... Первое время Вика страдала молча, но потом стала проявлять к нему повышенное внимание, оставалась после занятий, задавала какие-то вопросы, шла с ним до метро. Он сначала недоумевал, а потом все понял. И растерялся, долго не решался на эту связь, но Вика не отступала, и наконец между ними произошло нечто, такое невнятное и непонятное, что после этого она долго сидела на лестнице и заливалась слезами. Они встретились еще несколько раз, после чего он, мягко гладя ее по голове, сказал, что это надо прекращать. Вика выбежала из аудитории с горящими от стыда щеками и долго не появлялась на занятиях. Однажды она даже звонила ему домой, но подошла его жена, и Вике не хватило духу что-нибудь сказать, она просто повесила трубку.

И еще больше ушла в свой выдуманный стерильный мир, в котором существовали лишь правильные фразы английская грамматика, да библиотечная пыль.

Но учеба закончилась, и после пяти университетских лет Вике пришлось столкнуться с суровой реальностью. Она сделала неприятное открытие, что высококвалифицированному филологу, свободно владеющему тремя языками, кроме родного, не так-то легко найти подходящую работу. Те варианты, что ей предлагали, нельзя было назвать иначе чем «забивание гвоздей микроскопом».

То, что она могла читать «Улисса» в подлиннике, оказалось никому не нужным. Переводчиков английского языка кругом было полно, в последнее время вузы, которые готовят таких специалистов, вырастали как грибы после дождя. А ведь были еще и курсы, да и доморощенных знатоков английского, изучавших его дома по самоучителям, тоже было хоть отбавляй. Поэтому в различных бюро переводов образовался переизбыток специалистов, особенно по английскому.

Она попробовала себя в роли литературного переводчика, но за эту работу платили копейки, да и заказы приходилось буквально вырывать из рук.

И тогда она пошла работать секретаршей. В одну юридическую фирму как раз требовались сотрудники со знанием языка, чтобы переводить контракты и иногда помогать вести переговоры.

Пару раз за ней ухаживали ее сослуживцы, преимущественно немолодые, обремененные семьями полноватые мужчины, но они все казались ей пресными и скучными.

Правда, она все-таки завела легкий необременительный роман с молодым бухгалтером из соседней фирмы. Роман закончился скоропостижно и невразумительно, не успев начаться, когда бухгалтер после совместного обеда в ресторане достал калькулятор и принялся высчитывать, сколько каждый из них должен заплатить.

Знакомые уже начинали картинно вздыхать и задавать наводящие вопросы, но быстро нейтрализовывались воинственным отпором.

Жизнь ее так и катилась по привычной колее, не особенно звездно, но вполне объяснимо и логично. Пока не состоялся один разговор, за которым последовали события, нарушившие ее привычную жизнь.

Максим, любовник ее брата, в тот вечер пришел рано. Степана еще не было дома, он часто работал допоздна: пока клиентки, светские львицы, собирающиеся на тусовки, приезжают, надо работать.

Вика не особенно стремилась общаться с Максимом и тем более сталкиваться с ним на кухне и, приготовив себе нехитрый ужин, обычно ускользала в свою комнату. Но в этот вечер была пятница, она вычитала интересный рецепт лазаньи в одном журнале и хотела воплотить его в

жизнь. Для этого она специально сходила в супермаркет и купила разных экзотических ингредиентов. Когда в кухню зашел Максим, процесс приготовления был в самом разгаре, вся перепачканная мукой Вика священнодействовала над начинкой. Шум отпираемой входной двери заставил девушку обернуться с надеждой, что это пришел Степа. Однако в прихожей послышалась тяжелая поступь Максима. Оказавшись в кухне, он обошел стол, критично посмотрел на него, но не стал ничего говорить и присел рядом на табуретку.

— Ты есть хочешь? Стол нужен? — спросила Вика.

Макс отрицательно мотнул головой. Вика пожала плечами и продолжила готовку, хотя теперь она не доставляла ей удовольствия. Мельком она взглянула на него и с удивлением заметила, что он как-то задумчиво ее разглядывает. Наконец он неожиданно бодрым тоном проговорил:

— Мы же никогда с тобой о жизни не говорили. Тебе вообще как, денег хватает? Степка подкидывает?

— Да, иногда подкидывает, — она поджала губы.

— Но ведь все равно не хватает наверняка? Сейчас такие цены, — тянул свое Макс.

— Ты к чему? Всего мне хватает, — она начала злиться. Ей подумалось, что ему неприятно, что брат дает ей деньги. Но какое его дело, в конце концов? К тому же она и продукты покупает, и готовит иногда на всех, и убирается чаще. Без нее квартира давно бы превратилась в помойку.

— Просто видел твое пальто... И сапоги тебе, по-моему, новые надо, а то так женихов не найдешь особо, — притворно вздохнул он.

— Я как-нибудь сама справлюсь, — рассердилась Вика.

— Да ты не обижайся, — неожиданно миролюбиво проговорил Макс. — Я ж тебе помочь хочу.

«Помочь? С какой еще стати? Что ему нужно?» — неприязненно подумала девушка, бешено взбивая белки, отчего их капли начали разлетаться по всей кухне.

— У меня хозяйка есть, Карина Мамедова, — продолжал Макс, заметив, что она молчит. — Ее бывший муж, Крутилин, — бизнесмен. Хотя они и развелись, но люди цивилизованные, — он криво усмехнулся, — и типа общаются, дружат. К тому же долю в фирме Крутилина имеют ее братья. Так вот, она мне рассказала, что у них прямо беда с секретаршами, постоянно новых ищут и не могут хорошую найти. Одна ушла в декрет через три месяца после приема на работу. Оказалось, ей просто надо было получить декретные. Другая клиентам хамила, а компьютерщики, сама знаешь, люди интеллигентные, грубостей не понимают... А последняя постоянно опаздывала и все забывала, по ее вине важный для братьев контракт сорвался. Ее и уволили с треском. Теперь там работы навалом, а выполнять некому. А так как в этой фирме у Карины свои интересы, она и попросила меня поспрашивать среди знакомых надежного человека. Я вот сразу про тебя подумал, как осенило меня, — это ж ты.

Вика оторопело смотрела на Максима, который воспринял ее молчание как сомнение, поэтому торопливо продолжил:

— Ты, наверное, думаешь, чего это я так стараюсь? Смотри, им позарез нужна секретарша, а мне тоже польза. Во-первых, своего человека привел все же. Агент влияния свой, так сказать. Карина этого бы хотела — нужно же руку на пульсе держать. Да и я ей услугу оказал. И потом, ты для меня не чужой человек, тебе хорошо, и Степе хорошо, а значит, и мне. У тебя английский на высоте, им это надо, там же куча партнеров зарубежных, контракты переводить, то-се... И платят там прилично. А ты гниешь на своей работенке, с хлеба на воду перебиваешься, ходишь в рванье.

— Как я одеваюсь — это мое дело, а не твое, — твердо сказала Вика.

Максим помолчал, а потом произнес:

— Тысяча двести. На испытательный срок. Потом обещают полторы штуки.

— Рублей? — не поняла девушка.

— Долларов, дуреха!

Вика захлопала ресницами и первое время не могла найтись что сказать, потом возразила, но уже не так уверенно:

— Ну, что я там буду делать? Я ж компьютеров не знаю совсем, только печатать могу.

— Освоишься. Ну чего, ты согласна?

Ее вдруг осенило:

— Ты хочешь, чтоб я шпионила за своим шефом? Я не буду этого делать, это непорядочно.

— Он у тебя уже свой шеф, — беззлобно рассмеялся Максим. — Да ладно, не бойся. Там шпионить-то и не за чем...

Только тут девушка задумалась. По правде говоря, она давно уже хотела поменять работу — в той фирме, где она трудилась, условия были не лучшие, платили мало, добираться было далеко, и она почти весь день ничего не делала, только иногда переводила типовые бланки. А тут и ближе, и Макс иногда подвезет. Хотя, может, и не стоит афишировать их знакомство. Неизвестно, как новый начальник отнесется к протеже охранника бывшей жены. Вика тогда уже запуталась в этих «бывших мужьях» и «нынешних хозяйках», поэтому решила не вникать в эти тонкости и особенно не церемониться. Им же нужна секретарша, она сама не напрашивалась.

На следующий день Вика в офисе Крутилина заполнила анкету, поговорила с молоденькой девушкой, на следующем собеседовании — уже с солидной полной дамой. В третий раз ее уже пригласили на встречу с Евгением Александровичем.

Крутилин понравился ей с первого взгляда. Моложавый симпатичный мужчина, лет тридцати пяти, худощавый, не особенно высокий, с выразительными голубыми глазами, прятавшимися за стеклами дорогих очков.

— А, так это вы от Карины? — улыбнулся он, прочитав чьи-то пометки на полях ее анкеты. — Ну и что, когда сможете к работе приступить?

— А когда нужно? — робко спросила она.

— Вчера, — он простодушно развел руками и беспомощно улыбнулся. — А то у нас уже просто беда какая-то...

И она, сразу забыв о своем намерении держаться поделовому и с достоинством, тоже улыбнулась в ответ.

Первое время Вика очень боялась, что на новом месте к ней могут приставать. Кто его знает, какой он, этот Крутилин, мало ли что у него жена есть. Профессия секретарши в нашей стране окутана некоторым флером пикантности, никогда не знаешь, какие дополнительные обязанности могут свалиться. На Западе сейчас даже слова такого нет — «секретарь», а у нас оно вовсю в ходу. И несмотря на то, что Максим заверил, что на новом месте от нее потребуется только профессиональная работа и ничего больше, она все равно сомневалась. Но очень скоро убедилась, что зря, Крутилин, по-видимому, не испытывал к ней никакого сексуального интереса. И вообще выглядел очень счастливым человеком.

— Он совсем недавно женился, — говорил ей потом Максим. — Я же тебе рассказывал.

Шеф был очень доволен новой сотрудницей. Ее безупречный английский, фантастическая старательность, аккуратность, хорошие манеры, и главное — добросовестность, с которой она выполняла свою работу, произвели приятное впечатление на всех. Хотя Крутилин иногда шутил, что Вика напоминает ему пожилую английскую леди Викторианской эпохи.

А вот она влюбилась. Как-то для самой себя незаметно, если бы заметила, то тут же одернула бы себя, в крайнем случае уволилась. Но они виделись каждый день и

плотно работали вместе, и все произошло как-то само собой. Она знала про него почти все, слышала обрывки разговоров с женой, была свидетельницей мелких нюансов его личной жизни. Секретарь — как врач, от него ничего скрыть невозможно, даже если захочешь. Как же это случилось? Позже она часто раз за разом прокручивала в голове все эти годы. В какой момент она поняла, что эта улыбка, эти волосы, к которым так хочется прикоснуться, наверняка такие мягкие и шелковистые на ощупь, эти ласковые с хитринкой глаза стали так ей дороги? Видеть их стало повседневной необходимостью. Теперь она бы не ушла, даже если бы ей перестали платить зарплату.

Вот только эту идиллию время от времени нарушал Макс Бирюков, теперь считавший, что Вика обязана ему по гроб жизни.

Он появился в квартире, где она проживала с братом, несколько лет назад и поначалу совершенно затерроризировал Вику. Расхаживал в чем мать родила, поигрывая мускулатурой. Покрикивал на нее. Все время был голоден и требовал, чтобы его кормили. Ел он много и жадно, Вика прозвала его Барабеком. Знакомый слесарь поставил замок на хлипкую дверь ее комнаты, но она понимала, что Бирюков, если захочет, выставит дверь одним ударом. Она переживала, когда он был груб со Степаном. От его отборного мата и жалкого лепета брата Вика закрывалась в своей комнате или просто уходила на улицу. Любовники не скрывали от нее своих наркотических пристрастий и очень быстро пресекли ее жалкие попытки наставить их на путь истинный. Она подумывала уже о размене квартиры, но Степан попросил не делать этого, сказав, что скоро они с Максом уедут в далекую страну, пусть она немножко потерпит. Что за страна, на какие средства они собирались туда поехать и что там делать, Степа ей так и не сказал.

— Много будешь знать, сама знаешь, что случится, — шутил он.

Степан работал парикмахером в модном салоне — «Vis Divina». Хозяйка платила хорошо, к тому же мастер он был действительно классный, у него была своя клиентура, платили, не скупясь. Деньги на хозяйство он приносил приличные. А порой баловал сестру — давал по двести-триста долларов просто так:

— Купи себе, чего там тебе надо...

И при этом брат на ее глазах превращался в совершеннейшую бабу. По-бабьи ухаживал за Максом, убирал за ним, стирал, гладил и даже стал готовить — чего сама Вика не очень-то любила делать.

* * *

Макс Бирюков за свои двадцать семь лет уже не раз успел посмотреть смерти в глаза. Нет, он не занимался экстремальным спортом, не служил в милиции и не воевал в горячих точках. Он попал в десять лет в детдом.

Отец Максима, шофер-дальнобойщик, расшибся на многотонной фуре, когда в него врезалась легковушка. Легковой машиной управляли какие-то пьяные подростки. В той аварии не выжил никто. Когда директор предприятия, на котором работал отец, объявлял скорбную но-

вость маме, Максим был дома. Он услышал, как директор рассказывал, что отец в аварии не виноват, водителем он был от бога. Он специально пустил машину в кювет, надеясь не зацепить петлявшую по дороге пятерку, но уже ничего нельзя было сделать.

Через неделю после похорон, когда казалось, что все поминки, приличествующие случаю, должны были бы закончиться, мальчик пришел из школы и увидел у матери на столе бутылку водки.

— Ты что, мам? — Он почувствовал, что во рту у него все пересохло. В их городке многие женщины пили, и он очень испугался.

— Уйди, урод, отсюда, — выдохнула мать и бросила в него тарелку. Та с грохотом ударилась о стену и вдребезги разбилась. Максим понял, что она безобразно пьяна. Во время похорон она почти не приходила в себя, ее отпаивали успокоительными и накачивали транквилизаторами, а теперь сознание стало потихоньку возвращаться к ней, а вместе с ним и обострялась боль утраты.

С тех пор мать стала спиваться. Постоянно, чуть не до драки, ссорилась со свекровью, которая никак не могла простить бывшей невестке смерть сына. Каким-то иррациональным образом она считала, что именно та виновата в его гибели — «заездила мужика». Когда между матерью и бабкой начинались такие вот безобразные скандалы, Макс всегда норовил удрать из дома подальше.

Сначала мама пьяная приходила домой и падала прямо на полу. Сын, жалея, укутывал ее, спящую, одеялом, чтобы не простудилась. Но позже она и вовсе перестала являться, пропадала сутками, а иногда и неделями.

И кончилось все тем, что ее лишили родительских прав, а Максима определили в детский дом. Бабушка к тому времени уже умерла.

Мать ни разу не навестила его. После того как он покинул детдом в восемнадцать лет, он пытался найти ее, но по прежнему адресу она не жила, дом стоял заколоченный. Что с ней стало, никто не знал, а может, просто ему не говорили.

Когда он зашел к соседу, жившему напротив, тот долго молчал, смотрел в пол, а потом медленно проговорил:

— Продала она тут дом сразу же. Как тебя отобрали, так сразу и продала. И уехала. А куда, никому не сказала.

А потом до него дошли слухи, что давно, почти сразу после суда, в соседнем озере нашли неопознанный труп женщины. Говорили, что эта женщина накануне познакомилась с какими-то заезжими жуликами, что они вместе гуляли, а потом жулики исчезли. Все, кто это рассказывал, добавляли, что никто не опознал ту женщину, что могло быть всякое, но Максим сердцем почувствовал, что речь идет о его матери и ее уже давно нет в живых. Ему вдруг захотелось напиться в тот день до беспамятства, но он вспомнил, как умерла его мать, почему-то страшно разозлился и дал себе зарок: что бы ни случилось в его жизни, он никогда не будет пить.

А тогда, в десять лет, он стоял у двери, прижимая к груди только что выданное одеяло, смену одежды и ботинки, и напряженно всматривался в лица толстой директрисы с обесцвеченными перекисью перманентными кудрями и завхоза, пропитого мужика с красным лицом.

Сегодня его, Максима Бирюкова, привезли из приемника-распределителя в его будущий дом, в котором ему предстояло оставаться до совершеннолетия. Он ждал, когда взрослые решат его судьбу, но тем все было некогда, телефон на столе у директрисы постоянно звонил, и ей приходилось отвлекаться. Директриса мешала чай в стакане и, не обращая никакого внимания на маленького посетителя, орала в трубку:

— Мне нужен линолеум, позвони в роно! Во второй палате кровать сломалась! На той неделе к нам самодеятельность приедет, мать их так, нужно как-то принять их, актовый зал в порядок приведи. Картошку сегодня не вари, у нас еще вчерашняя осталась, придумай что-нибудь. Все, до связи.

Она шумно выдохнула и бросила трубку на аппарат. Завхоз открыл было рот, но сказать ничего не успел, снова раздался звонок, и директриса, многозначительно ему кивнув, сняла трубку и снова заговорила:

— Да-да, слушаю. Мне нужно двадцать пар ботинок, десять брюк и десять кальсон. Ну, выбери там что попроще, мне их одевать не во что. Все, милая, давай.

Наконец она освободилась и взглянула в упор:

— Давай, Сергей Петрович. Ни минуты нет свободной, все время головная боль какая-то. Хоть с ними ходи и все делай за всех. А это у нас кто?

— Максим Бирюков, вчера звонили, сегодня из соцслужбы привезли.

— Да-да, помню, подойди сюда. Ну, что скажешь, Бирюков?

Максим молча пожал плечами. Что такого он может сказать директрисе, он не знал.

— Эх, сдается мне, учиться ты не любишь, а, признавайся? Я ведь в людях хорошо разбираюсь, двадцать лет уже директорствую.

Макс ответил слегка презрительным взглядом.

— Когда я что-то спрашиваю, нужно отвечать, а не молчать. Понятно?

— Понятно.

— Ну ладно. Мне вот что интересно, они что там, совсем с ума посходили? — обратилась она к завхозу, откинувшись на кресло и яростно жестикулируя. — Ну куда я его дену? У меня и так все чуть не на потолке спят. Я же им говорила, мест нет, Петрович!

— Да не знаю я, я-то тут при чем?

— Ну, конечно, никто ни при чем. А мне что теперь? На голову его посажу себе?

Петрович молчал, только сопел. Видимо, подобные сцены повторялись тут каждый раз. Наконец директриса выдохлась и проговорила медленно:

— Ладно, определишь его в восьмую.

— Заклюют его в восьмой, там Парамонов и старшие ребята, — робко предположил Петрович.

— Ну а куда еще? Больше некуда! Пусть учится общаться с коллективом, — в голосе директрисы появились визгливые нотки. — Эй, ты, как тебя, Бирюков, послушай-ка меня.

Максим нехотя поднял голову. Теперь директриса бесцеремонно рассматривала его как некий предмет, ко-

торый некуда поставить или который не подходит цветом в ее гостиную. Он исподлобья отвернулся.

— Ты морду-то не отворачивай. Если будешь хулиганить, у нас с тобой разговор будет короткий. У меня порядки тут простые, Петрович знает, да, Петрович?

Завхоз из вежливости коротко поддакнул.

— Так вот, миленький, с сегодняшнего дня ты наш воспитанник. И мы должны тебя воспитать как подобает, раз мамка твоя не справилась. Два предупреждения — это предел. На третьем погоришь — отправишься в карцер. А в карцере, спроси ребят, не сахар. Выть будешь — не выпущу. Будешь сидеть там, пока шелковым не станешь.

— Да хорош пугать его, он не такой, Тамара Васильевна. — Завхоз, очевидно уже принял с утра, а посему был склонен проявлять некоторую душевность и человеколюбие.

— Все они не такие поначалу, — проворчала директриса. — Все, разговор окончен. Желаю нам поменьше встречаться, тебе же будет лучше, — добавила она напоследок.

Максим кивнул и вышел из комнаты вслед за завхозом. Частые встречи с директором тоже не входили в его планы, поэтому он решил как можно меньше высовываться и по возможности не нарушать местные порядки.

Петрович долго вел его по длинному темному коридору, окрашенному темно-зеленой краской, и бубнил нравоучительно:

— Ты не думай, она не злая. Просто порядок любит. А с ребятами осторожней. Постарайся подружиться, целее будешь.

Что имел в виду завхоз, мальчик так и не понял, потому что они наконец пришли. Завхоз толкнул высокую дверь и пропустил Максима в большое, залитое светом помещение. Гул голосов, стоявший там до их прихода, мгновенно стих.

— У нас сейчас свободное время после обеда, — пояснил Петрович. — Надо было бы тебя, конечно, попозже завести...

На Максиме моментально сфокусировалось множество озлобленных и агрессивных глаз. Его изучали, как это только что делала директриса, но в отличие от ее усталости и равнодушия в глазах у ребят был живой интерес и азарт, как у молодых хищников. Максим первое мгновение отшатнулся назад к двери, но потом остановился и тоже стал изучать своих новых соседей.

— Это новенький, Максим Бирюков. Он будет жить с вами. Витя, покажи ему его место и объясни, что ему делать, — сказал Петрович.

— У параши его место, — хихикнул кто-то.

— Бирюков — это Бирюк, что ли? — прозвучал издевательски чей-то голос, Максим не понял чей.

— Петрович, это что же получается? — фамильярно протянул еще кто-то. — У нас и так места мало. А на этой кровати Степанченко спит.

— Степанченко неизвестно когда вернется, — возразил завхоз. — Ну, иди, иди, — тихо сказал Максиму и чуть подтолкнул его вперед.

— Да иди, не ссы, — прошипел кто-то.

Раздался взрыв хохота, и дверь за завхозом закрылась.

— Ну, проходи, — дружелюбно предложил Витя. — Сюда вот.

Макс медленно пошел к свободной кровати, внутренне сжавшись, ожидая в любой момент какой-нибудь пакости, и, конечно, пропустил ее.

— Чего это у тебя ноги заплетаются? — смотря по сторонам, он не заметил подножки и тут же растянулся на линолеуме.

Грохнул хохот. Конечно, он упал, оступился, значит, лопух. Мало того, он еще и, похоже, оказался самым маленьким в группе, ведь завхоз сказал, что тут старшие ребята. В дверях, на его счастье, опять появился Петрович, видимо, и ожидавший чего-то такого, и прикрикнул на ребят:

— Но-но, не балуйте!

И снова скрылся.

— Курить есть? — спросил сосед по койке, коренастый парень с цепкими глазами.

Максим отрицательно кивнул головой, размазывая злые слезы, которые сами полились по щекам, отчего он еще больше расстроился.

— Ну, рева-корова, — сказал кто-то почти добродушно.

В первый день Максима больше не трогали, все его просто не замечали, но он догадался, что пауза дана не просто так. К нему присматриваются, проверяют, дают передышку. Но все равно он обрадовался этому времени, у него будет возможность устроиться на новом месте, приглядеться и попытаться придумать, как жить дальше.

Он тоже присмотрелся к ребятам, особенно к тем, с кем попал в одну спальню. Тут все были старше его: от одиннадцати до шестнадцати. Очевидный лидер был Витя, которого иначе как Парамон тут почти никто не называл. Парамон ходил, поплевывая на пол, хамил педагогам, а с пацанами держался развязно и даже жестоко. Максим понял, что все остальные либо входят в команду Парамона и делают все, чтобы перед ним выслужиться, либо держат нейтралитет. Но никто при случае не упустит возможности пнуть и унизить слабого.

Вечером произошло еще одно знаменательное событие. Все уже собирались спать, когда открылась дверь, и на пороге опять показался завхоз, который вел за руку испуганно озирающегося мальчика лет двенадцати. За ними два каких-то мужика тащили кровать.

— Ставьте туда, в угол, у окна, там еще место есть, — распорядился Петрович и добавил, обращаясь ко всем: — Пацаны, к вам еще одно пополнение. Это Коля Николаев.

— Да задолбал ты водить всяких уродов, — зло прошипел Парамон.

— Ты как со мной разговариваешь, молокосос? — взъярился завхоз, но было видно, что он чувствует себя неуютно и внутренне признает, что ранг Парамона выше, чем его. — Я тебя в карцер отправлю, сука!

— Ну, отправь, отправь, — миролюбиво проговорил Парамон, видимо решив не раздувать конфликт. На сегодня ему хватит и других развлечений.

— У нас по нормативам и так больше кроватей стоит, чем положено, — произнес чей-то скучающий голос. — Скоро дышать нечем будет.

— Ничего, тебе хватит, Гагарин, ты и так дышишь чем попало.

Все заржали. Конфликт как будто был улажен, Петрович оглядел комнату и спешно ретировался.

Даже внешне новый мальчик производил впечатление слабого и болезненного: маленький, худенький, очки в толстой оправе, руки и ноги — как спички.

Его почему-то стали расспрашивать, в отличие от Максима, к которому никто интереса не проявил.

— Ты как тут очутился-то? Откуда? — спросил Парамон.

Коля прошел на свое место, стал раскладывать вещи и тихо рассказывать:

— У меня родители погибли в автокатастрофе, а взять было некому, бабушка совсем старая и больная, не сможет за мной ухаживать.

— Понятно, фигня какая, — с притворным сочувствием вздохнул Парамон. — Ну ты располагайся, чувствуй себя как дома. Мы тебя не обидим.

Кто-то хихикнул, но Парамон так посмотрел на весельчака, что тот мгновенно замолчал.

— А что ты любишь? Небось книжки читать?

— Я много чего люблю... Ребята, я так рад! Я думал, что в детдоме все подонки, а вы вроде нормальные. — Коля снял очки, на глазах у него заблестели слезы, но он через силу улыбнулся.

— Ладно, ладно, ты не переживай! — Парамон хлопнул его по плечу. — У нас все будет замечательно, весело всем будет. Устраивайся пока.

Коля кивнул и продолжил устраиваться на новом месте.

— Коль, а у тебя девочки были? — спросил кто-то.

Тот удивленно посмотрел на спрашивающего, помедлил и сказал:

— Я не буду отвечать, это личное.

— А друзья?

— Были, конечно.

— Это хорошо, у нас очень ценится настоящая мужская дружба, — одобрил Парамон.

Тут открылась дверь, и какой-то юркий невысокий мальчик тенью скользнул в палату и закричал необычно высоким голосом:

— Шухер, пацанва, Мегера ходит по комнатам, отбой!

Максим поразился тому, насколько быстро все очутились на своих кроватях и притворились спящими. Свет погасили. Макс тоже положил голову на подушку, надеясь, что все на самом деле лягут спать. Через пару минут дверь отворилась, в проеме показалась взлохмаченная голова директрисы. Она осмотрела комнату, ничего не сказала и закрыла дверь. Вся палата напряженно вслушивалась в стук ее каблуков по коридору и, когда они стихли, взорвалась всевозможными звуками ликования.

— Колька, а ты знаешь, что такое настоящая дружба? — послышался приглушенный голос Парамона. — Самая настоящая?

Коля, видно, почувствовал что-то неладное и испуганно замолчал.

— Ну что же, говори!

— Это, наверное, когда друзья заступаются друг за друга, и в беде вместе, и делятся самым лучшим, — робко предположил он. — Но мы с вами еще не друзья.

— Верно мыслишь, пацаненок, мы с тобой подружимся, чувствую, — веселился Парамон.

— Вот-вот, делиться, — подхватил коренастый сосед Макса по кличке Конь. — А готов ли ты с нами делиться?

Вконец растерянный Коля осторожно спросил:

— А чем делиться?

— Ну, тем, что у тебя есть. Что вот у тебя есть?

— Да ничего...

— Совсем ничего?

— Ну, белье мне выдали, одежду... А вещи и книжки дома остались, их взять не разрешили.

— А что еще? — продолжали глумиться пацаны.

— А больше ничего, — развел руками Коля.

— А вот и нет, — ухмыльнулся Конь. — У тебя еще есть очко.

— Я не понимаю, ребята...

— Очко подставляй, что тут не понимать? — хохотнул Конь, и вся палата грохнула от смеха.

— Тише вы! — прикрикнул Парамон.

В свете луны Максим хорошо его видел и удивился, насколько тот преобразился. Он находился в каком-то возбуждении, глаза его блестели, руки нервно ходили по бедрам. Максим догадался, что сегодня новичку устроят что-то страшное, даже задумался, не вступиться ли за

него, но потом передумал. Новенький — слабак, а дружба с таким никому пользы не прибавит, он даже сам себя защитить не может. Да и не поможет Максим ему ничем, вон их, здоровых лбов, сколько, только сам под раздачу попадет. У Макса забрезжила слабая надежда, что его, может, и оставят в покое, если отсидится, раз у них есть добыча поинтереснее. В любом случае сегодня у него передышка, а потом он что-нибудь придумает.

— Ну что, будем знакомиться? — тем временем чуть ли не ласково спросил Парамон у Коли. Видимо, решил, что хватит уже играть в кошки-мышки. Тот уже понял, что сейчас ему не поздоровится, только не знал, к чему готовиться, и растерянно переводил взгляд с одного мальчика на другого, Парамон быстро подскочил к нему и повалил на кровать, попытался повернуть на живот. Коля стал отбиваться, но Парамон только этого и ждал и с размаху ударил мальчика в живот. Хватая ртом воздух, Коля откатился на кровать и принялся бестолково молотить руками по воздуху. Теперь вся палата бросилась к его кровати, и на ней возникла куча-мала. Макс слышал только сдавленные крики Коли и его плач. Через некоторое время часть ребят отошла, и Максим увидел Колю, лежавшего на животе со спущенными трусами и Парамона, сидевшего на нем. Коля тоненько выл от страха и извивался как уж, но при каждом движении получал в бок кулаком от Коня, который стоял рядом.

— Ты чего, сука, попутал что? — бормотал он, распаляя самого себя.

— Не надо, пожалуйста, ребята! — выл Коля.

— Тряпку дайте, рот заткнуть, — прошептал Парамон.

Ему тут же кто-то услужливо подал наволочку, которую засунули Коле в рот.

— Настучишь, убьем, — выдохнул Парамон.

У Максима глаза расширились от ужаса, первой мыслью было бежать, рассказать об этом ужасе взрослым, но он не знал, кому жаловаться, да и было уже поздно. Парамон уже задергался на Коле, тот при первом его движении взвизгнул, рванулся в сторону, но потом смирился, затих и только стонал.

— А ты чего пялишься, тоже захотел? — вдруг рявкнул кто-то на Макса, и он поспешил отвернуться лицом к стене.

Он лежал и старался не слушать, как скулит Коля и стонет от удовольствия Парамон. Наконец все стихло. Пацаны улеглись как ни в чем не бывало.

Едва придя в себя, Коля вскочил с кровати и опрометью бросился вон из комнаты.

— Жаловаться побежал? — задумчиво спросил Конь.

— Да куда ему жаловаться! В сортир небось погнал, — заржал Парамон.

— Как бы он не того... — сказал еще кто-то. — Хлипкий больно.

— Ну так туда ему и дорога! — зло огрызнулся Парамон. — Заткни хлебало, урод. Придет, куда денется.

И действительно, где-то через час Коля тихо вернулся на свое место. Оттуда некоторое время раздавались всхлипывания, которые прекратились после того, как Конь шикнул:

— Кому сказано, заткнись!

В семь часов утра во всем здании раздался громкий сигнал.

— Подъем! — заорал Конь.

Максим быстро вскочил на ноги и начал застилать кровать, пытаясь украдкой посмотреть на Колю.

Тот молча копошился у своей кровати, рассматривая испачканную кровью простыню.

Открылась дверь, старший воспитатель по-хозяйски оглядела сонных мальчишек.

— Это тут двое новеньких? Ты... и ты. А у тебя почему кровать еще не застелена? А это еще что? Почему простыня грязная? Что молчишь, я тебя спрашиваю?

— Кровь носом пошла... — пролепетал Коля.

В тот день Максима определили дежурить на кухню, где он познакомился с мальчишкой из соседней спальни, Игорем Кривулиным по прозвищу Штырь. Вообще в детдоме по имени почти никто ни к кому не обращался. Педагоги звали всех по фамилиям, среди воспитанников в ходу были прозвища. Штыря так прозвали за особую верткость, вертлявость и юркость. Он и ходил как-то странно, подергиваясь во все стороны, глаза его постоянно бегали, никогда не смотрели прямо на собеседника. На вид ему было лет четырнадцать, но держался и говорил он почти как взрослый.

Новость о вчерашнем происшествии, похоже, быстро облетела всех старших ребят, на новичка Колю косились, со всех сторон раздавались смешки.

— Да, не повезло пацану, — шептал Максу Штырь, когда они вместе мыли посуду. — И тебе не повезло. Это ж

надо — в одну палату с Парамоном попасть. Его тут все боятся, даже Мегера.

— А что директриса говорила про карцер, это что такое?

— А, это самый край, — отвечал Штырь. — У нас почти все там перебывали. Если ты просто что-нибудь нахулиганишь, ну там, подерешься, горшок с цветами разобьешь или кучу двоек получишь, сажают на день-два в карцер. Это пустая комната, там ничего нету, ни кровати, ни стула, ничего. Только ведро стоит для помоев, так его не выносят по нескольку дней. Воняет — хоть вешайся. И не кормят там, может, кинут кусок хлеба раз в день, и то если вспомнят. А когда серьезно проштрафишься, ну, например, Федот как-то вообще сбежал, его на вокзале поймали. Тогда могут и на неделю в карцер. Прикинь, Федот девять дней сидел! Мегера про него просто забыла. А другие ее и боялись спросить, думали, может, так надо. Потом только кто-то напомнил, когда ему уже совсем хреново было. Еле живого вытащили, ему ж еды не давали. Пацаны говорили, он помои из ведра пил, прикинь? Думали, он уже с катушек съедет. Так Мегера отправила его потом в другой детдом, от греха подальше. В общем, мотай на ус — с Мегерой лучше не ссориться.

— Это я уже понял, — усмехнулся Максим.

— Еще ворует она, конечно, все, — откровенничал Штырь. Видимо, он любил поболтать. — Привозят одежду нам, страшную, конечно, но носить-то ее можно, а она нам ее не выдает. Вот ходим который год в этом, — он кивнул на свои ботинки, которым и правда место было на помойке, — и так постоянно.

— И вы не жалуетесь?

— Никто не жалуется, кому будешь жаловаться?

— А бывает так, что усыновляют? — с любопытством спросил Максим. Он уже четко решил для себя, что сделает все, лишь бы тут не остаться. Если не усыновят — придется бежать.

Штырь хмуро оскалился, поманил его пальцем, вывел на заднее крыльцо, нырнул куда-то под него, достал из дыры в стене бутылку с мутной жидкостью и протянул Максиму:

— На, будешь?

— А что это? — брезгливо покосился Макс.

— Да пей, не бойся, никто не помирал еще от этого. Спиртяга просто, ребята бодяжат.

Максим поморщился, засомневался, но потом решительно протянул руку и сделал глоток. Горло мгновенно обожгло едкой жидкостью, дыхание перехватило.

— Черт, гадость какая, — едва выдохнул он.

— Привыкнешь, все привыкают. Ничего, тут у нас коньяков да шампанских нет, — философски заметил Штырь. — И то, если Мегера узнает, сипец будет!

Он сделал еще глоток и продолжил:

— Вот ты говоришь — усыновляют... Бывает, конечно. Только редко. Все больше байки травят, вот, мол, один пацаненок заболел чем-то, то ли тифом, то ли корью, его в больничку отправили, тут не могли вылечить. Ну и там докторша какая-то к нему прикипела. Потом год его в детдоме навещала и в конце концов забрала с собой. Но такое редко бывает. Усыновлять-то норовят все больше малышню, ну, девок иногда. Недавно тут одну

девку забрали, Таньку-Козу, но ее же мать родная и забрала. Когда Танька родилась, прикинь, ее матери семнадцать лет было, ни мужа, ни работы. Ну, ее и отдали в детдом. Но мать эта постоянно навещала Танюху, ревела все. Потом и ее родители стали приезжать, дед с бабкой, значит. Домой брали на выходные, на праздники. А однажды она вовсе не вернулась, все-таки оставили дома. Вот так-то. Ладно, пошли обратно, а то попадет.

А еще случай был, пару лет назад, — продолжал Штырь, когда они вернулись в кухню, к горе грязной посуды, — девчонку вообще итальянка забрала. Но та мелкая была, года три, красивая такая и, говорят, на ту итальянку похожа. Я вот тоже раньше надеялся, что меня заберут, но что-то никто не рвется. Мои вряд ли заберут... Батя в тюрьме сидит, козел, — со злостью проговорил он.

— А у тебя что случилось? — поинтересовался Макс, загружая в мойку новую стопку тарелок.

— Да ничего, как обычно тут у всех, — Штырь отвернулся. — Мать пила, отца за пьяную драку посадили, он там кого-то ножом пырнул. Мать от меня отказалась, сука, тут же сюда и сдала. Мне вообще с ней хорошо было, хоть она и пила. Где угодно лучше, чем здесь.

Откровенность собеседника подкупила Макса, и он решился задать вопрос, неотступно мучивший его все это время.

— Слушай, тут такое дело... Я ночью слышал... Ну понимаешь... Как новенького этого, Кольку...

— Опустили, что ли? — глаза Штыря блеснули. — Ничего ты не слышал, понятно? А будешь залупаться, и тебе достанется. Ты лучше вообще Парамону на глаза не показывайся, а то приметит он тебя и приставать будет. И никуда ты тогда от него не денешься, если понравишься. Вообще он не всех трогает. Но ему отказывать не принято.

— И как он не боится карцера? Сам говорил, там сгнить можно...

— Ну, карцера он, может, и боится, да только кто ж настучит? А Мегера не знает про это... А может, делает вид, что не знает. Ей же за всеми не уследить. Да и желания нет, главное, чтобы мы проблем меньше доставляли. А ты расскажешь, так тебе же хуже будет. Мы стукачей не любим.

— Да не буду я никому говорить, чего я, идиот, что ли? — отмахнулся Максим, а про себя подумал: «Бежать, бежать! Во что бы то ни стало».

В ту же ночь, когда Максим пошел в туалет, с соседней кровати бесшумно кто-то поднялся и направился вслед за ним. Он уже выходил из кабинки, когда столкнулся лицом к лицу с Парамоном. Тот толкнул его в грудь так, что Максим ударился о дверь и, поскользнувшись, упал. Парамон наклонился к нему, Максим почувствовал зловонное дыхание у своего лица и услышал горячий шепот:

— Ну что, будем дружить по-хорошему?

— Да пошел ты, — Максим выдохнул в лицо противнику, изловчился и, ударив его в пах, перекатился из-под него и убежал.

Он знал, что расправы ему не избежать. И также понимал, что не сдастся ни за что. Лучше уж умереть. Тем

более сейчас эта перспектива не казалась ему такой уж пугающей. Теперь он ждал. Несмотря на свой возраст, он обладал удивительным, почти звериным чутьем, которое не раз выручало его потом. Но это чутье он обнаружил у себя именно тогда.

На завтраке Парамон, проходя мимо его стола с подносом, оглядел его оценивающе и сказал громко:

— Ну, готовься, пацаненок, сегодня твоя лучшая ночь. Это даже хорошо, что ты такой смелый, — и мерзко заржал. Множество глаз тут же обратились на Максима — кто со злорадством, кто с ненавистью, кто даже с сочувствием, но в основном с любопытством. Все предвкушали развлечение. Это слышали и воспитатели, но никто не отреагировал, своих забот полно. Тут было принято, что воспитанники сами разбираются между собой, по своим неписаным законам. Даже если бы кто-нибудь и вмешался, вряд ли бы это помогло Максиму, который заметил, что Парамон никогда не ходит один, все время со своей свитой. Значит, трус, — сказал себе Макс. На этом он и решил сыграть.

В ту ночь спать он даже не собирался, лег в одежде и укрылся одеялом. Но все же почти уснул, когда к нему стали подходить. В последний момент он услышал легкий шорох, и тут весь сон как рукой сняло. За секунду до того, как чьи-то руки сжались у его горла, он успел откатиться в сторону и соскочить с кровати. Парамон за ним, но Максим ударил прямо перед собой украденной из подсобки острой отверткой и попал. Тот глухо вскрикнул, из раны начала хлестать кровь.

— Сука, подойдешь — убью! — прошипел Максим.

В этот момент его окружили остальные парни, которые в растерянности оглядывались на своего предводителя. Максим поднес отвертку к шее и проговорил:

— Только подойдите, полосну по горлу.

Парамон, зло сплюнув и придерживая рану, сказал:

— Ну ладно, отвалите от него пока. — И, зловеще глядя ему прямо в глаза, добавил: — Это ты зря. Ох, как зря...

Они схватили его через неделю. Дождались, когда Мегера куда-то уехала и весь детдом расслабился в ее отсутствие.

Когда Макс спал, трое взрослых парней скрутили ему руки за спину, согнули в три погибели и запихнули в прикроватную тумбочку. Обмотали ее электрическим проводом, подняли на крышу, раскачали и сбросили с высоты третьего этажа.

Парамон сказал тогда:

— Ну, ты у меня сейчас будешь лететь, пищать и какать!

В тот момент, когда Максим осознал, что происходит, он уже ничего не мог поделать. Самой страшной была первая секунда падения, невесомость, ужасающе длинный полет и адская невыносимая боль, когда тумбочка достигла земли. Хлипкое ДСП раскололось вдребезги. Мальчику казалось сначала, что он умирает, и он не хотел открывать глаза, чтобы не увидеть свои мозги на асфальте. Потом он потерял сознание. Он не видел, как подбежали люди, как его, окровавленного, понесли на носилках. Что было в следующие несколько недель, он потом не помнил. Только знал, что каким-то чудом не

сломал ни косточки. Синяки скоро прошли, но душа навсегда осталась искалеченной. Когда другому пацану таким же образом сломали и душу, и позвоночник, он наблюдал за этим холодным взглядом. Самого Максима после того случая больше не трогали. Но не потому, что признали за ним силу и стали уважать — подобное происходит только в кино. Просто Максим Бирюков понял: с волками жить — по-волчьи выть. Хочешь остаться цел — становись таким, как все. И он стал. Во всем, вплоть до интимных пристрастий.

Не всех мальчишек в детдоме опускали, были и такие, которые соглашались на близость добровольно. С одним из них Макс и попробовал первый раз. И ему понравилось. Гораздо больше, чем с девчонками, — возможностей сравнить оказалось предостаточно. С партнером своего пола были гораздо более острые ощущения, и физически, и психологически. Девочки, даже если их брали силой, все равно как-то ухитрялись если не оставаться хозяйками положения, то, по крайней мере, сохранять достоинство. А парни подчинялись полностью, и это чувство безмерной власти над ними опьяняло.

После детдома Макс попал в училище, затем в армию. Вернувшись, понял, что гнуть спину на заводе не собирается. Подался в дальнобойщики, как когда-то отец, навидался всякого: и бандиты смертным боем били, и в аварии попадал, и юлой на гололеде крутился, однажды чуть не ушел под лед вместе с машиной и грузом.

Постоянных связей он не заводил, но секс имел регулярный, преимущественно с противоположным полом. Так уж получалось, что среди «плечевых», ищущих на дороге приключений с такими, как он, водителями, были только женщины.

Вскоре кочевая жизнь надоела, и Максим решил переквалифицироваться в охранники. Сначала на рынке следил за порядком (старух с их «бизнесом» не гонял, жалел), а затем, сойдясь ближе с хозяином рынка, стал личным охранником его племянницы Карины Мамедовой. Новая работа оказалась непыльной: отвези, привези, сгоняй за тем да за этим. И Макс как-то успокоился, расслабился... И вдруг влюбился.

* * *

Теплым майским вечером Степа сидел на скамейке в сквере рядом с памятником героям Плевны. У него как раз выдалось свободное время, и он решил прогуляться, подышать свежим воздухом. Был шестой час, еще довольно рано, и никто из знакомых в сквере не встретился. Степа достал заранее припасенную бутылку французской минеральной воды, открыл, сделал глоток. Вынул тонкую трубку, насыпал табак, не торопясь разжег. Несмотря на то что в тусовке все стараются чем-то выделиться, его курение трубки все еще привлекало много внимания. Всем было любопытно, насколько трубка отличается от обычных сигарет и что курить вреднее. Степа всегда с удовольствием отвечал на такие вопросы, а пока ответишь — уже и контакт установишь, собеседника лучше узнаешь.

Лениво посмотрев по сторонам, Степа достал из сумки Зюскинда и, отхлебнув еще глоток, углубился в чте-

ние. Краем глаза он заметил, как кто-то присел на скамейку рядом, но продолжал читать, не отрывая глаз от книги.

— А я смотрю, думаю, кто это, а это ты! — раздался знакомый голос. При его звуке Степа чуть вздрогнул.

Он повернулся и увидел охранника своей хозяйки, Максима Бирюкова. Он постоянно встречался с ним в салоне, в последнее время почему-то чаще, чем обычно, видимо, Карина Мамедова опасалась за свою безопасность.

— Привет, — чуть растягивая слова, сказал Степан и улыбнулся своей мягкой улыбкой. — Какими судьбами тут?

— Да вот, мимо проходил и тебя увидел. У меня сегодня выходной, вот слоняюсь без дела, — он кивнул на бутылку, которую держал в руке.

— А, — неопределенно протянул Степан.

— Что, не надо было к тебе подходить? — вдруг насмешливо спросил Максим и как-то фамильярно похлопал Степу по спине. — Я тебе помешал?

— Да что ты, нет, — торопливо ответил юноша, чуть подвигаясь.

Макс воспринял это как приглашение, уселся рядом и удобно развалился.

— Как там наша? — спросил Степа, чтобы как-то поддержать разговор.

— Да что с ней будет, — отмахнулся охранник, — стервит и злится, и больше ничего. Мужика бы ей, — и он прямо посмотрел в глаза Степану.

«Да что он, издевается, в самом деле, что ли?» — Степе вдруг стало жарко.

Он знал, что в салоне все уже в курсе его нестандартной сексуальной ориентации, и даже сам иногда намекал на нее, вставляя между делом какое-нибудь туманное замечание, но никогда, правда, открыто не признаваясь. При его работе это было даже полезно, богатые светские дамы больше доверяли свои прически как раз именно таким мастерам. «Сейчас, если у тебя парикмахер не гей, то он как бы и не очень хороший парикмахер», — говорила Карина. Но окончательно сменить имидж на «голубой», начать говорить и одеваться в этой манере Степа как-то не спешил. Он просто был элегантен, шмотки подбирал стильные и со вкусом, иногда и на грани, но никогда ее не переходя.

Потому Степа и не знал, как вести себя с Максом. Вдруг тот считает его натуралом? Он боялся, что Максим, узнав правду, отвернется от него и будет презирать, а этого Степе не хотелось. Он давно уже поглядывал на шикарного мускулистого симпатягу с грустными глазами с несколько большей симпатией, чем он мог бы себе позволить. Узнай это Максим, еще неизвестно, как он прореагирует... Все-таки он далек от салонных сплетен, хоть и заигрывает в свободное время с девчонками на ресепшене, Степан многократно наблюдал эту картину.

Степа стал тревожно поглядывать по сторонам. Здесь в любую минуту мог оказаться кто-то из своих, подойти, заговорить и тем самым создать щекотливую ситуацию. Очень не хотелось, чтобы Максим видел его в обществе знакомых.

Максим тем временем непринужденно насвистывал, заглянул в книгу Степана и тут же отстранился, потом, углядев в его сумке минералку, скривился:

— А я-то думал, у тебя там пиво...

— Здесь палатка недалеко. В переходе, — отвечал Степан. — Можно сгонять. А разве ты не за рулем?

— Говорю же, выходной у меня сегодня.

— А мне еще сегодня в салон ехать...

Тут взгляд Степана упал на знакомого юношу, дефилировавшего неподалеку и явно направлявшегося в их сторону. Походка и внешний вид парня не оставляли никаких сомнений в его предпочтениях. Степа сделал страшные глаза, и тот разочарованно прошел мимо.

Степа с тревогой взглянул на Макса, но тот только недоуменно проводил парня взглядом и ничего не сказал. И хотя Степа никогда даже и не думал надеяться, что Максим когда-нибудь тоже обратит на него внимание, сейчас ему стало особенно жалко, что эта мечта несбыточная.

— Тут эти, ваши, что ли, собираются? — Максим с интересом разглядывал фланировавшую публику.

— Так ты знаешь про меня? — с замиранием сердца спросил Степа.

— Что знаю? Что ты гей? — расхохотался охранник. — Так это все знают. Ты что, думаешь, я совсем деревянный? У нас в салоне девчонки рассказывали.

— Я и не думал, что и ты знаешь... — протянул Степа и осторожно спросил: — И как ты к этому относишься?

— Да нормально, сейчас так все поменялось в мире, — лицо Максима приняло какое-то задумчивое выражение.

«Он не сказал, что сам не стал бы никогда, — с радостью подумал Степа. — И продолжает общаться со мной».

— Обычно такие, как ты, ненавидят геев, — сказал он вслух.

— Да за что мне их ненавидеть? Мне с ними делить нечего, а так... Кто как хочет — так и дрочит. Пойдем-ка лучше пивка попьем.

— Пойдем, конечно, — Степа подхватил сумку.

Они спустились в переход, но Макс не остановился у палатки, а двинулся дальше и вывел Степу наверх, на Маросейку. Поднялся немного по улице, остановился перед яркой вывеской и толкнул дверь. Они со Степой очутились в стильном, явно недешевом кафе. Максим выбрал столик в углу, присел и сказал тоном, не терпящим возражения:

— Я угощаю, пить будем, что я закажу.

Степа кивнул головой и расположился напротив. Он уже не очень понимал, что происходит. Максим взял инициативу в свои руки, и Степе это нравилось. Его только удивил выбор заведения, он думал, что охранник хозяйки посещает менее пафосные кафе и бары.

— Так, — сказал тем временем Максим подошедшему официанту, — пройдемся по классике. Ему — «Маргариту», мне — коньяка. Можно сразу бутылку.

— Опа! — поднял брови Степан. — Похоже, кто-то хочет напиться? У тебя все в порядке?

Макс метнул на него мягкий проникновенный взгляд, и тому стало не по себе.

«Не может же так быть в самом деле...» — подумал он.

— Да о'кей все у меня, просто иногда хочется напиться, понимаешь? — говорил тем временем Макс. — Жизнь такая пустая и однообразная, так что я подчас себе позволяю.

— У меня тоже не сахар. Часто такие клиенты попадаются, хоть плачь. Капризные, все не по ним, — разоткровенничался за бокалом Степа. — Ну ты сам знаешь, какие у нас там фифы...

— У меня тоже работенка так себе, — вторил ему Макс. — Опасности-то никакой, води себе да ходи следом, но все время одно и то же, одно и то же... Но я привык, не думай, что я жалуюсь.

Степа рассмеялся:

— Что, боишься, Каринке настучу? Не бойся.

— А я и не боюсь, — Максим опять посмотрел на Степана тяжелым взглядом. — Тебя — не боюсь.

Они болтали о всякой ерунде, и Степа не заметил, как прошел целый час.

— Не хочется уходить, — признался он, тяжело вздыхая, — но надо в салон.

— Тогда бывай, — Максим достал из бумажника крупную купюру, небрежным жестом бросил на стол и, не успел Степан сказать хоть слово, вышел из кабака.

«Псих какой-то, — подумал тогда Степа. — Зачем он приводил меня сюда? Что это значит? Что это вообще все значит?»

— Максим сегодня что-то злой, как с цепи сорвался, — доверительно сообщила ему на следующий день маникюрша Полина. Они сидели в курилке и болтали, в разгар рабочего дня выдался небольшой перерыв.

В салоне было запрещено разговаривать при клиентах на личные темы, поэтому душу отводили в курилке — сплетничали, болтали, делились новостями и проблемами. С клиентами можно было только беседовать о них самих, налаживать контакт. Для работников салона красоты это было насущной необходимостью — устанавливать дружеские связи с посетителями. Чтобы потом, при возможности выбора, клиент пришел именно к ним. В таком бизнесе личные симпатии крайне важны.

— Я вот думаю на «Багратионовскую» перевестись, — поделилась Полина. — Говорят, Карина еще и там филиал откроет. До метро близко, а мне ездить удобнее.

— Можно, — лениво протянул Степа. — Только она тебе там зарплату понизит. Место новое, пока клиентов наберешь... А старые в такую даль мотаться не будут.

— Ну и пусть понижает, не могу тут работать, каждый день на дорогу по два часа в один конец трачу. Это жизнь разве?

Степа неопределенно пожал плечами.

Вошла Лила, высокая, чуть полноватая девушка, работавшая визажистом, заговорщицким тоном сказала:

— Там Макс приехал, рвет и мечет, на всех орет. По-моему, он нетрезв. Хорошо, что Каринки нет... Тебя, Степ, вроде ищет...

Степан молча поднялся и быстрым шагом вышел из курилки.

В зале, развалившись в его клиентском кресле, положив ногу на ногу, восседал Максим. Он курил и ожесточенно стряхивал на пол пепел.

— Привет. Ты чего это? — несмело спросил Степан.

Максим поднял на него голову, и Степа наткнулся на откровенно злой взгляд пустых глаз. Впрочем, красивых. Он отшатнулся, как будто его ударили.

— Я тебе сказать хотел... Ты просто пидор грязный, каких миллион, таких, как ты, убивать надо. — Максим вдруг ударил рукой в стену с такой силой, что Степан всерьез испугался, как бы она не проломилась.

— Что с тобой, Макс? И такие, как мы, тоже имеют право на жизнь, — проговорил он едва слышно, но твердо.

Максим, видимо, находился на грани истерики, от него разило спиртным, глаза его блестели, руки тряслись.

— Да что с тобой случилось? Вчера мы вроде нормально общались.

— Да не могу я с тобой нормально общаться. Потому что ты — урод! — проревел Максим. На его крик уже сбежались и Лила, и Полина, и все остальные, зашикали, засуетились. Максим с ненавистью посмотрел на них, вскочил и, хлопнув дверью, выбежал из салона.

Степан сел на кресло, в его глазах показались слезы.

— Чего это на него нашло? — ошеломленно спросила Лила и, подойдя к Степе, погладила его по голове. — Ты на него не обижайся... Таким убогим ничего уже не поможет. А тебя все клиенты уважают, ты у нас лучший мастер. Вот он и завидует. Сам-то ничего собой не представляет.

— Только бы Каринка не узнала. А то тут же могли клиенты сидеть. Это повезло, что никого не было... — сказала Полина. — Ну нет, ну вы его видели? Глаза по пять копеек, аж трясся! Видать, крышу снесло, у охранников это бывает.

— Устал человек, — подал нежный голос стажер Дима.

— Да козел он, и все, — резюмировала Лила.

После этого случая Максим не появлялся на работе несколько дней.

Степан боялся спросить, что с ним, но на четвертый день не выдержал, тайком заглянул в компьютер Карины, чтобы найти координаты Макса. Телефона там почему-то не оказалось, только адрес. Степа списал его и после работы поехал в Текстильщики.

Выйдя из такси, Степан огляделся в недоумении. Рабочий микрорайон, обшарпанный дом. Если Максим зарабатывает нормально, с чего бы ему снимать здесь халупу? Хотя, может, Карина не из самых щедрых хозяек...

Степа, обожавший все красивое и изящное, даже не догадывался, что Максиму было ровным счетом наплевать, где жить. Красоваться перед девицами, с которыми он иногда знакомился в клубах и которых привозил на ночь, ему не было нужды. А раз тут дешевле, чем в центре, то почему бы не поселиться здесь...

Степан нерешительно огляделся, раздумывая, как проникнуть в закрытый подъезд, как тут, на его счастье, дверь открылась, и из подъезда вышел мужик в тренировочных штанах с мусорным ведром. Степан подхватил дверь, но мужик придержал ее рукой и сурово спросил:

— Молодой человек, а вы куда? — маленькие глазки испытующе буравили Степана.

— Я в сорок пятую, по работе, — быстро проговорил Степан. Мужик не нашелся что ответить, и Степан, воспользовавшись его секундным замешательством, проскользнул в подъезд.

Он поднялся на лифте и долго жал на звонок, прежде чем ему открыли. Вначале Степан услышал запах перегара из-за двери, потом медленно заскрежетали замки, и на пороге, чуть покачиваясь, возник Максим.

— Ты? — Он оторопело привалился к двери и разглядывал Степана так, как будто не верил своим глазам. — А тебе-то что здесь надо?

— Можно войти? — вежливо осведомился Степа.

— Ну, входи, — неожиданно добродушно хмыкнул Максим и чуть отодвинулся в сторону, но не настолько, чтобы Степан мог свободно пройти. Тогда тот сам мягко отодвинул хозяина и протиснулся в квартиру. Максим медленно закрыл дверь и прошел вслед за ним.

Степа зашел в комнату и присел на диван. На всем виделась печать запустения, небрежности холостяцкого жилья: бутылки водки, пустые и одна полная, несколько пепельниц, доверху заполненных окурками, пакеты из-под чипсов и остатки пиццы, брошенная на пол одежда. Диван был застелен покрывалом с прожженными дырками.

— Да, уютненько у тебя, ничего не скажешь... Который день пьешь?

— Я даже протрезвел от таких гостей. Чего пришел-то? Каринка послала?

— Пришел по личной инициативе.

— Понятно. Третий пью. Взял на неделю отпуск, а что, нельзя?

Максим тяжело плюхнулся на диван рядом со Степаном и взял стакан с плескавшейся на дне прозрачной жидкостью. Юноша чуть отодвинулся и проговорил:

— Мы прошлый раз как-то странно пообщались. Я бы хотел прояснить ситуацию.

Максим повернулся, с трудом сфокусировал взгляд на Степане и прошептал:

— Ну, я-то знаю, зачем ты пришел. И ты это получишь, сам напросился.

Он наклонился к Степе, схватил его за волосы и привлек к себе...

Потом они лежали рядом, Максим курил и рассказывал Степе про детство, про детдом, про тумбочку и про то, в чем он до последнего не хотел себе признаваться.

— Меня, видимо, что-то надломило все-таки там... Я-то думал, что все прошло давно. А вот увидел тебя — и снова закрутилось. Ты уж прости, что я тебе нахамил... Я все от себя убегал, а оттого злился на весь мир и на тебя в первую очередь. Если бы не ты, я, может, и не узнал бы никогда, что я тоже... Но в любом случае я рад, что так случилось. Понимаешь, с бабами все как-то не так, не цепляет до глубины.

— Да ничего, я не обижаюсь. Я понимаю, — Степан кивнул и ласково провел ладонью по его широкой волосатой груди.

— А ты как... Ну, это... У тебя ж все по-другому, ты же в семье вроде жил? — запинаясь, спросил Макс.

— Да, у меня все иначе. У меня сестра есть, Вика, старше на два года. Я ее и сейчас очень люблю, а в детстве — так просто боготворил. Подражал ей во всем, говорил, как она: «я сама», «я пошла», «я сказала», одежду ее мерил, ленточки, бусики всякие. Взрослые сначала смеялись, а потом ругаться начали. Я от них прятался, но все равно продолжал. А в четырнадцать лет познакомился с парнем в клубе, его Джексон звали, — ну, и понеслось...

С тех пор Максим заботился о Степане как о своей девушке. Переехал к нему жить, покупал подарки, водил в кино и рестораны, даже одеяло подтыкал, когда Степа, бывало, ночью раскрывался во сне. А я еще страшно ревновал, закатывал скандалы, мог даже и ударить, если считал, что на то есть повод. Любил, в общем.

* * *

Максим достал кружку, насыпал несколько ложек растворимого кофе, заварил кипятком, поднес кружку ко рту... и вдруг зашелся в жутком, удушающем, сухом кашле. Кофе расплескалось по столу и полу, образовав несколько коричневых лужиц. Приступ опять вернул его в ощущение ненавистного детства, напомнил, как он задыхался в тумбочке, беспомощный и согнутый в три погибели.

Но странно, откуда этот кашель? Это уже не первый раз. А он и не простужен, он вообще практически не болеет, к врачам обращался всего несколько раз в жизни.

Видно, закалка детдомовская помогает, кто-то там надрывает здоровье, а кто-то наоборот...

Надо было уже собираться на работу, но вдруг он почувствовал сильную слабость, не хотелось никуда идти, тянуло прилечь на диван подремать. Макс с раздражением мотнул головой — такого с ним никогда не было. Тело долгие годы служило ему исправно, как идеальный механизм, и вдруг отказывалось выполнять свои функции. Он с большим трудом поднялся, отправился в ванную. Лужи вытирать не стал, Вика уберет, не сломается.

Вечером он пришел домой, чувствуя себя как никогда вымотанным. Степа валялся на диване, смотрел какое-то ток-шоу.

— Я хочу лечь спать, устал что-то, — Макс грубовато оттолкнул любовника и лег на постель. Не хотелось ни видеть кого-то, ни слышать громкие звуки.

— Ты чего это? — удивленно поднял брови Степа.

— Устал я, понятно? Устал. Это тебе не ножницами щелкать и жопой вертеть. Мужская работа, между прочим. Понял? Отвали! — с неожиданным раздражением рявкнул Макс.

— Мужская работа — кроссворд разгадывать? — обиделся парикмахер. — А я, между прочим, не просто так деньги получаю, у меня тяжелый труд. И оплачивается побольше твоего...

— Что? — Максим кинулся к Степе, схватил его за плечи и швырнул к стене. Тот ударился плечом, скривился от боли и тоненько взвизгнул. Макс снова в приступе ярости схватил его за грудки и затряс, но Степан увернулся и влепил ему пощечину. Это неожиданно привело

Максима в себя, он отпустил свою жертву и устало отвалился на другой конец дивана. Степа разминал плечо и демонстративно молчал. Через несколько минут Макс сказал глухо:

— Прости, не знаю, что на меня нашло. Не хотел тебя обидеть. Просто мне как-то хреново, простудился, наверное. Заболеваю.

Степа быстро заморгал и кивнул:

— Сейчас грипп ходит как раз, самая эпидемия. А прививку ты, конечно, не сделал, как я тебе говорил.

И засуетился:

— Ты посиди, я сейчас постель разберу, ты ляжешь... На вот пока градусник. Сейчас аспирин принесу, чаю тебе с лимоном сделаю. Ты чего хочешь, меду или малины?

Несколько дней все вроде было нормально, но через неделю, на выходных, когда они со Степой возвращались из клуба, опять сильно закашлялся. Приступ не проходил несколько минут. Степан испуганно смотрел на друга выпученными глазами, а потом выдавил из себя:

— Ты ходил к врачу?

— Нет...

— Что с тобой происходит вообще?

— Не знаю, — сдавленно ответил Максим.

— Ты похудел за последнее время.

— Что-то не замечал...

— Ты все-таки сходи к врачу, ладно? — озабоченно проговорил Степа.

В поликлинике пахло хлоркой и лекарствами. Они сидели в коридоре на потертом диванчике и ни о чем не говорили — не могли. Наконец маленький толстенький врач в белоснежном халате пригласил их зайти. Любовники робко протиснулись в дверь и остановились на пороге.

Доктор мельком взглянул на них:

— Садитесь. Один сюда, на стул, второй может на кушетку. Кто из вас Бирюков? Вы? Вот и садитесь ко мне. Ну что вам сказать, молодой человек... Тяжело сообщать такие вещи, но у вас обнаружен ВИЧ, — и он продемонстрировал бумажку, на которой бросались в глаза два креста, сделанные красной ручкой.

Степа ахнул и привалился к стене. Максим вскочил в гневе и застучал по столу.

— Вы с ума сошли! Тут какая-то ошибка!

— Бывает и такое, — невозмутимо отвечал врач. — Я сейчас выпишу вам направление на повторный анализ. А пока скажу — да вы сядьте, молодой человек! — что при современном уровне развития медицины с ВИЧ можно жить. Сейчас ВИЧ — это не приговор. Вы сможете поддерживать свою жизнь довольно долго. Люди живут и десять, и пятнадцать лет...

— Но я не хочу жить и считать годы и месяцы! — рявкнул Максим.

— И на такую жизнь нужны деньги, лекарства, — тихо добавил Степан.

Врач протер стекла очков:

— Я должен задать вам несколько вопросов. Вы принимаете наркотики?

Степан с Максимом переглянулись и ничего не ответили.

Потом Максим тяжело выдохнул и предложил:

— Давайте сделаем повторные анализы.

— Давайте, — согласился врач. Надел очки и посмотрел на Степу: — И вам, молодой человек, настоятельно это рекомендую...

* * *

Первый раз ширнуться Максу предложил Степа. Максим вяло сопротивлялся:

— Не буду я... Еще подсяду...

— Да ты только попробуй. Тебе понравится, вот увидишь. Ощущения обалденные!

— Ну да, сначала. А потом?

Он спорил со Степой, но, по правде говоря, ему хотелось попробовать. После того как он стал встречаться с молодым парикмахером, прошло некоторое время, и ему опять хотелось испытать острые ощущения... Как тогда, когда он впервые поцеловал Степу. И он позволил себя уговорить.

Первый раз. Он до сих пор помнил, как это было. Ощущение полета, блаженства, нереального, какого-то физического счастья. Ему захотелось еще. Вскоре это стало привычкой, потом необходимостью, потребностью. Это уже не приносило столько радости, скорее было условием выживания.

* * *

Повторные анализы показали, что Степа здоров. Пока. Но это ни о чем не говорило. А вот у Макса был тот же результат. Надежда, не оставлявшая их до последнего

момента, теперь рухнула. Внутри было только опустошение. Как теперь жить? Что их ждало впереди? Обреченность, пустота и небытие.

Любовники вышли из поликлиники, ничего не говоря друг другу, Максим взял Степу за рукав и потащил в соседний сквер. Был конец ноября — та часть поздней осени, которая отличается особой промозглостью, пронизывающими холодными ветрами, забирающимися под одежду, даже самую теплую и толстую, моросящим дождем и ощущением особенной безнадежности. Других сумасшедших, отчаявшихся на прогулку в такую погоду, в сквере не было, разве что те, кто торопливым шагом пересекал центральные аллеи. Люди спешили домой, в тепло и уют. Но Максиму со Степаном спешить было уже некуда и незачем. Они понимали, что больше уже никуда не опоздают.

Макс небрежно кивнул на скамейку:

— Присядем?

Степа опустился на краешек.

— Ну что, тварь, говори, — неожиданно Макс сильно ударил друга по лицу. У того тут же потекла кровь из носа.

— Ты чего? Ты чего? — Степа инстинктивно закрылся рукой, поднеся ее к лицу, но Максим раз за разом прорывался сквозь этот слабый щит.

— Чего? Чего? — истерически кричал он. — Сам знаешь чего!

От удара под дых Степан, скрутившись, чуть не упал со скамейки, но вовремя ухватился за спинку.

— С кем ты, сука, спал? Урод вонючий, шваль подзаборная! Признавайся, все равно узнаю и убью.

Случайные прохожие шарахались от разошедшихся любовников, но влезать в чужие разборки никто не посмел. Ну, поссорились пацаны, с кем не бывает.

Степа оглянулся и заплакал.

— Я тебе не изменял, — по-бабьи распялив рот, провыл он, — можешь верить, можешь — нет, делай что хочешь. Хочешь — убивай. А может, это ты?

Глаза Степы вдруг потемнели, в них тут же высохли слезы, взгляд стал едким и злым. Лучшая защита — это нападение? Он пронзительно посмотрел на Макса.

— Ты дурак, что ли? — опешил тот и сплюнул под ноги.

— Кто у тебя был, кобель? — взвизгнул пухленький парикмахер и посмотрел на Макса с таким выражением, что тот впервые испугался.

— Я ни с кем, кроме тебя, — пытаясь сохранить спокойствие, возразил Максим.

Степан смотрел в сторону, потом вдруг встал и побрел вон из парка. Через пару минут он услышал топот за спиной, потом кто-то крепко схватил его за плечо и развернул. Это был Максим. Он сильно прижался к Степе и заплакал, пожалуй, впервые за все время своей взрослой жизни.

— Я люблю тебя, — прошептал он чуть слышно и не знал, услышал Степа его слова или нет, — что бы ни было, будем вместе до конца. Сами виноваты.

Степа рыдал уже почти в голос:

— Я перед тобой чист! Ни с кем, ни разу! Мысли даже не было!

— Может, и так, — наконец согласился Макс, — но уж больно ты у меня привлекательный и ароматный. Любишь хвостом вильнуть и глазки построить.

— А иглу по кругу, скажешь, не было?.. — рыдал Степан.

— Игла по кругу была, — в глазах Максима появилась тоска.

Сошлись на том, что это могло произойти с кем-то из них до встречи: СПИД дремал-дремал, да и проснулся.

Степан грустно улыбнулся:

— Теперь уже и не разобрать.

Отвыли, оторались, отматерились. Теперь Максим ревниво смотрел на Степаново здоровое, упитанное тело.

— Ты скоро будешь меня, как людоед, ощупывать, — заметил парень. — Не думай, даже если я и не заболею, мы с тобой вместе уйдем.

— Вместе?..

— Я не смогу дальше — без тебя, — в глазах Степана показались слезы. — Да и все глюки, которые мы с тобой под кайфом ловили, уже сбылись. Ну, не все, так почти все.

Через два месяца Степа прошел повторный тест. На этот раз результат был положительным.

Как во сне они прожили год, потом другой. И вроде как даже привыкли. Колоться стали чаще, выплывали все труднее. Здоровье и самочувствие, что бы там ни говорил врач, ухудшалось. Иногда, словно бы не всерьез, стали поговаривать о суициде. Может, не ждать у моря погоды, взять да и уйти самим? Каким способом — понятно: вкатишь тройную дозу — и не заметишь, как отойдешь в

мир иной: «Здрасте, Владимир Ильич!» — как любят шутить наркоманы. Была даже мысль сделать это красиво, в новогоднюю ночь: пустить по вене, как только президент выйдет с бокалом. И под куранты — со свистом! Но тут оказалось, что Вика на Новый год никуда не идет, — и от затеи отказались. Пугать девчонку было ни к чему, Степа безумно любил сестру, да и Макс к Вике уже привязался.

* * *

Подъезд оказался не тем. И дом тоже не тем. Никакой Вики в квартире на третьем этаже, окнами на улицу, не обнаружилось. И в соседнем доме тоже. И через один.

Телефона Вики Крутилин, конечно, не помнил. Как у многих бизнесменов, у него имелось несколько мобильных — для деловых связей, для друзей, для личных контактов. Номер секретаря был в записной книжке «офисного» телефона, который Евгений, как назло, сегодня не взял.

Жене показалось, что мороз усилился. На самом деле из него просто понемногу выветривался алкоголь, и ему становилось холодно. Ну и пальто, конечно... Крутилин обычно покупал верхнюю одежду, исходя из того, что в основном проводит время в салоне машины с климат-контролем, и тонкий кашемир не спасал от январских морозов.

После десяти минут бесцельного блуждания Лохнесс в растерянности остановился посреди тихой улицы с однотипными пятиэтажными домами. Кругом было безлюдно, окна в домах одно за другим гасли, люди укладывались спать.

«А у меня дома нет. Уже нет, — зябко поежился Крутилин. — Сколько же всего свалилось на меня за последнее время». Он вспомнил Каринку с братьями, Маринку с этим ее язвительным «Ты лох, Лохнесс!» и выругался. «Ну и везет же мне на баб! Хотя ведь я сам — сам! — выбрал себе и первую и вторую жену... Хотя теперь можно сказать, что выбирал я их не для себя, а друг для друга... Нет уж, пусть весь мир сойдет с ума, и женщины будут с женщинами, а мужчины — с мужчинами, это не убедит меня. Правда заключена в самой жизни. А жизнь зарождается там, где Он и Она. Остальное, как говорят, от лукавого».

Его безумная ночная поездка за город, на старенькую мамину дачу, была, конечно же, инстинктивным желанием прижаться к чему-то родному, близкому. И хоть ехал он туда с одной целью — умереть, но ведь хотел это сделать именно там, а не где-то в городе, где и с крыши можно... и с моста...

Он замер как вкопанный: понял, почувствовал, что это мама остановила его там, у разрушенной церкви.

— Ты продолжаешь оберегать меня, родная моя, — прошептал он. — Значит, еще не все потеряно?..

Он посмотрел наверх, туда, куда улетела душа его мамы. А там высыпали звезды и удивляли своим ярким светом. Ему показалось, что одна из них подмигнула ему.

Под ногами громко и весело хрустел снег, напоминая, что сегодня Рождество.

«Я, как кузнец Вакула, отправился в рождественскую ночь на поиски счастья, — улыбнулся Лохнесс. — Но я хоть и не Вакула, но чертям бы всяким хвосты понакрутил».

«Маринку я, конечно, просмотрел, — думал он. — Я приучил ее к хорошей, легкой жизни. К ничегонеделанью. Ни дела, ни детей, ни увлечений. Хотя нет, увлечения были: тряпки, тусовки, травку покуривала, а вот теперь — высший пилотаж».

А снег все хрустел и хрустел под ногами.

В воздухе веяло какой-то таинственностью, так и хотелось верить во что-то светлое и приятное. Евгений шагал, уже не отдавая себе отчета, куда и зачем идет, не прекращая говорить сам с собой.

«Что же мы делаем с собой за тот короткий промежуток времени, который отпущен нам? Ведь для чего-то нам дается и этот снег, и эта ночь, и эти звезды... Ну не для того же, чтобы только есть, пить, портить друг другу жизнь!

Многим людям я помогал в этой жизни, многие помогали мне. Я хочу любить, хочу, чтобы меня любили. Я хочу нормальной обыкновенной жизни. Это такая малость, — он тяжело вздохнул. — И это так много...»

И, поглощенный своими мыслями, он сам не заметил, как сбился с пути. Потерял не только дом, но даже нужную улицу, оказался где-то среди гаражей и бетонных заборов.

Что делать, как отсюда выбираться? Вокруг ни души, дорогу спросить не у кого. Даже ни одной машины не остановишь. Да и не на что ему машину ловить, всю наличность — а там было тысяч, наверное, десять — он отдал бородатому.

Женя растерянно побрел вперед, от злости вскидывая ногой сугробы. Эти окраины, бесконечные железнодорожные пути справа от него, занесенные снегом будки навевали на него тоску. В таком месте особенно жутко и бесприютно в холод и метель, и потерявшемуся путнику легко утратить остатки надежды.

Крутилин не знал, что он не остался незамеченным, даже в таком безлюдном месте, где, казалось, хозяйничает только стихия. За ним внимательно наблюдали несколько пар глаз.

— Эй, мужик, — послышался негромкий голос откуда-то из-за гаража.

Женя удивленно поднял голову и с некоторым трудом сфокусировал взгляд на двух крепких мужичках невысокого роста и неопределенного возраста в не слишком свежей одежде.

— Что?

— Закурить у тебя не найдется? А то по пальто видать, богатенький, а у нас вот нет ничего, так что поделись. Не все же тебе должно в этом мире достаться.

— Извините, я не курю, — развел руками Лохнесс.

Один из мужиков, нагловатый, со свежим шрамом на лице и хитрыми глазками, прищурился:

— Тогда деньгами помоги под Рождество. А то мы и отпраздновать не можем по-человечески...

— И денег у меня, ребята, ни копейки, хотите — верьте, хотите — нет, — вздохнул Крутилин. — Я все поте-

рял. Смешно, конечно, но то, что на мне, — по сути, все, что у меня есть.

— Вот ведь какой, класс буржуйский, не хотят по-хорошему, — усмехнулся нагловатый прямо в лицо Лохнессу, окутав того смрадным облаком перегара, сивухи и гнили. Половина зубов во рту у него отсутствовала.

«Видимо, меня бить собираются», — отстраненно подумал Лохнесс. Его и впрямь не особенно пугала такая перспектива — ну что же, логичное завершение дня.

Но он все же приготовился защищаться, попутно высматривая пути отступления, потому что в таком состоянии вряд ли мог оказать серьезное сопротивление.

— Хорош, мужики, оставьте его, — послышался вдруг глуховатый голос сбоку и почему-то сверху. Крутилин повернулся в ту сторону, тут же получил удар по голове и провалился в небытие.

Очнулся он уже совсем в каком-то другом месте, тут хотя и слышались завывания ветра, но было относительно сухо и тепло. В нос ударил неприятный запах помойки. Он огляделся и понял, что находится, очевидно, в заброшенном гараже или сарае. Вокруг виднелась старая мебель и прочий мусор, из стен торчали куски фанеры. Горел небольшой костерок, разведенный из остатков ящиков, бумаги и щепок. Рядом с ним сидел и смотрел на огонь взлохмаченный человек с пронзительными глазами, в вылинявшей до непонятного цвета куртке без молнии и женской вязаной шапке.

— Где я? Кто вы?

— Я Михаил, — важно ответил человек, и Лохнесс тут же узнал голос, который он слышал сверху. — А ты у

меня дома. Я его сам построил, из того, что было под рукой, так что не обессудь.

— Что со мной произошло?

— Тебя Ряба вырубил. Ничего страшного, максимум шишка будет. Ты уж извини, я не сразу подоспел. Смотрю, наши шныряют, явно заметили лоха. Я за ними и пошел, на гараж забрался поглядеть. Вижу — приличный мужик, и лицо такое несчастное. Я за тебя и вступился. Они меня уважают, так что всего лишь пришлось им пару раз дать в торец, они и отвалили, — хохотнул собеседник. — А как тебя звать-величать?

— Меня? Женя. Евгений.

— Хорошее имя, — признал Михаил. — Означает — благородный. Ну что, ваше благородие, водочки не желаете?

— А есть? — губы Лохнесса все еще тряслись, то ли от пережитого, то ли от того, что он не успел согреться.

— Обижаешь! — Бомж Михаил достал бутылку без этикетки и разлил по пластиковым стаканчикам, неожиданно оказавшимся чистыми. Они залпом выпили огненную жидкость, тепло разлилось по телу Лохнесса, боль притупилась.

— Что же тебя завело в такие места, Женя? Да еще и в подпитии, как я посмотрю? — поинтересовался Михаил.

Важность нового знакомого и его манера речи забавно контрастировали с окружающей обстановкой, но Женя этого не заметил. Он смутился и ответил:

— Дом ищу один.

— Понятно. Тут поблизости жилых домов нет, только переезд. А ты впредь будь аккуратнее. Так можно всего лишиться, — назидательно произнес собеседник.

— Да у меня и нет уже ничего, так что не страшно, — горько сказал Лохнесс.

— Тогда, конечно, проще, — согласился Михаил. — И все же, чего это ты в рождественскую ночь шастаешь по пустырям? Чего тебе дома не сидится?

— Мне сегодня жена изменила, — убито признался Лохнесс.

— Во как. Ну, тогда понятно. Ну, давай еще выпьем.

Они разлили по стаканам еще две порции водки и молча выпили.

— Ну, это, конечно, давно случилось, — Женю потянуло на откровенность. — Просто я только сегодня узнал про это.

— М-да, неприятность. А соперник тебе известен?

— В том-то и дело, что это не мужик, а баба! Сам не знаю, радоваться этому или печалиться. С одной стороны, вроде как не мужик, вроде как не всерьез. А с другой — еще противнее! Знаешь, кто эта баба? Моя бывшая. Тьфу, гадость какая!

— Да уж, чего только в жизни не бывает, — задумчиво проговорил Михаил. — Выходит, у тебя обе жены лесбиянки?

— Да дуры! — Крутилин сплюнул. — От первой-то, Каринки, я всего мог ожидать. Но Марина...

— Любишь ее?

— Уже нет, наверное. Просто понял, кто она есть на самом деле. Грустно, если честно. И больно.

— А ты ее прости, — предложил Михаил.

— Простить и отпустить, — усмехнулся Лохнесс, — как в песне?

— Ну, вроде того.

— Да мне уже все равно на самом деле. Понял, что всю жизнь тратил не на то, старался, зарабатывал деньги, и что? Все впустую, ничего хорошего они мне не принесли. Это обидно. Думал, созидательное что-то делаю, а оказался пшик. Пустышка.

— Знаешь, какая самая лучшая месть?

— Которую подают холодной?

— Нет, — улыбнулся Михаил. — Простить — самая лучшая месть. Сколько смыслов ни ищи — их много, и все верные. Я знаю не понаслышке. Ты думаешь, я всегда здесь бомжевал? Нет, конечно. Пять лет назад я нормальным человеком был, врачом работал в больнице, хирургом, и семья у меня нормальная была.

— И что же случилось? — заинтересовался Евгений.

— А ты слушай, не перебивай, и узнаешь. Жили мы в одном подмосковном городке, не буду говорить в каком. Была у меня жена, дочь-красавица. Я вообще-то хирург неплохой. Работал в свое удовольствие, нравилось мне это дело. В больницу шел как на праздник, вечером домой тоже летел на крыльях.

И как-то вышел я на дежурство, а больница у нас, надо сказать, маленькая. По правилам полагается, чтобы несколько человек дежурили, но народу-то не хватает... Так что в ту ночь я был один. Думал, обойдется. Городок маленький, происшествий мало, а если что случалось, то отвозили в городскую, а не к нам. А тут, как назло... при-

везли девчонку. Совсем молоденькая. Лет семнадцать ей было. Умирает от передоза, приволокли ее друзья какие-то, наркоманы, и бросили в приемном отделении, сами сбежали, испугались.

У нее уже пена изо рта шла, нужно было срочно что-то предпринимать. По идее, тут нужен реаниматолог, это был его профиль, но он на больничном был, запил, между нами. Пришлось мне самому. Позвонил я главврачу, своему другу, объяснил, что и как, что в другую больницу ее просто не успеем довезти. Он сказал, что берет ответственность на себя.

Ну, я сделал все, что надо, а потом выяснилось, что у нее была аллергия на один из препаратов. А мне-то откуда знать? Ни времени тесты проводить, ни возможности у меня не было.

Михаил вел свой рассказ на удивление спокойно, но Женя почувствовал, что тот переживает все так же ярко, как будто это было вчера.

— Она умерла у меня на руках, — продолжил бывший врач. — Потом стало ясно, что в тех обстоятельствах она бы все равно не выжила. Понимаешь? Наркоманка в последней стадии зависимости от героина. На руках, ногах живого места нет. Но родители, они какие-то шишки были, хай подняли. Конечно, куда было проще оставить в памяти дочку, пострадавшую от небрежности врача, чем дочку-наркоманку. Они на меня в суд подали за халатность и за все прочее. Друзья за меня заступились, бывшие пациенты пришли... Долго бодяга тянулась, несколько раз заседание суда откладывали. В общем, оправдали меня. Но я сломался, пока все это продолжалось, стал к

рюмке прикладываться и вот, остановиться уже не могу. Пришлось работу бросить — хорош хирург, если у него руки трясутся.

— А как сюда попал?

— Да ты слушай, а не перебивай. Нанялся я на рынок, к одному кавказцу, тапочками торговать. Целый день на ногах, на холоде, а заработок — копейки. Пришел однажды домой расстроенный, купил водку опять, и жена мне что-то такое сказала обидное, что я несостоятелен как человек, что я неудачник, что у меня нет денег, и мы крупно поссорились. Слово за слово, я уж не знаю, как так получилось, но я ее ударил. Видно, от злости и алкоголя мозги заклинило. Мне хотелось доказать ей, что все не так, что я выкарабкаюсь. А ведь она была права... В общем, этого я себе никогда не прощу. На следующий день она подала на развод, сказала, не может больше терпеть. Может, это была последняя капля, а может, она только рада была, что так все вышло, не знаю.

Я все равно люблю ее после стольких лет разлуки. Просто она не выдержала. Но не все бы выдержали. Вот ты бы выдержал? — с неожиданной горячностью и яростью Михаил посмотрел на Крутилина. Тот пожал плечами. — Я просто собрал вещи, — продолжил бывший хирург после паузы. — И ушел. Даже с дочерью не успел поговорить — она в школе была. Квартира была жены, я, когда женился, так и не прописался. Родители мои умерли уже к этому моменту. Нанялся сторожем на кладбище, жил там одно время, но мне там не нравилось, постоянно похороны, по ночам всякие личности ошивались опять же, подростки... Потом вот сюда попал. Знаешь, везде можно жить.

Помолчали. Женя потерянно спросил:

— А что сейчас с твоими родными? Они знают, где ты?

— Нет, — покачал головой Михаил. — Да и не надо это, у них другая жизнь.

Он аккуратно поставил стаканчик и продолжал:

— Нельзя сказать, чтобы я не злился. А то ты еще подумаешь, что я блаженный какой... Первое время злился, еще как. Но потом это прошло как-то. Они ведь не были плохими людьми все в отдельности: моя жена, с которой я прожил двадцать лет, дочь, друг-главврач, которому пришлось меня уволить. Надо было или простить их, или сойти с ума. Мне тогда понравились слова, что лучшая месть — это прощение. Но только не в том смысле, чтобы простить врага, и он тогда мучиться будет всю жизнь сам, а в том, что буквально от этого легче на душе становится. Вот ты злишься — а ты попробуй простить их, хоть на минуту. Увидишь, что сразу лучше будет.

— Не так уж это легко, — усмехнулся Крутилин.

— Ну и награда тоже не пустячная будет. Главное — понимать и принимать свою жизнь как она есть. Я это вынес из всего, что со мной случилось. Если это сможешь, а это самое трудное, что только может быть, то тогда станешь счастливым и свободным. Понимаешь, свободный — это тот, у кого ничего нет. Все верования древних и мудрость мудрых на этом построены. Сам знаешь, наверное, грамотный, по глазам вижу, — отринуть все, что держит, от чего зависим. Принять дзен в душе, так сказать.

— Это уже религия какая-то получается...

— Может, и религия. Религия, как стать счастливым. Я, пожалуй, сейчас самый счастливый, честно. Потому что свободен, ничего не гнетет, не тянет. А знаешь, как раньше было? С утра список дел, в магазин, дочку в школу, на собрание сходить, картошки купить, то, се. Если бы я все вернул, я бы перестал думать об этой ерунде, а думал бы о главном.

Крутилин посмотрел в глаза Михаила и подумал, что тот, пожалуй, не выглядит самым счастливым.

— А что главное?

— Главное — это то, что для тебя настоящее. Подумай, что у тебя было настоящего в жизни. Это самое дорогое, что бы ты не согласился ни за что на свете потерять. Что это для тебя?

— Не знаю, — честно признался Лохнесс.

— А ты подумай. И еще вот что: никогда ни о чем не жалей. Это самое бессмысленное занятие на свете.

— Это точно. А насчет привязанностей... Так у меня их и нет, пожалуй. Я ведь теперь такой же бомж, как и ты. В прямом смысле слова. Ни дома, ничего...

— Ты не бомж, если у тебя есть те, кто от тебя не отвернулся.

— Есть ли? — грустно возразил Крутилин. — Надеюсь, что есть, если только не поздно...

Он снова вспомнил о Вике, но говорить о ней в этот момент и в этом месте не хотелось.

— Слушай, пора мне, наверное... Спасибо за приют, но мне спешить надо, — спохватился Лохнесс и начал медленно подниматься.

— А, ну давай, иди, конечно, — кивнул Михаил. — Удачи тебе. Сейчас пойдешь вдоль забора, потом направо и выйдешь в Холодильный переулок.

Холодильный переулок! Ну конечно, именно там жила Вика. Сколько раз он еще смеялся над этим названием... «Холодильный переулок, дом семь, квартира девятнадцать», — вдруг всплыло в сознании так ясно, точно он заглянул в личный листок отдела кадров.

— Спасибо тебе за все. — Лохнесс, как мог, отряхнул пальто и вышел в мороз.

ЧАСТЬ ПЯТАЯ

Двор у Викиного дома был маленьким, машины были тесно припаркованы вдоль газона, в середине расположилась маленькая детская площадка, всего пара скамеек, песочница и качели. Он в нерешительности остановился. Теперь Лохнесс не спешил. Пока он не знал, где живет Вика, то шел уверенно, а тут, достигнув цели, вдруг растерялся. Сомнения как-то разом нахлынули на него. Как он сейчас вломится к ней домой и что скажет? Вот будет сюрприз... Ведь уже почти два часа. Хотя свет в одном из окон горит...

Морозная рождественская ночь все еще выглядела чем-то необыкновенным, волшебным. От заснеженных деревьев и самого воздуха исходили тишина и, как ощущал Лохнесс, какая-то тайна. Снег искрился под уличными фонарями, звезды на темном небе, казалось, только затем и высыпали все разом, чтобы понаблюдать за Крутилиным. «Звезд так много, — подумал он, — где же моя, путеводная? Почему перестала освещать мой путь, за какими такими туманностями скрылась? Все, что я считал прочным и устоявшимся в жизни, разрушилось». Он стоял такой одинокий и такой несчастный на этой заснеженной пустой улице, что звезды на небе заплакали от отчаяния.

«Что же мне сказать Вике? — судорожно соображал Женя. — С чего начать разговор?»

Неподалеку от него остановилась машина, из нее вылезла, очевидно, подзадержавшаяся в гостях парочка. Мужчина курил, и Лохнесс вдруг неожиданно для себя попросил у него сигарету. Тот угостил, щелкнул зажигалкой, поздравил с Рождеством и вместе со спутницей скрылся в соседнем подъезде.

Курение не доставило никакого удовольствия. Отвыкший от табака Женя закашлялся и с отвращением почувствовал, как едкий дым вползает в легкие. Решительно выбросил сигарету и толкнул дверь Викиного подъезда.

Домофон в подъезде был сломан, дверь покорно открылась. Лифт стоял внизу, как будто ждал его. Лохнесс нажал на обугленную кнопку с цифрой «3» — и только тут подумал, что в руках у него ничего нет: ни подарка, ни торта, ни цветов... Собственно, и денег-то у него не было. Все, что было, он запихнул в карман тому бородатому с сигарой, который и не догадался, что его пассажир стремился навстречу смерти. Но передумал.

— А, была не была!

На третьем этаже Лохнесс свернул направо, нашел нужную ему квартиру, нажал на кнопку звонка и напряженно прислушался. Судя по звукам, в доме не спали, там были слышны голоса, звук работающего телевизора. Но и впускать его не торопились. Через несколько секунд, показавшихся ему вечностью, Женя услышал шорох в коридоре и приближающиеся шаги. Дверь ему открыл полноватый молодой человек, чем-то похожий на Вику, среднего роста, с вьющимися русыми волосами,

рассыпанными по плечам. Крутилину показалось, что он уже где-то его видел.

— Что вы хотели? — спросил молодой человек довольно вежливо, но лицо его было очень грустным.

— Извините, что так поздно. А Вику можно?

Степан, а это был он, выразительно посмотрел на свои часы, потом вздохнул и пропустил Крутилина внутрь. У того сердце ухнуло вниз — парень! Это ее?

— Подождите секунду, — сказал тем временем блондин и скрылся за дверью одной из комнат.

Крутилин стал жадно осматриваться, пытаясь по окружающей обстановке сделать выводы. Его взгляд сразу выхватил мужские куртки, пальто, висевшие на вешалке в тесной прихожей. Обувь явно не Викиного размера и фасона громоздилась в углу. Причем среди мужских вещей встречались два непохожих размера. Похоже, что в доме не один мужик, а минимум два. Гости? Сомнительно, вещи разных сезонов... Блин, да ведь этот парень — ее брат! Как же он сразу не догадался, ведь тот так похож на Вику!

— Точно, это брат... — пробормотал Женя. — Но где же я его видел?

Наконец послышались легкие шаги, одна из дверей вновь открылась, и Крутилин увидел шаркающую ему навстречу Вику в домашнем халате и тапочках. Вид у нее был заспанный и удивленный, а когда она увидела Евгения, ее красивые серые глаза округлились.

— Евгений Александрович! Что вы тут делаете? — спросила она, крайне пораженная.

Вид Лохнесса на пороге ее квартиры был для нее равносилен появлению четырехглавого дракона.

Потом она более-менее освоилась и тут же уточнила:

— С вами все в порядке? Что-то случилось?

— Вика... — сбивчиво начал Крутилин, — пожалуй, что да... То есть нет... С тобой можно поговорить? Наедине, — добавил он, глядя на ее брата, высунувшегося из комнаты.

Вика перехватила его взгляд, ощутила запах спиртного, заполнивший всю прихожую, схватила Лохнесса за лацканы пальто и проговорила тихо и быстро:

— Ни о чем не спрашивайте. Ничего не говорите. Идем.

Три шага по коридору — и они в ее комнате. Щелкнул замок.

Он нелепо стянул пальто, опустился на стоявший рядом стул и оглядел комнату. Это была обычная девичья спаленка, уютная, но несколько чопорная. В углу стоял диван с брошенным на нем женским журналом, на стенах картинки — копии известных полотен, в углу огромный старинный шкаф, битком набитый книгами, на тумбочке приятно светит старомодная настольная лампа.

— Антиквариатом увлекаешься? — спросил он, потому что не знал, как перейти к главному и объяснить свой неожиданный визит.

— Это от бабушки осталось... Она умерла тринадцать лет назад. А мама — шесть.

— А отец?

— Они с мамой давно развелись.

— Извини, я не хотел причинить тебе боль.

— Да ничего. Это все было давно, и я уже свыклась с этой болью. И уже привыкла жить одна. Ну, то есть не одна, с братом, — поправилась она. — А как вы меня нашли?

— Не знаю, честно говоря. Пожалуй, можно сказать, что ноги сам привели...

Вика вдруг спохватилась и вскочила со стула:

— Вам сделать чаю? Вы, наверное, замерзли...

— Да, хорошо бы было. Ты не смотри, что от меня спиртным разит, оно что-то все выветрилось и не согревает, — виновато улыбнулся Крутилин.

Вика исчезла. Он продолжил изучать жилище девушки. Отметил неновый компьютер на письменном столе, несколько украшений и плюшевых игрушек, советского вида трюмо, новенький трехтомник английского издания Толкиена на прикроватном столике.

Достатком тут не пахло, но было очень мило и уютно, как будто он попал в родной, давно забытый дом.

Как решиться сказать ей, зачем пришел? Она удивлена, смущена и из приличий принимает его, но, может быть, он ошибся, ничего, кроме вежливости и благодарности, ею не движет? Похоже, он сошел с ума. С чего он решил, что вообще кому-то нужен? Тем более без копейки денег. Он всегда был уверен, что его преданная секретарша влюблена в него без памяти, но откуда он это взял? А что, если это неправда?

Она вернулась, неся полный поднос. Кроме чая, тут были еще и колбаса, и вазочки с салатами, и холодное мясо, и конфеты, и пара больших кусков торта.

— Кушайте. — Вика торопливо освободила место на столе, убрав бумаги и клавиатуру.

Крутилин даже не предполагал, что настолько голоден. Он накинулся на еду, а девушка только смотрела на него и грустно улыбалась.

— Вика, — произнес он наконец, — ты, наверное, удивилась, что я пришел к тебе так неожиданно, в такой час. Но мне нужно задать тебе один вопрос. Понимаю, что жутко несвоевременно это делаю, все-таки сегодня семейный праздник, Рождество... А я без цветов и без подарка, вот так...

— Господи, да какое это имеет значение! — пылко воскликнула она.

Он взглянул наконец ей в глаза и решился:

— Вика, я ушел от жены. Точнее, это она... В общем, неважно. Важно то, что я здесь. И твое право принять меня или нет.

И снова отвел взгляд.

Вика молчала так долго, что он забеспокоился.

— Что скажешь? — Он поднял глаза и увидел, что она плачет, по щекам катятся две крупных, как горошины, слезы.

— А я уж думала, что этого никогда не произойдет... — прошептала она.

Тогда он встал и шагнул к ней.

В огромной вселенной — миллионы, миллиарды звезд и планет. И на одной из этих планет, на окраине города, в старом обшарпанном доме, на третьем этаже, в одной из комнат малогабаритной двушки, друг против друга стояли два человека. Он и Она. И не было во всей вселенной более близких, более счастливых людей...

Они не замечали вокруг ничего: ни этих тесных стен, ни посторонних звуков, ни убогости обстановки.

Они любили друг друга, открывая для себя целый мир, целую вселенную.

— Как мне хорошо с тобой, господи, как мне хорошо с тобой, — он гладил ее грудь, живот, бедра. И каждый миллиметр ее кожи отзывался на его прикосновения.

— Я люблю тебя, я так давно люблю тебя, — Вика взяла его ладонь и прижала к своим губам.

— Прости меня...

— За что?

— За то, что я был рядом — и так далеко.

— Но ведь твоя жена...

Напоминание о жене не причинило ему боль. Он вдруг понял, что жизни, той жизни, которую он оставил за дверью Викиной квартиры, для него уже нет. Она сползла с него, как содранная кожа.

Они уснули, обняв друг друга. Вернее, уснул Женя. Впервые за последние недели он обрел покой. Его издерганная, измотанная душа была чиста, как душа младенца. Вика уснуть не могла. Она лежала с открытыми глазами и боялась, что все — сон. Время от времени она приподнималась и целовала его то в лоб, то в нос, то в глаза, гладила волосы, проводила пальцами по его губам. А он, он улыбался сквозь сон, ему казалось, что он вернулся в детство и мамина рука ворошит его волосы.

Он проснулся под утро от страшной жажды.

— Боже, как хочется пить... — простонал Евгений.

Через минуту перед ним уже стоял слегка початый двухлитровый баллон холодного пива, который накануне принес Макс Бирюков.

Осушив в три глотка целый стакан, Лохнесс взглянул на Вику в наспех накинутом коротком халатике и вдруг сказал:

— А ты знаешь, у нас с тобой ноги совсем одинаковые.

Она глянула. И правда, похожи: длинные, тонкие, прямые, с выпирающими, как шары, коленками.

— И что это значит? — счастливо рассмеялась она.

— Это значит, что я буду любить тебя до конца жизни.

— Только ты живи долго-долго, ладно? — попросила Вика, прижимаясь к нему.

— Да, я буду жить долго, — серьезно отвечал Лохнесс. — Теперь я буду жить долго. Мне надо много сделать для одной женщины, которую я люблю. Она родит мне сына. Потом дочь. Мы сядем в машину и поедем в одно очень красивое место. Кругом будет лес, настоящий сказочный лес. И вдоль дороги, еще издали, мы увидим очень красивую церковь с колокольней. На куполе — ангел с двумя большими белыми крыльями. Он крепко сжимает в своих кулачках большой крест. Вокруг церкви — красивая кованая ограда, и все будут любоваться ее узорами. И мы услышим, как гудит колокол — бим-бом-бим-бом, кругом будет много, очень много людей, нарядных, веселых и счастливых. Вокруг будет только жизнь. — Он помолчал немного, как бы прислушиваясь к своим словам, и сказал: — Это будет. Я снова поднимусь на ноги — и это будет. Я клянусь.

— Какая же счастливая будет та женщина, — прошептала Вика.

— А ты... — Крутилин посмотрел ей в глаза. — Не хочешь состариться вместе со мной?

— С тобой — хочу. Но можно я не буду стариться? — Вика светилась от счастья.

— Я пришел к тебе, когда мне стало совсем плохо. Прости меня. И, кроме себя, я тебе сегодня не могу ничего предложить.

— Ты предложил мне самое-самое — себя. И я беру тебя со всеми твоими потрохами.

— И ты называешь потрохами мои руку и сердце?.. — Женя изобразил страдание. — Да, я беден, кроме мозгов, которые еще шевелятся, — он делано-театральным жестом прижал руку ко лбу, — у меня ничего. А у невесты есть приданое? — Его рука скользнула по Викиному животу, потом ниже.

— Да, — рассмеялась Вика. — Невеста с богатым приданым. С бо-га-тей-шим. Обратите внимание, — она провела рукой, — вот четыре стены, вот потолок, вот пол. Окно. Чистое, между прочим. Диван, кресло, абажур. Телевизор, есть видик...

— Ничего не утаила? — широко улыбнулся Евгений. — А я в коридоре шубку видел. И сапожки.

— Вот видишь, мое наследство даже в комнате не умещается. Ой, а компьютер!

— Ах, у невесты еще и компьютер есть. Ну что ж! Беру в жены! А компьютер с Интернетом?

— Ну конечно, ты же сам оплатил мне его установку, забыл?

— Забыл...

Крутилин вдруг вспомнил, как мамедовские люди ходили по его офису, заглядывали в компьютеры его сотрудников, рыскали по столам, пока он вытаскивал из стола свои бумаги и вещи. У него осталось такое чувство, что он что-то не забрал. События, снежным комом свалившиеся потом на него, погребли под собой то ощущение недоделанности. Но теперь он вспомнил.

— Вика, я забыл стереть мой пароль на почту из памяти офисного компьютера. Надо его поменять, — сказал он. — Не хочу, чтобы *эти* рылись в моих письмах.

С этими словами он встал и как был, голый, сел за компьютер. Тот проснулся, тихо заурчал, экран дисплея отозвался тихим приветствием. Женя вышел в Интернет, заглянул на почту. Там обнаружилось два непрочитанных письма, оба с поздравлениями от старых партнеров.

«Помнят еще, — тепло подумал Женя. — А я в этом году даже и не поздравил никого с праздниками, все каникулы вообще к компу не подходил. Простите, друзья!»

Крутилин уже хотел закрыть почту, как тут ему на глаза попалось еще одно письмо — от Гинзбурга. Оно значилось как прочитанное и, судя по дате, пришло пятого января, но Женя отчего-то вообще его не помнил.

«Надо же, совсем замотался, — пронеслось в сознании. — Когда же я его прочел? Вообще из головы вылетело». Он торопливо открыл письмо и прочитал:

«Шалом, дорогой Лохнесс, здоровеньки булы!

Тут мы втроем: Дед Мороз, Санта-Клаус и хитрый еврейчик Гарик Гинзбург — скинулись тебе на новогодний подарочек. Глянули на котировки, и что же мы имеем видеть? Акции-шмакции нашей совершенно бесперспективной еще месяц назад компании взлетели, как межконтинентальная ракета. Если ты забыл наше название, то посмотри на мою визитку. Так что, как говорят здесь, ты имеешь к своему имени сумму в 7 800 000 долларов США! За склонения-спряжения не ручаюсь: если б был я не еврей, а падишах, я бы упражнялся в падежах! А за точность суммы вполне ручаюсь.

Надеюсь, что ты не обманешь своего старого друга насчет премиальных, которые мы почему-то никогда с тобой не обсуждали.

Season's Greatings!

Igggorrrrrrrrrrr!!!!!

P.S.

Я ж тебе говорил, что твой друг И.И. Гинзбург — лучший в мире менеджер и антикризисный специалист, а ты не верил».

— От этого письма разит хорошим кентуккийским виски, — только и смог сказать Лохнесс.

Сменить пароль он, конечно же, забыл. Впрочем, сейчас это было уже неважно.

* * *

Пятого января, через несколько часов после скандала в офисе Крутилина, Карен позвонил сестре.

— Поехали в ресторан, сестренка? — предложил он. — Отметим. Это наша победа, и ты в ней сыграла главную роль. И Гуссейн тебя видеть хочет.

— Спасибо, родной, — проворковала Карина. — Я всегда в тебя верила. Начинайте пока отмечать без ме-

ня, а я чуть попозже приеду, ладно? У меня еще дела, их никак, ну просто никак нельзя отменить...

Она тут же собралась и уже через тридцать минут была в офисе бывшего мужа. Точнее, в офисе бывшей фирмы бывшего мужа. Как долго она ждала этого момента! И какой же сладкой была победа! Ей не надо ни с кем праздновать, чтобы осознать масштаб произошедшего, и никто, кроме нее, не знает, что это для нее значит. Ведь теперь она забрала не только все то, чем владел Крутилин, теперь она заберет его жену.

Сегодня, 5 января 2009 года, она стала полноценной хозяйкой этих владений. Карина прошлась по комнатам, посидела в кабинете Лохнесса, заглянула в приемную. Там еще работали приставы, юристы и экономисты, привезенные Кареном. Его самого и людей в форме уже не было. На столе в приемной стоял дорогой коньяк. Она тоже налила себе бокал и вернулась в кабинет Крутилина.

От нечего делать и просто от любопытства включила компьютер. Вот лох, у него даже пароль на машине не стоит! Очевидно, доверял своей секретарше, как самому себе.

Она усмехнулась. Ничего интересного в компьютере бывшего мужа она не ожидала найти, но ее разобрал какой-то азарт и возбуждение от того, что она проникает в запретную раньше область. Такое ощущение бывает, когда случайно увидишь что-нибудь не предназначенное для посторонних глаз.

Она просмотрела содержимое электронных документов Крутилина, но испытала лишь легкое разочарование. Очевидно, он не держал в рабочем компьютере ничего личного, ни фотографий, ни файлов. Разочарованная, Карина вышла в Интернет и обнаружила, что доступ в почтовую программу происходит автоматически, пароль сохранен в памяти компьютера. Внутри имелось непрочитанное письмо, полученное, судя по дате, всего несколько часов назад.

Карина, уже скучая, машинально щелкнула мышью, открыла его и в первый момент ничего не поняла. Потом перечитала еще раз, и еще... Глаза ее открывались все шире.

Когда до нее наконец дошел смысл послания и она поняла, что это не шутка и не розыгрыш, то побелела и схватилась за волосы. Только не это!

Она всегда осознавала, что Маринка — ее Маринка! — *живет с мужем только ради денег*. И эта фраза имела двоякий смысл. Пока у Лохнесса деньги были — жена ни за что не хотела от него уходить. Он разорился — и это значило, что Марине он больше не нужен. До этой минуты все складывалось как нельзя лучше, именно так, как хотела Карина. Но это письмо от Игоря, мужа Лоры, перечеркивало все.

Когда Карина увидела эти цифры — 7 800 000 долларов США, — мир для нее просто рухнул. Сомнений не оставалось: Крутилин снова на коне. А это означало, что Маринка стопудово останется с ним. От таких денег она не откажется ни за что. Карина несколько раз нервно всхлипнула, затем встала, быстро собралась и опрометью выскочила из офиса.

* * *

Войдя в свою квартиру, Карина бросила связку ключей на тумбочку под зеркалом и без сил свалилась в кресло. Помассировала виски руками, поморщилась. Потом вдруг резко поднялась, подскочила к бару, не глядя схватила бутылку с дорогой водкой и залпом сделала несколько глотков прямо из горлышка, поморщилась, отпила глоток сока, стоявшего тут же, потом выпила еще немного и наконец в бессилии опустилась на пол рядом с баром.

Все пропало. По крайней мере, все под угрозой: их счастливая жизнь с Мариной, поездка в Европу, брак. Радужные картины будущего, которые она уже нарисовала в своем воображении, враз лопнули как мыльные пузыри. Да уж, получила она новогодний подарочек, ничего не скажешь...

Теперь у Крутилина снова будут средства. Конечно, олигархом он не станет, по их меркам, неполных восемь миллионов — смешные деньги. Но у нее, Карины, состояние намного меньше. Все-таки салон — это всего лишь салон. Конкуренция страшная, клиенты капризные, да еще кризис, оставаться на плаву с каждым днем все труднее. Блин, вот уж и вправду говорят: кому война, а кому мать родна. Во всем мире кризис — а Лохнессу счастье привалило.

Карина в бессилии сжала кулаки, водка, метнувшись в желудок огненным шаром, теперь вызывала тошноту.

Нет, она этого не допустит. Слишком высоки ставки, слишком много она сделала, слишком дорога ей Марина.

Значит, надо избавляться от Крутилина. Совсем. А деньгам молоденькой вдовушки она найдет применение...

Интересно, Крутилин уже читал письмо или нет? В почтовом ящике оно было помечено как непрочитанное. Сколько у нее времени?

У Карины затеплилась надежда. Но действовать надо было быстро. Она открыла сумку, нашла мобильный и набрала номер Макса. Через пару гудков подняли трубку, преданный водитель-охранник был, как всегда, готов исполнить распоряжения своей хозяйки.

— Ты мне нужен, — металлическим голосом отчеканила Карина. — Поднимись.

Она дала отбой и опять сжала виски руками, ее четкий и стремительный ум принялся лихорадочно работать. Нужно вести разговор так, чтобы в случае чего его можно было бы повернуть в шутку или сделать вид, что он не так понял. Ну вдруг все пойдет не так, как она запланировала? Дело-то тонкое и щепетильное...

Через несколько минут Макс стоял перед ней. Войдя в квартиру, он ощутил слабый запах водки, исходивший от хозяйки, но виду не подал.

— Проходи, посиди пока, — Карина изо всех сил старалась казаться веселой и беззаботной. — Представляешь, мне назначили важную встречу на вечер, но обещали перезвонить, и до сих пор не звонят. Вот, сижу как на иголках.

Максим деликатно опустился на стул.

— Тоже мне, нашли время для деловых встреч! — Карина искусно изображала, что на нее внезапно нашло желание поболтать. — Каникулы же, Рождество вот зав-

тра... Но с этим кризисом все перевернулось с ног на голову! И у меня тоже... Хотела вот на праздники к теплому морю съездить — не получилось. Торчу целыми днями дома, телик смотрю.

Она отлично видела, что собеседник уже заскучал, и вернула его внимание вопросом:

— Ты вот что смотреть любишь?

— Ну... Не знаю. Боевики люблю, сериалы некоторые. Недавно вот ментовский сериал про Глухаря был — мне понравилось.

— А я последнее время научно-популярными каналами увлеклась, — поделилась Карина. — Так интересно! Чего только, оказывается, в последнее время не изобрели! Даже лекарство от СПИДа.

— Изобрели лекарство от СПИДа? Серьезно? Это не байки? — Максим только что не подпрыгнул на стуле, и Карина засмеялась про себя, торжествуя первую маленькую победу. — Да нет, врут, наверное... — тут же возразил ее собеседник. — Если б такое случилось, все бы уже знали, по всему бы миру в колокола звонили, во всех новостях передавали... — Искра жизни, вспыхнувшая было в его глазах, тотчас потухла.

— А вот и нет! — лукаво улыбнулась Карина. — Во-первых, средство еще не до конца протестировано, слишком мало времени прошло, еще просто рано начинать его широкое использование. А во-вторых, скажу тебе как человек, понимающий кое-что в бизнесе, — это еще и невыгодно. Сейчас всю прибыль от лечения ВИЧ-больных имеют те, кто это средство изобрел. А когда ле-

карство станет достоянием мировой общественности, придется и налоги платить, и делиться...

Карина украдкой глядела на Макса, наблюдая, как заходило желваками его лицо. Она замолчала и нарочно держала паузу, чтобы он не вытерпел.

— Так что за способ-то?

— Ну, говорят, что где-то в Южной Корее буддийские монахи умеют лечить СПИД. Заводят человека в лес, раздевают догола и закапывают в мох, так чтобы только голова торчала. Ну, конечно, кормят-поят. И поливают теплой водой, в которой замешаны споры каких-то местных грибов. Через некоторое время грибы прорастают прямо в тело. Боль, конечно, сильная, но грибница каким-то образом вытягивает вирус, так что в конце концов страдалец вылезает из своей ямы как новенький.

Руки Максима в мгновение вспотели, сердце, казалось, сейчас выпрыгнет из груди. И верно, он ведь тоже вспомнил, что слышал про такой способ!

— А сколько это может стоить? — спросил он, сглотнув.

Карина пожала плечами.

— Вряд ли уж очень дорого... Способ грязный, жестокий, мучительный. Думаю, немногие отважатся на такое лечение. Так что вряд ли больше десяти штук баксов. Ну плюс, конечно, проезд-отъезд, визы... Слушай, а почему это так тебя интересует?

— Да любопытно просто... — попытался уйти от ответа Макс, но Карина покачала головой.

— Не верю. Вон как у тебя глаза горят! Признавайся — у тебя болен кто-то из близких, да?

Она нарочно кинула ему этот спасательный круг, и он, конечно, ухватился за него.

— Ну, знаете, Карина Азизовна, я вам никогда не говорил, не хотел вас пугать, но... Мой родной брат давно болен СПИДом.

Карина громко ахнула, может, чуть громче, чем следовало. На самом-то деле она прекрасно знала, что никаких братьев у Максима нет, а вот СПИД, наоборот, — присутствует. Перед самыми каникулами ей сообщил об этом начальник службы безопасности. Карина уже думала увольнять Максима. Хотя его работа ее устраивала, но СПИД вызывал у нее безотчетный иррациональный страх, несмотря на то, что она понимала, что ей в принципе заразиться не грозит. Но все равно общаться с Максимом не хотелось. А так у него будут деньги, и она даже выполнит некую гуманитарную миссию — поможет ему. К тому же он уедет сам и избавит ее от необходимости увольнять его, ей было бы неприятно это делать. При этом самоубийство Крутилина ей не казалось аморальным. Тут другое. Крутилин сам виноват в том, что у нее не было выбора.

«А он клюнул», — подумала она, но вслух сказала:

— Да, брат — это святое. Тяжело тебе приходится. А ты хочешь его спасти? Деньги нужны? — спросила она его без всяких околичностей.

Она посмотрела на Максима и увидела в его глазах что-то такое, что заставило ее отвести взгляд. Он молчал.

— Есть работа.

— Я согласен, — Максим уже начал догадываться, к чему она клонит. Поэтому он добавил, как отрезал: — Тридцать штук!

— Получишь пятьдесят, — она дрожащими пальцами достала сигарету из пачки. — Но дело надо сделать быстро. Сегодня пятое... Завтра канун Рождества, праздник, всем надо отдохнуть... Значит, сделаешь все седьмого. До полуночи

— Круто...

— За «круто» и плачу. — Зажигалка никак не хотела загораться в ее дрожащих руках.

— А кто клиент? — Макс молча смотрел на ее мучения с зажигалкой, но помощь не предлагал.

— Мой бывший муж, Лохнесс. — Кончик сигареты наконец вспыхнул.

— Крутилин!.. — Макс улыбнулся.

— Сколько тебе на это нужно времени?

— На сам процесс — секунд пятнадцать, — ответил Макс, как заправский киллер.

— А... пистолет у тебя есть? — Она хотела сказать «ствол», но не выговорилось. Однако, похоже, Макс оправдывал ее ожидания.

— Пи-сто-лет? — протянул он презрительно. — На этого хануриcontext? Да я его монтировкой промеж глаз — и все проблемы!

— И до смерти? — сдуру переспросила хозяйка, не смея поверить своей удаче.

— И до, и после. Бьем по рукам — и готовьте траурное платье.

— Да, похоже, я в тебе не ошиблась. Задаток...

— Задаток, — Макс уже полностью вошел в свою роль, — в таких делах не берут. Как будет за что — все сразу и заплатите.

И глянул ей в лицо стеклянными глазами.

— Ну, так как, Карина Азизовна, по рукам — или, может, передумаете?

— По рукам! — Карина решительно пожала жесткую крупную руку Макса.

Но когда он двинулся к двери, хозяйка его остановила.

— Только учти, Максимушка... — почти нежно произнесла она. — Играть со мной не надо. Со мной шутки плохи, ты это уже, наверное, знаешь... Если начнешь чудить что-нибудь, я найду управу не только на Лохнесса, но и на тебя. Ты знаешь, кто мои братья, им очень не понравится, если кто-то обидит их сестру.

— Да я и не думал... — пожал плечами Макс и вышел.

Карина проводила его взглядом.

С этого момента у нее не было никаких сомнений, что уже послезавтра для ее бывшего мужа закончатся все его земные проблемы.

А Максим Бирюков пришел в себя через несколько минут после этого разговора, поворочал из стороны в сторону головой на толстой шее, выматерился...

— Вот баба... Убить — что плюнуть, — пробурчал он, оказавшись на лестнице.

Жизнь давала ему шанс. Один. Где там эта Южная Корея с монахами и грибами! Можно бы попытаться. А вдруг... И тут почему-то вспомнилось, как его, брыкающегося, засовывали в тумбочку, как сбрасывали...

Ему стало так жалко себя и так сильно захотелось жить...

* * *

Пятого января Степа вернулся домой поздно, поскольку после работы еще заехал в супермаркет и набрал всяких вкусностей к празднику. С тремя тяжеленными, оттягивающими руки пакетами он с трудом открыл дверь и тихонько прошел в квартиру. Там было тихо, и это его удивило. Ну Вика-то, допустим, уже легла, это неудивительно. У нее биоритмы такие, она жаворонок — рано ложится, рано встает. Но почему Макс не вышел его встречать? Неужели дома нет? Хотя странно, куртка вон на вешалке...

Степан прошел на кухню, поставил пакеты на стол, распаковал, кое-как запихнул все купленное в холодильник — еле вместилось. А когда вошел в их с Максом комнату, ощутил явственный запах спиртного и увидел, что любовник, прямо в одежде и ботинках, валялся на кровати и храпел.

— Эй, Макс, ты чего это? Макс? Ты пьяный, что ли? Что ж ты — в грязных ботинках и на простыню?

Тот вскочил, ошарашенно огляделся и, заметив Степана, вдруг вместо ругани схватил его и затряс в объятьях.

— Что случилось? — сухо спросил Степа.

— Я тебе такое сказать должен!.. Хотел позвонить, но не смог такое по телефону рассказать... — Максим весь дрожал, слезы лились у него по щекам. — Ждал, ждал тебя да и заснул... Слушай, скоро у нас появится шанс, понимаешь? Шанс. Настоящий!

— О чем ты?

— Пусть это вранье, пусть, я даже на это согласен! Но мы проживем эти несколько дней в надежде. Скоро, Степочка, мы едем в путешествие.

— В путешествие? Куда?

— Я раньше даже представить не мог, что такое бывает, — лепетал Максим, не слушая Степана, — только теперь понял, насколько ты мне дорог... Ты меня прости, что я таким был уродом все это время. Но теперь все изменится.

— Да что изменится?

— Ты... ты не поверишь, — Максим принялся быстро и сбивчиво рассказывать про метод лечения монахов, стараясь не упустить ни одной детали.

Степа слушал его, сложив руки на груди, потом спросил:

— Слушай, а это не бред?

Макс приложил руку к груди:

— Не бред. Я вот тут чувствую.

— А деньги у нас откуда возьмутся?

— Расслабься. Я достану.

— И все-таки?

* * *

О том, что его «клиент» провел остаток рождественской ночи в той же квартире, что и он, Макс так и не узнал. В половине девятого утра и он, и Евгений, выпивший ночью добрую половину его пива, еще крепко спали. А вот Вика уже давно проснулась. Работа секретарем приучила ее к раннему вставанию, и даже по праздникам она легко поднималась. Девушка осторожно убрала за-

текшую руку, на которой спал Женя с блаженной улыбкой. Он походил на усталого путника, обретшего наконец долгожданный дом.

Она улеглась поудобнее и принялась вспоминать вчерашние события, теперь казавшиеся ей фантастическими. Но нет, вот же он, Крутилин, собственной персоной рядом с ней.

Вике все никак было не уместить в сознании, что произошло! Какая-то чудесная сказка начала сбываться наяву, и девушка как будто боялась проснуться. Ее вдруг охватил беспричинный страх.

А вдруг это все сон, подарок на одну рождественскую ночь?

И сейчас он проснется и уйдет в свою настоящую жизнь, где его ждут шикарные женщины, роскошные машины.

Деньги к деньгам, как говорится. Что, если это была минутная слабость?

Или Марина опомнится, вернет его, и все будет как прежде. Только ты, дурочка, будешь страдать еще больше...

«Ну и пусть! У меня была хотя бы одна счастливая ночь, — вздохнула Вика, но на ее глазах уже готовы были появиться слезы. Она хотела было встать и чуть отодвинулась от Лохнесса, но тут он заворочался во сне, пошарил рукой рядом с собой и, только дотронувшись до Вики, успокоился. На его лице появилась спокойная улыбка.

«Надо же, улыбается во сне», — удивилась Вика. И все ее тревоги и сомнения тут же как рукой сняло.

Теперь мысли ее приняли практическое направление. Как они будут жить? Где? На что? Работу она найдет, это

не вопрос, но как быть с Женей? Фирму он потерял. Но ведь можно начать все заново! А она ему поможет. И это будет уже их общая победа.

Ей тоже очень хотелось пить, но пиво Вика терпеть не могла, а ничего другого в комнате не было. Пришлось подняться, накинуть халат и идти на кухню. Где она, к своему великому удивлению, наткнулась на брата.

Степа, в махровом белом халате из салона «Vis Divina», стоял у окна и курил.

— Ты чего это так рано поднялся? — поинтересовалась Вика, наливая из старого, еще бабушкиного, кувшина кипяченой воды в свою чашку.

— А я и не ложился, — нехотя ответил брат. Он выглядел расстроенным и озабоченным.

— А что такое? — поинтересовалась Вика. — Случилось что-нибудь?

Степа не ответил. Она пожала плечами, оглядела кухню и ужаснулась. Ребята вчера сидели допоздна, стол был заставлен неубранными остатками праздничного ужина и грязной посудой. От одной мысли, что вскоре тут должен будет завтракать Женя, девушка ужаснулась и кинулась наводить порядок.

Степа украдкой наблюдал за сестрой и удивлялся переменам, произошедшим в ней за одну рождественскую ночь: она очень похорошела. Расцвела просто... Или это он сам раньше не замечал, какая она красивая?

Для нее это была ночь счастья, для него — мучительного выбора. И он его сделал.

— Послушай, сестренка... — начал он и замолчал.

— Что? — повернулась к нему Вика, которая мыла посуду.

Степа схватил ее за мокрую руку и горячо зашептал:

— А то, что дружка твоего — заказали! Знаешь кто? Карина, его первая жена, наша с Максом хозяйка. Хочешь, чтоб твой Женя жил — чтоб вы оба жили, — слушай и не перебивай. Подробностей я рассказывать не буду, да тебе это и ни к чему. Где-нибудь через час-полтора ты разбудишь своего и скажешь, чтобы переоделся...

— Кем переоделся? — пролепетала ошалевшая от удивления и ужаса Вика.

— Да не кем, а во что, дурочка! Подберем ему что-нибудь, мое, Максово... Главное, чтобы вся его одежда, в первую очередь пальто и ботинки, осталась тут. Да, и вещи обязательно. Ключи, часы, очки обязательно, они у него особенные, бумажник, документы, кредитки... Хотя нет, документы не надо. И кредитки с бумажником тоже. Хватит ключей и часов.

— Степа, что ты такое гово...

— Я кому сказал — не перебивай! Не знаешь, загранпаспорт у него с собой?

— Да, Евгений Але... Женя всегда его с собой носит.

— Это хорошо... А шенгенской визы у него случайно нет?

— Есть, конечно. Он и мне ее сделал, разве я тебе не говорила?

— Ну, вообще чудесно. Значит, так. Ты тоже бери загранпаспорт и собери свои вещи, лучше не очень много. Потом поезжайте к нам на дачу и сидите там тише воды

ниже травы. Я через часок позвоню Даше, это моя клиентка, она в турфирме работает. Попрошу ее подыскать вам горящие путевки как можно скорее. Как только путевки будут готовы, вы сразу свалите за границу. И лучше бы, конечно, вам там и остаться... Поговоришь со своим, может, он придумает что-нибудь.

— Ой, Степа, — только и смогла сказать Вика. — Ой, Степа, что же это такое...

* * *

Вика вошла в комнату, бессильно опустилась на стул, ей было так страшно, что даже слезы не появлялись. Обычно, когда человек плачет, он все же расслабляется, а у Вики внутреннее напряжение только усилилось. Одна только мысль, что она может потерять с таким трудом обретенное счастье, сводила ее с ума. Зубы стучали так громко, что ей показалось, что Крутилин сейчас услышит этот стук и проснется. Первым порывом ее было сразу разбудить его, тут же все ему рассказать, и она огромным усилием воли заставила себя этого не делать. Степан знает, что говорит. Если Женя сейчас все услышит, еще неизвестно, как он отреагирует, что сможет натворить. Лучше ему вообще ничего не говорить, пока они не окажутся за границей. Нужно взять себя в руки и быть сильной, как никогда.

Она поднялась и начала тихо собираться.

Вика с грустью посмотрела на любимые картины и игрушки. Каждый кусочек пространства этой комнаты был знаком ей с детства, к каждому она приложила свою заботливую руку, и теперь ей было жаль расставаться с милыми сердцу вещами. Но она понимала, что настала та главная минута, когда необходимо сделать выбор, покинуть отчий дом, пожертвовать привычным образом жизни, начать новый этап, пусть даже рискуя что-то потерять. И она начала складывать в сумку только самое необходимое: паспорт, загранпаспорт, кошелек, зубную щетку, косметичку... Вскоре она услышала, как закрылся замок входной двери.

Вика решила, что это ушли Степан с Максом, но через пару минут брат тихонько поскребся в ее дверь.

— Можешь будить своего, — шепнул он. — Когда встанет, позови меня, подберем ему вещи. Ты готова?

— Почти, — ответила девушка и вернулась к своим сборам.

На кровати послышалось какое-то движение, Вика вздрогнула и обернулась. Крутилин лежал, укрытый одеялом, и счастливо улыбался, наблюдая за ней.

— Куда это мы собираемся? — насмешливо произнес он. — Сбежать хотим от своего будущего мужа?

Она присела рядом с ним на постель и попыталась улыбнуться в ответ, но улыбка вышла какой-то жалкой.

«Только бы не напугать его», — подумала она.

— Послушай, — начала она, стараясь подыграть его легкомысленному тону. — А можно я тебе сделаю подарок на Рождество?

— Нужно, — засмеялся Лохнесс и хотел притянуть ее к себе, но она осторожно высвободилась.

— Нет, это не то, что ты подумал. Это сюрприз.

— Обожаю сюрпризы! И что же это?

— Скоро узнаешь. Но только при одном условии. Делай то, что я говорю, и не задавай никаких вопросов.

— Я заинтригован! — Лохнесс расхохотался.

— Тогда для начала тебе нужно будет переодеться. Пойдем в комнату к Степе, подберем тебе что-нибудь.

— Да вы маскарад, что ли, затеяли? — недоуменно поглядел Евгений.

— Ну пожалуйста, милый... Ты обещал не спрашивать!

Джемпер Степана Крутилину подошел прекрасно, а вот брюки оказались коротковаты. Пришлось взять джинсы Макса. У него же позаимствовали ковбойские сапоги — никакая другая обувь Лохнессу не годилась. Довершила картину новая, ни разу еще не надеванная куртка Степы, ярко-синяя, отороченная белым мехом. Вика боялась, что Крутилин не захочет надеть такую броскую вещь, но тот, к ее удивлению, не стал спорить.

Одевая Евгения, брат и сестра изо всех сил старались скрыть свою нервозность. Женя, поняв, что ему все равно пока ничего не объяснят, откровенно веселился. Всю его собственную одежду сложили на кровать к Вике.

Пока Лохнесс пил чай на кухне, Степа вызвал сестру в коридор.

— Я созвонился с Дашей. Вам повезло. Есть две горящие путевки на автобусный тур по Европе. Автобус отходит в три часа, вам даже на дачу ехать не надо.

— Спасибо тебе, родной! — Вика обняла брата. — Что бы я делала без тебя!

Степа мягко отстранил ее, ушел к себе в комнату и закрыл дверь. Он понял, что прощание будет для него невыносимо.

Через полчаса влюбленные вышли из дверей Викиного дома. Крутилин нес две небольшие сумки, а девушка держала его под руку.

Когда они спускались по эскалатору, Женя так смешно вертел головой во все стороны, что Вика шутливо толкнула его в бок:

— Не глазей ты так.

— Да я тысячу лет сюда не спускался! Уже забыл, как простые люди ездят.

Потом внимательно посмотрел ей в глаза и тихо сказал:

— Ты понимаешь, что я уже не тот бизнесмен, мне придется начинать все сначала. Вчера я понял, что готов к этому, ты дала мне новые силы. Но готова ли ты сама? Ты уверена, что воспринимаешь меня тем, кто я есть сейчас? Влюбилась-то ты в успешного человека.

— Мне стыдно это говорить, но я даже рада, что так все повернулось, — она отвернулась и смахнула слезинку.

— Ну и ладно. Больше меня ничего не волнует, — успокоился он.

— А твоя жена не захочет тебя вернуть? — спросила девушка.

— Какая жена? — удивился он. — У меня больше нет жены, точнее, есть, но она передо мной. А если ты спрашиваешь про женщину по имени Марина, то, я думаю, общаться нам больше незачем. Я ей уже неинтересен, и

она мне тоже... Нам сейчас выходить, да? Слушай, я уже забыл, какая станция за какой следует и где надо переход делать...

Только оказавшись в турфирме, работавшей даже в праздники, Вика смогла чуть-чуть расслабиться. Лохнесс же сиял, как начищенный пятак.

— Так вот он какой, твой сюрприз! И куда мы едем?

— В автобусный тур по Европе.

— Здорово! Но зачем же переодеваться было?

— Это я тебе потом объясню, — Вика спрятала глаза, но он потянул ее пальцем за подбородок и заставил взглянуть на себя.

— Вика, мне не нравится... — у нее замерло сердце, — не нравится, что эту поездку оплачиваешь ты. Наличных у меня с собой нет, я тебе вчера объяснил, почему, но на кредитке еще кое-что осталось, и...

— Хорошо, — с облегчением согласилась она. — Сейчас мы оформим путевки, а потом ты компенсируешь мне затраты.

Она до последнего боялась, как бы что-нибудь им не помешало. Вдруг путевки уже отдали другим людям? Или возникнет какая-то закавыка с документами... Вика всерьез опасалась даже того, что откуда-нибудь из-за поворота вдруг выскочит черный автомобиль и откроет стрельбу по ее Жене...

Но все обошлось. Даша оформила путевки и просила передавать привет брату. А Крутилин, похоже, был только рад подобному повороту событий. Ситуация казалась ему очень романтичной.

Когда они сели в автобус, Вика не выдержала и расплакалась.

— Что с тобой? — испугался Евгений.

— Это я от счастья... — она шмыгнула носом. Время сказать ему всю правду еще не пришло.

Вскоре за окном сгустились ранние зимние сумерки. Крутилин задремал, и Вика последовала его примеру. Когда она проснулась, за окнами уже совершенно стемнело. В салоне тоже был приглушен свет, и только блики фонарей проскальзывали мимо с усыпляющей регулярностью. Мерное покачивание автобуса навевало сон, и почти все пассажиры спали. В этот рейс отправились в основном небогатые люди, которые хотели посмотреть Европу, — студенты, скромные менеджеры, те, кому не хватило денег на дорогие рождественские путевки.

Вика протерла ладонью запотевшее стекло, задумалась и не срезу заметила, что Евгений уже не спит, а внимательно смотрит на нее.

— Вика, — настойчиво сказал он, — признавайся, что это была за история с переодеванием?

И она рассказала ему все, что знала. Он долго не мог поверить, сомневался, вспоминал, перебирал в памяти события своей недавней жизни и в конце концов согласился: да, это похоже на правду.

— Все равно я многого не понимаю... Зачем нам бежать?

— По-моему, — отвечала девушка, — Степан считает, что Карина не успокоится, если будет знать, что ты где-то рядом. Она думает, что ты можешь захотеть вер-

нуть Марину. А значит, будешь опасен для нее. Мне кажется, она сошла с ума от своих наркотиков... Но эти ее жуткие братья со своими бандитами... От них же всего можно ожидать.

— Ладно, с этим ясно. Но мне интересно — сейчас вот мы уехали. А потом? Когда тур закончится?

— Что делать потом, мы не успели придумать. Степа сказал, чтобы мы скорее уезжали, а потом ты сам найдешь выход.

— Черт, глупо все как-то, по-детски... Но почему ты не сказала мне все сразу?

Вика потупила глаза.

— Не сердись. Я боялась... За тебя. Боялась, что, узнав все, ты не захочешь уехать. Или, еще того хуже, решишь отомстить Карине.

— Отомстить... — задумчиво проговорил Крутилин. — Знаешь, вчера... — подумать только, это было всего лишь вчера! А кажется, прошла целая вечность... Так вот, вчера один мудрый человек с именем архангела сказал мне: «Лучшая месть — это прощение». Знаешь, тому человеку, которым я был раньше, эта мысль показалась бы абсурдной. Но сейчас я уверен, что это истина, не подлежащая сомнению...

Он помолчал, обдумывая что-то, потом его глаза вдруг просияли.

— Знаешь, а я, пожалуй, тоже сделаю тебе сюрприз, — проговорил он, доставая мобильный. — Позвоню кое-кому, как только попадем в такое место, где ловится сеть. Эх, какой же я молодец, что догадался вчера с утра телефон зарядить... Вика, но ты самое главное не сказала — переодевать-то меня зачем было?

— А я сама не знаю... — растерянно призналась девушка. — Степа велел — я и послушалась. Может, он боялся, что за тобой следить будут, а так не узнают?

— Детский сад! — рассмеялся Крутилин, снова глядя на дисплей телефона. — Да еще очки и часы забрали, я без них как без рук. Спасибо хоть мобильный оставили. Оп, есть контакт! Звоню! Игорь? Здорово, дружище! Слушай, тут такое дело...

* * *

Ни Вика, ни Лохнесс не знали, что в то рождественское утро Степа разбудил Макса тихой фразой: «Она тебя обманула».

— Что? — Макс подскочил на кровати, испуганно оглянулся, остановил взгляд на любовнике. — Уфф, это ты. Слава богу, мне это все приснилось.

— Милый, Карина обманула тебя! — проговорил Степан уже громче.

— С чего ты взял? — охранник все еще никак не мог прийти в себя после сна.

— Во-первых, нет никаких южнокорейских грибов, лажа все это. Я всю ночь в Интернете просидел, начитался... Там даже есть рассказ одного мужика, который в эту фигню поверил и рванул в Южную Корею... Но дело даже не в этом. А в том, что Карина специально тебе байку подкинула — она ж знает, что у тебя СПИД...

— Откуда она может?..

— Видимо, от Надира, начальника охраны. Во всяком случае, она так Мариночке своей говорила, когда та в ванне бултыхалась. А Лила слышала и мне передала.

— Твою мать! — выругался Максим. — Выходит, развела она меня, как лоха? И бабки не заплатит?

— Уж это точно. Скорее всего, прикажет кому-нибудь из подручных братцев от тебя избавиться — и шито-крыто.

— Да, похоже на то... А я-то голову ломал, почему она не к брательникам обратилась, а ко мне? А оно вон, значит, как...

Некоторое время он молча глядел в окно, где уже начал заниматься тусклый январский рассвет. А потом повернулся к другу и рассеянно спросил:

— Степ... А что ж теперь делать-то?

— Есть одна идея... — руки Степана нервно теребили простыню. — Ты мне вот чего скажи — как ты хотел от Крутилина избавиться?

— Дык машину взорвать, я ж тебе вчера говорил! Взрывчатку мне пацаны достали, все остальное — тоже... А к чему ты это?

— Ты помнишь, как мы с тобой хотели встретить Новый год? Так вот, есть шанс отпраздновать Рождество. Слушай...

Степа почему-то не сомневался, что Макс в конце концов согласится. Но даже он удивился, насколько быстро это произошло. После того, как охранник понял, что его обманули и отобрали последнюю надежду, ему уже было все равно. Да и выхода не было. Выполнит он заказ или не выполнит — его все равно уберут люди Мамедовых. А бежать куда-то и прятаться от них был смысл только в том случае, если б он был здоров. И впереди светила бы долгая счастливая жизнь, а не несколько лет болезненного умирания.

Не прошло и часа, как он встал, оделся и отправился на «стрелку» — забирать взрывчатку. Идея Степы даже пришлась ему по душе. Впервые в жизни представился шанс сделать что-то красивое и благородное.

Днем он вернулся, Степан ждал его. Они еще раз обговорили детали, проверили вещи, сложенные в большую сумку. Макс облачился в одежду Крутилина, которая была ему маловата, и у них даже нашлись силы шутить по этому поводу. Потом вышли из квартиры, сели в Максову «девятку» и относительно быстро долетели до Солянки — днем движение в городе еще не было интенсивным.

На стоянке во дворе дома стоял джип Крутилина, щедро присыпанный сухим снежком.

Степан слегка волновался — он вообще побаивался техники и не знал, как его друг справится с охранным устройством. Но Макс уверенно пикнул брелоком и полез в машину Лохнесса, как в свою, открыл правую дверцу Степе. Тот юркнул на переднее сиденье, и машина тронулась. К счастью, у шлагбаума проблем не возникло — стекла в джипе были тонированными, кто сидит за рулем, не видно. Да и дежурного в будке это, похоже, совсем не интересовало.

Ехали молча — все уже было переговорено днем.

В качестве будущего места происшествия они выбрали тихую аллею у сквера — того самого, где так бурно

выясняли отношения два года назад, узнав о страшном диагнозе Максима.

Когда остановились, Степа спросил было, что делать со взрывчаткой, но Макс полез под машину сам.

— Все помнишь? — спросил он, поднимаясь и отряхивая снег с кашемирового пальто Лохнесса.

Степан лишь кивнул. Они снова сели в машину. Помолчали.

— Знаешь, я вот все хотел тебе сказать... — начал Степа, но Максим закрыл ему рот рукой.

— Тихо, тихо! Ты ж знаешь, я соплей не люблю. Еще сейчас, глядишь, рыдать начнешь, как у тебя в заводе. Давай-ка вылазь лучше. Дальше я сам.

И услышал в ответ:

— Заткнись, а? Ты правда готов?

Макс вынул из кармана шприц. Молча стянул пальто Евгения, задрал рукав свитера, привычным движением всадил иглу в вену.

— От винта!

Степан помог ему застегнуть рукав рубашки, натянул куртку. Спросил заботливо:

— Ну что?

— Все путем, — бодро ответил Макс. Взялся двумя руками за руль, будто впереди предстояло большое путешествие. Замер, словно отключился, затем опомнился, улыбнулся и, глядя на Степана, сказал: — А поцеловать?

Степа нежно поцеловал его в губы. Некоторое время они сидели неподвижно, потом Макс проговорил, не шевеля губами:

— Я уже там. — И вдруг добавил: — Прими душу раба твоего, Господи!

Степан всхлипнул и пулей вылетел из машины. Рыдания душили его. Он упал прямо в сугроб и долго плакал. А потом вдруг резко затих, встал, умылся снегом, осмотрелся. Вокруг по-прежнему не было ни души.

На всякий случай он вновь открыл дверь джипа и посмотрел на Макса. На лице друга застыла счастливая улыбка — при жизни он никогда такой у него не видел.

— Прощай... — прошептал Степа. И еще раз поцеловал любовника.

Захлопнул дверь, отошел как можно дальше и включил дистанционное устройство. Тут же прогремел взрыв.

Испуганно заверещали сигнализации на автомобилях, зазвенели стекла в домах, закричали люди. Но Степану было уже все равно. Он вернулся в сквер, сел на скамейку — ту самую, где они сидели когда-то с Максом. Усмехнулся и достал шприц.

Скоро ему стало совсем легко. Степа надеялся, что под кайфом сразу увидит Макса, но увидел почему-то совсем другое: большое заснеженное поле, кладбище и рядом полуразрушенную церковь. На остатках купола странным образом сохранилась фигурка ангела с одним крылом.

* * *

На опознание Карина и Марина поехали вместе. На тело смотреть не стали, да, собственно, там и смотреть было не на что. От взрыва под пассажирским сиденьем

его разметало в клочья, сдетонировавший полупустой бензобак докончил разрушение.

Но тем не менее милиционеры, обыскивавшие место происшествия, нашли лоскут обгорелого тонкого кашемира, оплавленную связку погнувшихся ключей, остатки очков в фирменной оправе и почти не пострадавшие фальшивые часы «Монтана».

Эпилог

Высокая стройная блондинка в светлом брючном костюме вышла из квартиры, аккуратно закрыла дверь и спустилась в холл. Там ее окликнул темнокожий консьерж:

— Мэм, тут вас женщина какая-то спрашивала, представлялась вашей старой подругой. Она приходила несколько раз, последний — час назад. Имени не называла. Но она, как бы это сказать, — он почтительно выбирал слова, — выглядела несколько странно. Я попросил ее подождать в холле, не хотел вас будить до одиннадцати. Но она не пожелала ждать и ушла.

— Все в порядке, Том, не переживай, спасибо. Ты все сделал правильно, — женщина улыбнулась консьержу очаровательной улыбкой и вышла из дома.

Лора, а это была она, уже села в свой огромный джип и включила зажигание, когда увидела, как с противоположной стороны улицы к ней быстро приближается какой-то человек в бесформенной одежде. Он подскочил к джипу и быстро застучал в окно. Лора прищурилась и опустила стекло.

— Карина? Ты? — изумилась она.

— Привет, Лора, — Карина тяжело дышала, но попыталась изобразить на лице улыбку.

— Это ты меня искала, надо полагать?

— А ты, я смотрю, не рада меня видеть?

— Да нет, почему же...

— Я бы хотела с тобой поговорить.

Лора взглянула на часы:

— Ну, часик у меня есть. Садись в машину, позавтракаем в кафе, тут недалеко, — и она распахнула дверцу со стороны пассажирского сиденья.

В кафе Карина заказала только минералку и первые несколько минут сосредоточенно рассматривала свои руки.

— Ну и о чем же ты хотела поговорить? — нетерпеливо спросила Лора. — Какими судьбами тут вообще оказалась?

— Я? Я в Америке по делам, вот захотела тебя увидеть, старую знакомую.

— Почему же не позвонила?

— Ну, у меня же нет твоего номера.

— Понятно, — протянула Лора.

Общаться с Кариной у нее не было никакого желания. С момента последней их встречи та здорово изменилась — пополнела, из ухоженной девушки превратилась в растрепанную неряшливую особу. И как она могла испытывать страсть к этой опустившейся женщине?

— Я рассчитывала на лучший прием, — заметила Карина, уловив ее неприязнь. — Помнится, некоторое время назад ты была эмоциональнее.

— Времена меняются, — сухо сказала Лора, — к тому же я, по правде говоря, узнала о тебе много не слишком приятных вещей.

— Лохнесс настучал? — едко осведомилась Карина. — Да, хитрый оказался, подлец. Я тогда думала, с ним покончено. Но эта сучка Вика все испортила. Кто бы мог подумать, что эта кошечка так вотрется к нему в доверие...

— Мне все рассказал Игорь. Тебе еще повезло, что Женя не подал в суд.

— А у него не было доказательств. Все доказательства, как говорят, тю-тю. Я умею делать дела.

— Ну-ну...

— Слушай, а как он?

— Женя? Да хорошо. Фирма процветает, недавно дом купили. Сыну уже полгода, Михаилом назвали. Женя говорит — имя, как у архангела.

— Убила бы... — глаза Карины превратились в узкие щелки.

— Да ладно, уймись... Судя по всему, жизнь тебя и так наказала, — философски заметила Лора.

— Вот ты как заговорила! И что же, прошла любовь?

— Да не было никакой любви.

— Ну, тогда страсти? Помнишь, как ты говорила?

— Теперь я не могу позволить себе страсти.

— Почему?

— Потому что в моей жизни кое-что изменилось, — проговорила Лора, и нежная улыбка осветила ее лицо. Она полезла в сумочку и достала из нее небольшой снимок. На фотографии были Лора и Игорь, а между ними светловолосый мальчик лет десяти в бейсболке и спортивном костюме с надписью «New York». Мальчик стоял

между мужчиной и женщиной, держал их за руки и улыбался. Все трое выглядели очень счастливыми.

— Кто это? — скривилась Карина.

— Это мой сын. Да, мне удалось усыновить Брайана, моя мечта осуществилась. Мы с мужем довольны. Брайан — отличный парень. И больше мне никто не нужен.

— А я-то думала принять твое предложение. Несколько запоздало, но... Жаль, в общем, очень жаль.

— Я наслышана про твои подвиги, — усмехнулась Лора. — И не думала, что я на тебя так повлияю.

— Это не ты, — чуть слышно ответила Карина, — точнее, не только ты.

— Поговаривали, — Лора сделала неопределенное движение рукой, — что ты, скажем так, даже жила со второй женой Крутилина.

— Да. Мы жили вместе с Мариной. Это были, пожалуй, самые лучшие месяцы в моей жизни. Я хотела увезти ее во Францию, чтобы там пожениться. Вначале бы жили так, потом со временем получили бы гражданство, оформили брак. Я бы открыла там салон красоты... — Взгляд Карины затуманился, казалось, она живет только этими воспоминаниями.

— А что же случилось? — спросила Лора.

— Мы даже подали анкеты в посольство. Но не сложилось. Как раз в посольстве Марина и познакомилась с очень богатым человеком, он получал визу для посещения своей дочери, которая учится во Франции, — она горько усмехнулась. — Когда в тот день я пришла домой, то сначала не поняла, что произошло. А потом до меня дошло, нигде не было ни одной вещи Марины. Она забрала все, даже мои подарки. Ни записки, ни звонка. И больше я ее не видела.

— Что же случилось?

— Видимо, Марина поехала с ним. У него свой дом в Испании. Сейчас они, наверное, уже поженились.

— Получается, Марина не была настоящей лесбиянкой, — протянула Лора задумчиво.

— Думаю, она просто не была настоящей. Но я любила ее.

— А потом?

— Потом суп с котом.

Карина в процессе беседы часто почесывала нос, и Лора заподозрила неладное.

— Может, это не мое дело, но мне кажется, ты совсем за собой не следишь. Ты принимаешь наркотики? Что это? Кокаин? Героин?

Карина ничего не ответила, только бессильно махнула рукой.

— Как твой салон?

— Работает. Только клиентов почти нет, чую, скоро придется переезжать в новостройки, там аренда дешевле. Буду стричь рабочий люд.

— Да уж, незавидная перспектива, — насмешливо протянула Лора. — Извини, мне пора ехать за сыном. Сегодня после школы мы договорились с ним пойти в кино. Но я могу подвезти тебя, куда тебе нужно. Заодно познакомишься с Брайаном.

Карина скривилась, но после непродолжительного раздумья согласилась.

Через несколько минут Лора остановила машину напротив школы сына. Из здания как раз высыпала толпа ребятишек. Один из мальчиков отделился от своих товарищей и бросился к ней. Она обняла его, осыпала поцелуями, потом посадила в машину.

— Садись, родной. Карина, куда тебя отвезти?

— В аэропорт.

В это самое время в шикарном особняке в Коста Браве у окна стояла грустная белокурая женщина. Рядом, на постели, лежал мужчина, галстук его был свернут на сторону, рот открыт: он спал и при этом громко храпел. В комнате явственно пахло алкоголем. Женщина некоторое время стояла не шелохнувшись, потом принялась яростно обыскивать вещи спящего, но, видимо, не нашла того, что искала. Мужчина пробормотал во сне что-то неразборчивое. Тогда она в приступе ярости бросилась на дверь, но та была заперта. Женщина наконец смирилась, бессильно опустилась на пол и тихо заплакала.

Литературно-художественное издание

КАПРИЗЫ СУДЬБЫ

Олег Рой

БАНКРОТСТВО МНИМЫХ ЦЕННОСТЕЙ

Ответственный редактор *О. Аминова*
Редактор *О. Лисковая*
Художественный редактор *С. Груздев*
Технический редактор *О. Куликова*
Компьютерная верстка *Т. Жарикова*
Корректор *З. Харитонова*

ООО «Издательство «Эксмо»
127299, Москва, ул. Клары Цеткин, д. 18/5. Тел. 411-68-86, 956-39-21.
Home page: **www.eksmo.ru** E-mail: **info@eksmo.ru**

Подписано в печать 26.06.2009. Формат 84×108 1/32.
Гарнитура «HeliosCond». Печать офсетная. Бумага газ. Усл. печ. л. 18,48.
Тираж 70 000 экз. (1-й завод 30 000 экз.). Заказ № 6986

Отпечатано в полном соответствии
с качеством предоставленных диапозитивов
в ОАО «Можайский полиграфический комбинат».
143200, г. Можайск, ул. Мира, 93.